CORRUPTION ORDINAIRE

Du même auteur

96 heures. Un commissaire en garde à vue, Michalon, 2013 ; J'ai lu, 2015.

Flic un jour, flic toujours (récit), Michalon, 2014.

CHRISTOPHE GAVAT

CORRUPTION ORDINAIRE

roman

Ouvrage publié
sous la direction éditoriale de
Marc Fernandez

Éditions Plon, un département d'Édi8
12, avenue d'Italie
75013 Paris
Tél. : 01 44 16 09 00
Fax : 01 44 16 09 01
www.sangneuf.fr

Dépôt légal : février 2018

Mise en pages : Graphic Hainaut

ISBN / 978-2-259-25103-7

À Merlin,
À Christelle,
À ma famille composée et recomposée.

« Écrire, c'est hurler sans bruit. »

Marguerite Duras.

« Les chemins qui mènent à la liberté et à la dignité humaine passent par bien des abîmes et ne sauraient donc d'un seul coup mener au sommet. »

Romain Gary.

« La justice, docteur, c'est comme la Sainte Vierge, si elle n'apparaît pas de temps en temps, le doute s'installe. »

Michel Audiard.

« On ne se respecte pas assez. »

Serge Carmona.

Avertissement

Corruption ordinaire est une œuvre de fiction. Ce polar est certes inspiré de faits réels, notamment de plusieurs affaires que l'auteur – commissaire de police encore en exercice – a suivies, mais il demeure un véritable roman noir. Les noms, les personnages et les actions sont le fruit de son imagination, qui puise sa source dans la réalité et le quotidien des affaires et de la vie d'un professionnel de la police judiciaire.

Prologue

Tous pourris. Baden Powell s'est planté. En toute personne il n'y a pas cinq pour cent de bon. Cent pour cent de pourriture, jusqu'à la moelle. Des pieds à la tête. Viscères et poumons inclus. Cœurs avec. Il se marre. Non, pas le cœur, ils n'en ont pas. Tous pourris. Après ce qu'il a vécu, il peut confirmer ce poncif. Il s'est fourré le doigt dans l'œil jusqu'au coude, le bon Baden. Sir Powell : le fondateur du scoutisme, anobli par le roi George V. Pas d'exception. Jamais il n'aurait pensé arriver à cette conclusion, aussi lapidaire que simpliste, aussi stupide que définitive. Tous pourris. Nobles compris.

Même si son métier ne lui avait pas toujours donné une belle image de la nature humaine, il a mis du temps avant d'accepter l'idée que personne ne viendrait le soutenir. Du temps et de la réflexion. Mais cela a été plus fort que lui. Son côté boy-scout, certainement. Y croire jusqu'au bout. Qu'au milieu des requins nagent quelques bonnes volontés. Qu'au milieu des moutons bêlent quelques belles âmes.

Maintenant il le sait. Les cinq pour cent de bon chez l'être humain, la compassion, la bienveillance, la gentillesse ou la main tendue, tout ça, c'est des conneries pour des ados en mal de romantisme et de grandes théories sur l'humanité. Tu t'es planté, Baden ! Sorry, Powell, mais t'as tout faux. Tous pourris.

Il n'a plus l'âge de faire des feux dans les bois ou de jouer l'aventurier en culotte courte. Encore moins de faire sa B.A. Il se marre encore. La bonne action, ce n'est pas faute d'avoir essayé. Mais ce temps est révolu. Et pourtant il y a cru. Car l'histoire était belle. Trop. C'est dommage. Maintenant, il est trop tard.

Il se tient droit. Livide. De la fierté dans les yeux. De la détermination dans le sourire. Paradoxe. Aussi crispé de l'extérieur qu'il est détendu de l'intérieur.

Il a tourné en rond toute la nuit. Il n'a plus le choix. La pièce est petite. À force d'en avoir fait le tour, il la trouve même minuscule. Il ne peut plus vivre dans dix mètres carrés. C'est fini. Il a pris sa décision. Il s'est repassé le fil des événements. Incroyable comme sa vie s'est accélérée ces derniers temps.

Plusieurs fois aux cours de ses tergiversations nocturnes, il s'est posé la question : si c'était à refaire ? En boucle. Il a échafaudé toutes les hypothèses, cherché des solutions auxquelles il n'aurait pas pensé au cours de l'action. Mais à part se trahir ou devenir lâche, il le sait : il n'aurait jamais pu faire autrement. Avec objectivité et détermination, et même s'il sait aujourd'hui où tout cela l'a conduit, il aurait tout refait de la même façon. Tout.

Il n'est pas amer. À peine dépité. Il se le répète sans arrêt : « Ils sont plus forts que nous, les pourris. »

Alors il ne veut plus. C'est tout. Il ne veut plus avoir affaire à eux, ni aux journalistes, ni aux siens.

Sa connaissance des nœuds va lui être utile. Ses années de scoutisme lui auront au moins servi à ça. Merci, Baden. À l'époque de ses jambes frêles et de son acné juvénile, il en a chié pour les apprendre. Mais son chef de patrouille était un perfectionniste. Il lui a fait recommencer vingt fois, trente fois. Les yeux fermés ou un foulard sur la tête. Il était devenu expert. Et aujourd'hui, après tout ce temps, il maîtrise encore le nœud de chaise, le nœud de pêcheur. Et le nœud coulant.

Alors il vérifie. La corde est tendue. Bien fixée. Pas grand-chose ne pourrait la casser. Il l'a déjà testée. Elle supporte son poids.

Récemment, il a franchi la barre des cent kilos. Quand il se regarde, il ne se reconnaît plus. Ça aussi, il veut que ça change. C'est pourquoi personne ne pourrait arrêter sa décision. Pas même sa femme. Elle est irrévocable. Aussi solide que cette corde. Aussi définitive que leur séparation.

Alors il la tend. Jette un dernier regard derrière lui. Et se lance.

Adieu, les pourris.

1

Couloirs sombres. Portes verrouillées. Cellules closes. Les matons éteignent la lumière. Les bruits de la journée s'estompent. Le silence reprend sa place. L'angoisse aussi. Cris, pleurs, discussions, tout s'arrête. Chacun rejoint sa solitude. L'heure où les détenus se retrouvent face à eux-mêmes.

Robert Delacour se recroqueville dans son lit. Enroulé dans la robe de chambre offerte par sa femme pour réchauffer les nuits froides. Il ne regarde pas la télévision. Pour quoi faire ? Apprendre quoi ? Juste avant, il s'est installé à son bureau pour écrire. Il n'a pas préparé de discours ou d'éditoriaux pour le bulletin municipal comme au temps de sa splendeur. Nostalgique, il esquisse un sourire en souvenir de l'époque où il préparait avec minutie et talent ses envolées lyriques sur les bienfaits de sa politique culturelle.

C'était il y a à peine quatre mois. Avant les événements. Ceux qui l'ont conduit au fond de cette cellule crade et poussiéreuse de la maison d'arrêt de Bayonne.

Avant d'écrire il a fermé les yeux. À qui s'adresser? Que dire exactement? Qu'il regrette? Qu'il est innocent? Qu'il n'a jamais voulu rien d'autre que le bien de sa ville? Sainte-Jeanne : l'endroit où il est né, où il a grandi, où il a aimé. Sa femme d'abord, au prénom si prédestiné : Jeanne, comme sa sainte commune, dont il a été et est toujours le maire depuis vingt ans. Ses deux enfants bien sûr, Louise sa fille, copie conforme de sa mère, et son fils Éric, qui lui ressemble tant. Le même au même âge. Leur parler encore une fois des tableaux et statues des maîtres du XVIIIe siècle. Sans oublier les surréalistes ou les cubistes du XXe. Il voulait juste que ses administrés découvrent l'art, la beauté. La vraie, pas celle que la télévision inflige à longueur d'ondes. Essayer de les sortir de leur torpeur intellectuelle, de les tirer de leur ménopause artistique pour leur faire découvrir la richesse d'un tableau d'Hubert Weber : la lumière, la couleur, la finesse du dessin, la précision du détail ou les formes délicates de la statue de Devinsky, le geste gracile, la finesse des traits, la sensualité du matériau si élégant au touché.

La statue de *La Femme* de Devinsky avait pris place dans son bureau de la mairie, juste derrière son grand fauteuil Louis XIII. Il devinait sa présence, sentait la force du marbre, la douceur de son visage posée sur lui. Cette trouble présence le rassurait. En tendant le bras, il pouvait la toucher, et chaque fois le miracle avait lieu : sous ses doigts, elle prenait vie. Il pouvait alors passer des heures à la regarder et à discuter avec elle. Elle était toujours là, fidèle. Ne haussait jamais le ton, continuellement souriante. C'est elle qui lui dictait ses mots dans ses discours politiques, provoquant applaudissements et admiration. Il en était certain. Il l'aurait juré.

À cette pensée, il a effleuré la statue. Il a suivi ses courbes, avant de saisir fermement sa poitrine tendue. Depuis le jour où il l'a vue, il a su que ses seins étaient faits pour ses mains, que plus jamais il ne pourrait s'empêcher de caresser cette perfection féminine. La caresse de ses rondeurs lui a apporté tant de satisfactions. Tellement plus que les discussions futiles et versatiles relatives au budget de la commune. Dès que les conversations tournaient autour du déficit des comptes de la mairie, il fermait les yeux, tendait le bras et touchait sa poitrine. C'était comme si elle prenait souffle. Comme si elle lui donnait la force de continuer sur cette voie. Cultiver les habitants dont il a la charge depuis vingt ans. Un besoin vital, une nécessité morale, une mission presque divine pour les sortir de leur abrutissement quotidien et de leur avilissement stupide.

42 000 000 d'euros d'endettement de la commune, ce n'est pas si énorme que ça finalement pour une mairie de 10 000 habitants susceptible de multiplier par dix ou vingt sa population pendant les périodes de villégiature. Pourquoi ils m'emmerdent tous avec ça ? J'ai été élu sur un programme. La culture y avait toute sa place. Je n'ai trahi personne. Le budget était préparé par le directeur général des services, présenté en conseil municipal et voté à l'unanimité par tous. Je ne suis quand même pas le seul responsable. Je l'ai dit lors de la dernière campagne électorale, ressassé lors des conseils municipaux houleux, répété avec lassitude aux enquêteurs : l'art n'a pas de prix, l'art est l'avenir de la jeunesse, l'art est la vie. Je ne connais rien de plus fantastique que de faire découvrir à une ou deux ou mille ou dix millions de personnes la beauté de l'art. J'aurais dû être payé pour ça, pas envoyé en prison ! Ils n'y comprennent rien. Tous des cons. Incultes.

Il ouvre les yeux. À quoi cela sert-il maintenant de remuer tout ça ? Au fond de sa cellule il n'y a pas un électeur pour l'entendre, les matons se moquent de lui et les autres détenus l'appellent « monsieur le maire » avec une ironie qui n'a d'égale que leur bêtise. Quant au juge qui l'a envoyé là... que dire sur cet homme ? Austère, triste, imbu de lui-même et de sa suffisance magistrale.

Il ne fait même pas la différence entre Picasso et Dalí !

2

Ambiance tendue. Air chaud, malgré la température extérieure affichant péniblement 8 °C. Le juge d'instruction Éric Vallud est chargé de l'affaire Sainte-Jeanne. Son greffier est crispé. Il essaye de taper aussi vite les questions que les réponses. Sans faire trop de fautes d'orthographe.

— Delacour Robert ? C'est exact ? Né le 15 mai 1949 à Sainte-Jeanne, Aquitaine ? Maire de cette commune depuis 1989 ?

— Oui, oui...

Le ton est las.

— Vous savez tout ça, les policiers me l'ont déjà demandé, pourquoi insister ?

Le juge d'instruction lève son nez du procès-verbal qu'il était en train de lire. Prend ses lunettes entre ses doigts, machinalement il les nettoie. Il regarde plus attentivement Robert Delacour en face de lui. Coincé entre son avocat, Me Feldou, qui n'arrête pas de bouger. Plus droit qu'un piquet. Plus énervé qu'une mouche sur un tas de fumier. Bien emmerdé de se retrouver là, à cette heure-ci, un jeudi soir. Jour de bridge, en plus. Avec ce client si particulier, le très controversé maire de Sainte-Jeanne. Plus habitué à fréquenter les dorures de la République que les noirceurs de ses bas-fonds.

Delacour a mauvaise mine. Traits tirés, yeux fatigués. Barbe envahissante. Quarante-huit heures de garde à vue à la police judiciaire de Bayonne, dont les locaux doivent être au moins aussi anciens que la création des Brigades du Tigre. Pendant les deux jours de sa rétention, les policiers n'ont pas dû lui laisser le temps d'arranger sa mise. Même si, compte tenu de son statut et de son titre, ils ont dû lui concéder un régime spécial. Justice équitable?

Il reprend :

— Désolé, monsieur Delacour, c'est la procédure. Elle est la même pour tous. Après la garde à vue, lorsqu'une information judiciaire est ouverte, le juge se doit de vérifier l'identité de la personne qu'il met en examen. Même si cette personne est déjà très connue.

Quarante-huit heures de fatigue, mais Delacour n'a rien perdu de sa superbe.

— Très connue? Vous me flattez, monsieur le juge. Une personnalité locale, tout au plus. Maire d'une petite commune. Certes depuis quelques années, ce qui me permet à peine d'être reconnu chez le boulanger ou le boucher.

Le juge Vallud sourit. Enfin, le vieux lion continue de rugir. L'avantage des animaux politiques, ils ne sont jamais totalement morts. La politique : l'art du rebond.

— Petite commune de 10000 habitants hors saison, qui quadruple sa population pendant la période estivale. Ce qui en fait l'un des villages les plus visités de notre région, monsieur le maire. Peut-être même de France.

— Si j'ai pu y contribuer en quoi que ce soit, vous m'en voyez honoré, monsieur le juge.

La joute vient de commencer. Mais elle ne s'éternise pas. Le juge Vallud ne veut pas tomber dans ce piège. Ce n'est ni le lieu, ni le moment. Il ne laisse pas Robert Delacour s'expliquer sur les faits qui lui sont reprochés. Il aura tout le temps après. Éric Vallud le sait, sur un dossier comme celui-ci, il est parti au moins pour une instruction de trois ou quatre ans. Voire plus, si les flics continuent à mettre au jour des malversations. Et au nombre d'éléments qu'ils ont déjà mis au jour, il n'est pas impossible qu'ils ne soient qu'au début de leurs surprises. Chaque fois, il faudra entendre Delacour sur ces découvertes. Il aura alors tout le loisir de faire la démonstration de son aisance verbale.

Il tourne court, il a pris sa décision. Il est temps de lui notifier :

— Monsieur Delacour, au terme de votre garde à vue, de la procédure diligentée par la police judiciaire et des réquisitions de monsieur le procureur de la République, je vous mets en examen pour détournement de fonds publics, corruption passive par personne ayant autorité, trafic d'influence et prise illégale d'intérêts...

Il s'arrête un court instant. Regarde l'homme. Il n'a pas sourcillé. Juste un haussement d'épaules, hautain.

— Compte tenu de la gravité de ces faits, du risque de dépérissement des preuves, d'éventuelle pression sur les témoins ou les victimes et afin de mettre un terme au trouble à l'ordre public, j'ai demandé votre détention provisoire.

Même l'avocat tombe à la renverse. Il se doutait bien que les risques encourus par son client étaient importants, mais de là à décider de son emprisonnement... Delacour, maire, vice-président du conseil départemental, membre de la communauté d'agglo, chirurgien de profession. Très réputé. Décoré de la Légion d'honneur par l'actuel président de la République. Et de l'ordre national du Mérite, par l'ancien. Pour la forme, il essaye de parlementer, d'argumenter.

— Mais enfin, monsieur le juge, mon client a des garanties de représentation, c'est un élu du peuple, il ne va pas s'enfuir comme ça, du jour au lendemain, sans laisser d'adresse. Vous venez de le dire, il est un peu connu, il ne pourra pas passer inaperçu.

— Laissez, maître...

C'est Delacour qui le coupe :

— Je crois que rien ni personne ne pourra faire changer d'avis monsieur le juge. Même s'il est évident que cette décision est éminemment politique.

— Politique ? Absolument pas, c'est une décision qui s'appuie sur des faits judiciaires, établis dans une procédure et qui...

Delacour prend encore le risque de couper le juge. Un grand fauve ne se laisse pas dompter facilement. Même quand on lui annonce sa mise en cage irréversible.

— Je vous en prie, ne vous justifiez pas, monsieur le juge. Vous connaissez la différence qu'il y a entre Dalí et Picasso ?

Éric Vallud est surpris par la question du maire. Surtout au moment où se joue sa détention.

— Heu, non... Ou plutôt si, Picasso était cubiste, et Dalí surréaliste. C'est ça, non ?

— Si on veut. Mais si vous me permettez, monsieur le juge, c'est une réponse d'élève de primaire. Picasso tentait de rester novateur dans la peinture et la sculpture tandis que Dalí cultivait son excentricité. Si tous les deux étaient des grands peintres dès l'enfance, ils ont évolué vers des styles très différents. Effectivement, Dalí a révolutionné le surréalisme quand Picasso a inventé le cubisme. Assurément : des génies tous les deux.

Le juge opine du chef. Il ne répond rien. Peut-être parce qu'il n'y a rien à dire. Il relit la mise en examen tapée par son greffier, et la présente à Delacour pour qu'il la signe. Sans même en prendre connaissance, Delacour appose sa griffe sur le document que lui présente le juge.

— Et voyez-vous, monsieur le juge, depuis vingt ans que je suis élu, j'ai appris une seule chose. La politique est un perpétuel mélange d'inventions à la façon de Picasso et d'excentricités comme Dalí. Rester novateur et ne pas hésiter à cultiver son originalité.

Il lui rend le document signé qui l'envoie en prison et, dans un grand sourire, lui dit :

— Aujourd'hui embastillé, mais demain les habitants de Sainte-Jeanne me rendront grâce.

3

En se souvenant de cette conversation, il sourit. Quatre mois déjà, presque cinq se sont écoulés. Et toujours en détention provisoire.

Au départ, il voulait lui adresser un courrier. Il s'est vite ravisé. À quoi bon ? Un type qui ne fait pas la différence entre les deux Maîtres ne pourra jamais rien comprendre à la beauté de son geste. Il réserve ses derniers mots à sa femme et à ses enfants. Les seuls qui l'ont vraiment compris.

Particulièrement Jeanne, avec qui il a tout connu. C'est elle qui lui a fait découvrir Weber et Devinsky. C'est elle qui lui a donné des ambitions politiques et l'a lancé à la conquête de la mairie, alors qu'il n'était encore qu'un petit étudiant en médecine. C'est elle qui, avec son héritage familial, a pu leur offrir cette vieille maison du centre-ville, avec poutres et pierres apparentes dans laquelle, comme le veut la légende communale, Dalí aurait fait un court séjour. Peut-être même qu'il a conçu, ici, un de ses chefs-d'œuvre.

C'est elle surtout qui lui a donné ses deux enfants, Louise, intransigeante et infirmière, comme sa mère.

Et son grand con de fils, Éric, aujourd'hui employé comme assistant de direction à la FPF, la Fédération des ports de France. Heureusement qu'il était là pour lui procurer ce job à celui-là. Ce n'est pas avec la vitalité qui est la sienne qu'il aurait pu trouver un boulot à 4000 euros net. Ça paye bien, la Fédération, ils sont compétents sur tous les littoraux de France. Ce petit con a toujours préféré la musique aux études. Comme si le rock était de l'art ! Heureusement qu'entre-temps il a eu la bonne idée d'embaucher au service urbanisme de sa mairie la fille du président de la Fédération des ports de France. Chez les « frangins », ils sont à la même loge, ça aide. Échange de bons procédés.

J'emploie ta fille à la mairie, tu prends mon fils à la Fédération. En plus ma mairie subventionne la FPF. L'emploi de mon fils était normal. C'est un petit con, mais je l'aime. Suis son père, quand même.

Il repense à sa femme qui porte le même prénom que sa ville. C'est à elle qu'il écrit. Il sait qu'elle lui pardonnera. Leur amour est plus fort. Bien sûr, il a donné quelques coups de canif dans le contrat, mais elle a compris qu'il était devenu un grand fauve de la politique et que, comme tous ces prédateurs, il avait besoin d'assouvir ses pulsions séductrices et sexuelles. Elle a pardonné. Il est toujours revenu vers elle. Dans leur couple, c'est elle qui tient les cordons de la bourse.

Alors, il lui écrit. Pas un roman, juste quelques mots pour lui dire tout son amour. Quelques lignes pour lui rappeler qu'il est un incompris et qu'il n'a toujours voulu que le bien et le beau pour sa ville, comme elle lui a appris, comme elle lui a conseillé. Lui dire encore qu'il est innocent des énormités dont on l'accuse, et que c'est d'ailleurs pour ça qu'il meurt ce soir. Avant d'être jugé. Pour être sûr de mourir innocent. On ne condamne pas un mort. Elle le comprendra, elle l'a toujours compris. Elle sera le garant de sa mémoire, vierge, comme son casier judiciaire.

Il ferme les yeux et serre les poings.

4

Les deux voitures banalisées de la police judiciaire se garent devant la plus belle et grande bâtisse de la rue Denoël à Sainte-Jeanne. En son centre, au numéro 12. Domicile du maire Robert Delacour et de son épouse Jeanne. David fait remarquer à Stanislas, son chef :

— T'as vu, patron? C'est la seule rue en sens unique du village.

— Je sais, oui. C'est la seule aussi avec des poteaux en marbre. Le fait du prince.

— Quoi?

— Maire depuis vingt piges, il fait ce qu'il veut dans sa commune. Pourquoi tu crois que ses adversaires l'ont surnommé le roitelet?

Stanislas fait placer deux flics en civil à l'extérieur, en leur demandant de rester discrets. Histoire de s'assurer que la presse, toujours beaucoup trop bien informée, ne soit pas en train de canarder tout le monde en photos.

Avec deux autres membres de la Brigade de répression du banditisme, dont le capitaine David Vallespir est le chef de groupe, Stanislas Midlak, commissaire de police, chef de l'antenne de police judiciaire de Bayonne, toque à la porte du couple Delacour.

Malgré l'heure matinale, il ne faut pas attendre longtemps pour que quelqu'un, une voix féminine, assez sûre d'elle, s'inquiète :

— Qu'est-ce que c'est ?

David se tourne vers Stanislas.

— On se lève tôt, dans la famille Delacour.

— C'est la police, madame. La police judiciaire de Bayonne. Si vous voulez bien ouvrir, nous avons une commission rogatoire à vous présenter.

Le mot police a toujours eu un effet magique sur l'ouverture des portes. Une sorte de sésame intemporel. Soit elles s'ouvrent immédiatement en grand sur des personnes inquiètes : « La police ? Mais pourquoi, j'ai rien fait ? », soit au contraire des bruits de cavalcade résonnent, d'autres portes à l'intérieur claquent, voire des fenêtres s'ouvrent, et certains tentent de s'enfuir.

En ce lundi de décembre, à 6 heures tapantes, heure légale, au domicile de M. et Mme Robert Delacour, c'est un troisième phénomène qui se produit. Peu courant, quoique peu surprenant. La porte s'ouvre, mais d'un quart. À peine. Plutôt la moitié du quart. Elle est retenue par une chaîne en son milieu, empêchant toute ouverture plus grande. Mais pour David Vallespir et ses vingt ans de police, c'est suffisant. Il a immédiatement glissé son pied dans l'entrebâillement qui vient de lui être offert. Et il chausse du 44. En vieux routier des interpellations de malfaiteurs aguerris, il a mis sa paire de rangers préférée. Du solide. Increvable. Cuir tanné, mais semelles impeccables. Autant dire qu'au moindre signe de son chef, il est en mesure de faire voler en éclats la chaîne retenant la porte et toute personne voulant faire obstacle au passage des forces de l'ordre.

Mais ce matin, au domicile des époux Delacour, il n'y aura pas besoin de faire usage de ce genre de méthodes. Personne ne fera obstacle physiquement à la police. David le sait. Depuis le début dans cette procédure, ils ne sont pas sur un dossier normal. Les personnes qu'ils viennent interpeller ne sont pas des malfaiteurs aguerris inscrits au fichier du grand banditisme. Dans la presse quotidienne régionale, elles se trouvent plus dans la rubrique sociétale que dans celle des faits divers. Même s'il est vrai que la présence de la PJ n'augure rien de bon et risque de les faire basculer d'une rubrique politiquement correcte à une autre juridiquement désagréable.

C'est Mme Delacour qui entrebâille la porte. Elle lance un regard noir à David quand il y coince son pied. Puis des yeux inquiets quand Stanislas lui présente la commission rogatoire délivrée par le juge Vallud du tribunal de grande instance de Bayonne.

— Bonjour, madame. Commissaire Midlak de la police judiciaire de Bayonne. Mon service a en charge l'exécution de cette commission rogatoire visant des faits de corruption et trafic d'influence. Et dans le cadre de laquelle nous devons procéder à votre audition ainsi qu'à celle de votre mari.

Le policier lui tend la commission rogatoire.

— Je vous en prie, prenez-en connaissance.

Devant l'air décidé du commissaire Midlak et après lecture du document qu'il lui présente, Mme Delacour les laisse entrer.

En haut des escaliers, le maire apparaît. Robert Delacour, un mètre quatre-vingts, quatre-vingt-cinq kilos. Professeur en chirurgie reconstructive. De l'allure, de l'allant et de la classe. Même en robe de chambre avec la ceinture étrangement serrée sur son abdomen, ses cheveux grisonnants en bataille et sa barbe mal taillée. Il en jette. Le sait et en rajoute. Comme s'il s'adressait à des jeunes internes, il toise les policiers.

— De quoi s'agit-il ?

David se tourne vers son chef. Il lui glisse discrètement :

— Le roitelet est sorti du nid conjugal. A pas l'air content.

Cela fait longtemps que ce genre de personnage n'impressionne plus Midlak. Vingt-deux ans à courir derrière des voyous, il les a tous déjà fréquentés. Avec plus ou moins de bonheur. Des gros cons aux petits malins, des prétentieux « qui connaissent le Président » aux ridicules qui s'étonnent que les flics ne les reconnaissent pas : « Vous ne savez pas qui je suis ? » Stanislas Midlak n'a pas pour habitude de s'en laisser conter. Il a croisé trop de cadavres et de misères humaines, au cours de sa carrière, pour se laisser emmerder par un élu local, fût-il maire, vice-président du conseil régional ou membre influent du syndicat mixte du ramassage des poubelles. Et les ordures, il connaît. Ça fait plus de vingt piges que son métier l'oblige à les ramasser.

Même s'il reconnaît que Delacour est impressionnant, surtout de par son carnet d'adresses politique ou franc-maçonnique, il est décidé à ne pas se laisser faire.

— Monsieur Delacour...

— Monsieur le maire.

Un temps. Stanislas sourit. Il veut jouer ? Très bien, mais il ne sait pas où il pose ses cartes. Le chef de la PJ a quand même quelques atouts en poche.

— Ce n'est pas l'élu que nous venons voir, monsieur Delacour, c'est le citoyen. Il n'est pas question de titre ou de grade, juste de l'exécution d'une commission rogatoire.

Delacour, sans hésiter, rétorque :

— Une commission rogatoire ? Parfait. J'espère que vous savez que ce que vous faites ?

— J'espère surtout, monsieur Delacour, que vous vous souvenez de ce que vous avez fait. Nous aurons le temps d'en parler. Dans l'immédiat, je suis dans l'obligation de vous placer en garde à vue.

Midlak entend sa femme émettre un borborygme d'incompréhension.

— Mais comment osez-vous ? Savez-vous bien à qui vous vous adressez ? Je préviens immédiatement notre avocat.

Stanislas ne fléchit pas. Il se tourne vers l'épouse du maire. Il essaye de ne pas sourire, de ne pas conserver cet air qui lui joue tant de mauvais tours. Celui-là même qu'il porte depuis toujours, de l'enfance à l'oral du concours de commissaire, et qui a failli lui faire rater tous ses examens. Cette façon involontaire qu'il a de se comporter, entre impertinence et vrai foutage de gueule. Pas certain qu'il y arrive. Il est vrai que l'instant est autant inquiétant que jubilatoire. Il est quand même en train de notifier à l'un des hommes les plus politiquement puissants du département sa garde à vue. Ainsi qu'à sa femme.

— Chère madame, à partir de cet instant, vous êtes également en garde à vue dans le cadre de l'exécution de cette commission rogatoire. Vous accompagnez votre mari. Nous avons un certain nombre de questions à vous poser.

C'est le seul moment où Mme Jeanne Delacour, professeur d'université honoraire, montre un moment de faiblesse. Presque rien. Une lueur dans les yeux. Une façon de regarder son mari. Une seconde d'incertitude. Elle n'échappe pas aux flics. Même s'ils sont impressionnés par sa capacité à se redresser et à leur dire :

— J'espère au moins que vous aurez l'obligeance de me laisser seule un quart d'heure dans la salle de bains. Je n'ai pas l'habitude de suivre des hommes sans m'être apprêtée.

Midlak sourit. Il n'est pas seul à pratiquer malgré lui l'impertinence comme art de vivre. Jeanne Delacour n'a pas laissé le choix aux flics, elle se redresse de toute sa superbe, replace une mèche de cheveux sur son visage et se dirige vers les toilettes. Les policiers n'interviennent pas quand, parvenue à hauteur de son mari, elle lui pose délicatement un baiser sur le front. Robert Delacour lui prend les mains, la regarde droit dans les yeux, et les serre fortement. Ils ne se parlent pas. Ce qu'ils se disent leur appartient. Pourtant,

Midlak comme Vallespir comprennent qu'ils viennent d'échanger beaucoup de messages.

Aucun des protagonistes n'aurait pu imaginer que c'était la dernière fois que les époux Delacour se touchaient.

5

Après minuit, le gardien fait son tour de ronde habituel. Il soulève l'œilleton de la porte de la cellule. Robert Delacour bouge dans son lit, la couverture glisse légèrement. Ça n'inquiète pas le maton. Au contraire. Il poursuit sa ronde. Robert ne compte pas les moutons dans son lit. Il ne veut surtout pas s'endormir. Il se souvient un par un de tous les tableaux accrochés aux murs de sa belle maison en pierres et poutres apparentes au milieu du village. *S'ils agrandissent la cour, ils pourront en faire un musée qui portera mon nom, je l'ai déjà garni.* Cette pensée le fait sourire. Il n'a pas peur. Il est déterminé, comme toujours, comme tout au long de sa vie. On ne recule pas devant une décision prise. Ça a toujours été sa force en politique, ça le sera jusqu'au fond de sa cellule.

Le silence est maintenant total dans le couloir VIP de la maison d'arrêt de Bayonne. Robert Delacour somnole un peu. Ça l'énerve. Il ne voulait pas. En homme d'action, il a horreur qu'un événement imprévu vienne déjouer ses plans. Est-ce un bruit sourd dans la cellule d'à côté ou un réveil psychologique de son cerveau ? Il ne sait pas, il s'en fout. Il s'est réveillé et c'est le plus important. Il regarde l'heure. Il sait qu'il a peu de temps avant le prochain passage du maton. Mais il a tout préparé. Ses gestes sont précis, méthodiques, comme lorsqu'il opérait.

Il se lève, pose le traversin en long sur son lit, laisse volontairement tomber un coin de la couverture. Tapote l'ensemble. L'illusion est parfaite : un corps allongé dans le lit. Il pose ensuite les courriers qu'il a écrits bien en vue sur le petit bureau. Celui pour sa femme, celui pour ses enfants. Pour être sûr qu'ils ne s'envolent pas en cas d'ouverture brutale de la porte, il veut poser par-dessus ce gros bouquin intitulé *Œuvres majeures de Hubert Weber*, offert par sa femme Jeanne. Il le feuillette délicatement en regardant les œuvres représentées dessus. Il ne peut s'empêcher de penser que, décidément, la plus jolie des photos ne sera jamais qu'une pâle représentation de la beauté réelle des couleurs d'un tableau. Un court instant la nostalgie l'envahit. Pas longtemps. Un bruit de clefs venant du couloir le tire de sa torpeur contemplative. Il regarde en direction de la porte. Inquiet. Le cœur battant. *C'est drôle de sentir battre son corps aussi fort à ce moment-là.*

Il reste immobile pendant deux minutes. Le bruit cesse, personne n'est venu soulever l'œilleton. Décidé, il ferme le livre d'Hubert Weber et le pose comme presse-papiers sur ces courriers d'explications. Il enchaîne tout très vite. Il sort la ceinture des passants de la robe de la chambre. Se pose contre le radiateur, sous la fenêtre. Il fait un nœud coulant. C'est son père, passionné de voile, qui lui a appris à les faire, lorsque enfant il partait naviguer avec lui, avant qu'il se perfectionne chez les scouts. C'est drôle de se souvenir de lui à ce moment-là. Des années qu'il n'y pensait plus. Est-ce que lorsqu'on va mourir on se souvient obligatoirement de ses parents ? Est-ce que le corps, dans une dernière fusion avec l'esprit, devine qu'on va rejoindre les êtres aimés de son enfance dans leur dernière demeure ?

Ses pensées ne l'empêchent pas de continuer son action. Il a toujours été méthodique. Des années de pratique chirurgicale, son professionnalisme est reconnu par tous. Sa minutie, une légende. Combien de vies a-t-il sauvées grâce à sa précision ? Quand tout est bien pensé au préalable, la main finit par obéir avant même que l'ordre ne soit donné par le cerveau. Et son plan est parfait. Il a tout étudié, tout minuté, tout préparé.

Il monte sur le radiateur et accroche la ceinture à la poignée de la fenêtre. Elle est solide, il l'a testée en appuyant dessus de tout son poids. Elle ne risque pas grand-chose, depuis ses quatre mois de détention, il a perdu treize kilos. Il sait qu'elle tiendra. Par habitude plus que par dignité il remet les pans de sa robe de chambre correctement sur lui. Il regarde une dernière fois ce qui fut son antre depuis les événements de décembre. Un dernier coup d'œil au lit où une forme humaine semble dormir, un autre aux courriers posés sur le bureau. Ils ne se sont pas envolés, la bible d'Hubert Weber remplit parfaitement son œuvre. Encore un dernier sur le mur où sont affichées les photos de ses enfants et de sa femme. Jeanne. Sa vie, son œuvre. Sa Sainte-Jeanne.

Il se laisse tomber, d'abord sur les genoux, d'un coup sec. La corde se tend mais ne cède pas. Le nœud coule sur la ceinture, et serre brutalement son cou. Sa tête part en arrière. Dans un ultime acte de volonté, il se penche en avant, cherchant à se laisser complètement tomber au sol. La corde le maintient à trente centimètres du lino sale de la cellule, buste en avant, le nœud s'est encore plus serré. Déjà le sang n'irrigue plus son cerveau, il n'arrive pas à reprendre son souffle. Même s'il le voulait maintenant il ne pourrait plus revenir en arrière. Il essaye bien, dans un dernier acte de vie, de desserrer l'étreinte, mais le nœud sur la ceinture est trop serré. Il ne peut plus rien faire. Il part. Son esprit divague. Son imagination lui joue des tours. Sa tête gonfle, prête à exploser. Il est rouge écarlate. Les veines sont visibles et forment sur son visage un improbable réseau routier. Il ne pense plus. Il est ailleurs.

La statue de son bureau a véritablement pris vie. Depuis le temps qu'il en rêvait. Elle est descendue de son socle. Elle se penche et lui offre son sein marbré. Il tend la main vers cette poitrine tant désirée pour sentir une fois encore la générosité de ses formes sous ses doigts. Très délicatement, elle le repousse et prend son visage entre ses mains froides. Elle place la bouche de Robert Delacour sur le bout de son sein et lui murmure : « N'aie pas peur, mon petit. Nourris-toi à ma source. Je suis l'art. Je suis la vie. »

Il tète le sein de sa statue de marbre et, dans un sourire, s'endort.

Définitivement.

6

L'homme entre deux âges et en costume gris est fatigué. Son dos le fait souffrir, il marche voûté pour essayer de calmer la douleur, mais rien n'y fait, elle est prégnante, persistante. Plus il se baisse, plus il a mal.

Pourtant, il n'est pas si vieux que ça. Quel âge a-t-il au juste ? Depuis les événements de décembre dernier il a oublié. Il sait qu'il a dépassé les soixante, mais il ne sait plus s'il a soixante-deux ou soixante-trois ans.

Il est directeur d'une succursale de banque, pas d'une agence. Il ne dirige pas cinquante personnes gérant des milliers de comptes, il est à la tête d'une petite équipe de trois employés, s'occupant d'une centaine de clients. En plus il n'est pas gestionnaire de grosses fortunes type Bettencourt, non ses clients à lui, c'est plutôt Durant ou Dupond, parfois exceptionnellement c'est Dupuis. Mais ça ne fait rien, ses trois employées, rien que des femmes, l'appellent quand même « Monsieur le Directeur ». Son épouse, qu'il n'aime plus depuis longtemps et qu'il trompe allègrement avec Josiane, la sous-directrice de la succursale qu'il dirige, le respecte encore un peu à cause de ce titre si pompeux. Ce n'est pas qu'il aime Josiane, c'est juste qu'il est persuadé qu'un bon directeur de banque se doit d'avoir une maîtresse. Ça pose son homme. Ça situe le personnage. Un peu comme la franc-maçonnerie. C'est quand la prochaine loge, au fait ? La dernière fois, il s'est endormi, juste avant les agapes. Faut dire que, l'après-midi, il avait vu Josiane. Elle lui apporte des satisfactions que sa femme ne lui offre plus depuis longtemps. Et puis, il peut lui parler de la mairie. Elle a de bons conseils sur la gestion municipale. Elle a fait un BTS comptabilité publique, option collectivités locales.

Il n'aurait pas dû se redresser si vite. Son dos a craqué. Encore. La douleur est toujours aussi violente. Elle s'est immédiatement rappelée à lui. Il est temps que la retraite arrive. Il faudra qu'il pense à dire à Josiane que ce n'est plus possible entre eux. Physiquement, il ne peut plus suivre. À moins qu'elle n'accepte de le voir juste pour parler de la compta de la mairie. Il se demande d'ailleurs si, finalement, il ne préfère pas discuter avec Josiane que faire de la gymnastique sexuelle avec elle.

Comme tous les dimanches matin, et comme il aime croire que ses fonctions l'exigent, il a enfilé son costume gris acheté au moment des dernières élections municipales. Juste six mois avant les événements. Il voulait être beau sur les affiches électorales. Il voulait surtout paraître un peu plus jeune. Alors, il a pris une veste légèrement cintrée. Même si pour lui ça n'avait pas beaucoup d'importance, il est naturellement mince. Sur certaines photos il fait rachitique. Pas comme le maire Robert Delacour, lui a toujours eu ce petit air bonhomme. Le maire, qui disait toujours qu'il faut faire plus envie que pitié. Aujourd'hui, à ce stade des événements, l'homme au costume gris préfère sa place, même s'il fait pitié, à celle du maire. Là, où il est, il ne fait pas envie.

Le maire, quel personnage, pense-t-il. Intelligent, charismatique, réfléchi, posé, cultivé. Et quelle connaissance de l'art. Vingt ans qu'il vit dans son ombre. Vingt ans qu'il est son premier et plus fidèle supporter. Bien sûr, au cours des premiers mandats, il n'était pas encore le premier adjoint qu'il est devenu. De petit conseiller municipal en 1989, il est monté en grade au sein de la hiérarchie municipale. Au cours des trois dernières mandatures, il a rapidement gravi les échelons. Conseiller municipal de 1989 à 1996, adjoint aux finances (normal pour un directeur de banque, il se redresse un peu trop vite, et son dos le fait encore souffrir) de 1996 à 2001, et enfin premier adjoint de 2001 à 2008. Aux dernières élections, le maire l'a maintenu à ce poste. Encore une marche, et il touche son Graal : maire. Il se félicite d'ailleurs d'avoir proposé au premier magistrat de la ville d'ouvrir un compte dans son agence. Ça lui a certainement favorisé cette montée rapide en grade. Bon, son agence est à Cachin et pas à Sainte-Jeanne, commune où le maire et lui sont élus, mais c'est justement la preuve qu'il lui fait une confiance aveugle. Ne pas avoir mis ses comptes en banque dans la ville qu'il dirige, mais dans celle où son premier adjoint travaille, c'est quand même la preuve d'une grande complicité entre eux deux.

Il faudra quand même que je vérifie comment fonctionnent les comptes du maire depuis les événements.

À la pensée de ces derniers, la douleur se fait immédiatement ressentir dans son dos. Ça tombe mal, il arrive au marché, tous les étals sont en place et la population se hâte après la messe de 10 heures pour aller faire les courses dominicales. Il faut qu'il prenne sur lui pour sourire, serrer des mains et rassurer les citoyens. Leur dire que tout va bien, que la commune et le personnel municipal continuent de travailler, qu'il a repris tout le monde en main.

Ça n'a pas toujours été facile avec les employés. Certains ne voulaient pas lui obéir et demandaient sa démission. Démissionner, lui, mais ça va pas, il est quand même directeur de banque. On ne quitte pas le navire quand il coule. En plus, il s'est toujours senti l'âme d'un capitaine de vaisseau, il va la redresser, la mairie. Ses efforts commencent même à payer. Et puis, il n'est pas responsable des événements, lui aussi les a subis de plein fouet. Ce n'est pas parce qu'on reproche des choses aux uns et aux autres que tous ont fauté. Finalement, quelque part, tout ce qui s'est déroulé depuis quatre mois, c'est un peu la chance de sa vie. S'agit de ne pas la gâcher. Il va pouvoir montrer à toute la population ce qu'il sait faire. Et aux prochaines élections, il pourra se présenter en tête de liste et être élu chef. Il voulait dire maire, il a pensé chef. Il en sourit. Il ne sera plus l'éternel second, il sera enfin reconnu comme le numéro un.

Les événements ne sont pas terminés et les mouches continuent de tomber. Quand la machine s'emballe, on ne sait pas quand elle va s'arrêter. Nul ne sait qui sera le prochain. Ses collègues n'avaient qu'à faire attention et, à défaut d'être honnêtes, au moins être prudents. Lui, il s'en fiche, il n'a jamais profité de sa situation. Il se contentait d'être présent et de faire proprement son boulot de numéro deux. Serrer des mains, discuter à la machine à café sur la politique nationale qui part en vrille et signer des parapheurs où son nom, « François Gabelle, premier adjoint au maire », était mentionné en bas de page. C'est vrai qu'il a parfois signé des documents sans en comprendre vraiment le sens. Mais c'est le maire qui lui avait demandé, il ne peut pas se tromper, le maire. S'il lui a donné délégation de signature, c'est quand même qu'il lui faisait confiance. Et la confiance, elle se doit d'être réciproque.

Aujourd'hui, il doit avouer qu'il rame un peu. Il y a quand même 350 employés municipaux à Sainte-Jeanne, ce n'est pas comme diriger une succursale de trois attachées de clientèle de banque. Mais il sent qu'il les reprend en main, petit à petit, une main de fer dans un gant de velours. Un peu de fermeté, un peu de lest. Il est sûr que la politique de management qu'il a mise en place est en train de payer. Il entend d'ailleurs des murmures admiratifs dans son dos, quand il passe dans tel ou tel service pour redonner du courage et de la force aux employés. Ce qu'il entend moins, c'est la réalité des propos soufflés : « Gabelle : vieux con ! »

Et il y a cette petite Sorène, du secrétariat du maire. Quel drôle de prénom, Sorène. Bon, elle est jolie, c'est sûr, très jolie même. Quel âge elle peut bien avoir cette petite garce : trente-cinq? trente-huit ans? Elle l'énerve autant qu'elle l'attire. Ces longs cheveux noirs, ses petits yeux bleus. Vifs et pétillants. Josiane a les cheveux jaunes. Pas blonds, jaunes. Et ses yeux sont noirs, même pas vifs, ça fait longtemps qu'ils ne pétillent plus. C'est sûr, il préférerait faire des acrobaties sexuelles avec elle plutôt qu'avec Josiane. Ils ne prendraient pas le temps de parler compta. Mais elle n'est pas facile, la petite. Elle n'a pas sa langue dans la poche et n'hésite pas à dire tout haut le malaise des employés qu'ils taisent tout bas devant lui. Sauf elle.

De toute façon, elle est avec quelqu'un, Sorène. Tout le monde à la mairie est au courant de l'histoire qu'elle a eue pendant presque trois ans avec le directeur de cabinet du maire, cette espèce de grand con. Elle a bien fait de le virer. C'est un incapable, le Marc Kavedjian. En plus, il s'est gavé pendant des années, ça n'a choqué personne quand il est tombé. Elle a viré le « dir cab » il y a déjà plus d'un an, il n'avait qu'à pas faire le con avec toutes les gonzesses de la mairie. Mais c'est sûr, elle n'est pas toute seule maintenant, Sorène. Une belle femme comme elle ne reste pas longtemps célibataire.

Je suis sûr qu'elle est avec ce flic. Ce commissaire de la PJ, Stanislas Midlak. Chaque fois qu'elle le regarde, elle a des yeux énamourés pour ce shérif, ce cow-boy. Je serais pas étonné qu'il se la tape, cette espèce de play-boy à la petite semaine. C'est peut-être pour ça qu'elle n'a pas peur d'ouvrir sa gueule avec moi. Elle se sent protégée.

Sa douleur dorsale se rappelle une fois encore à lui, en même temps que son téléphone portable sonne. Il arrivait justement au marché pour serrer les mains de ses futurs électeurs. Un numéro masqué.

— Monsieur Gabelle ? Brigadier-chef Hubert, de la gendarmerie de Sainte-Jeanne.

Le premier adjoint connaît bien le gradé de la gendarmerie, il est en poste depuis deux ans. C'est un bon gars. Intelligent et lucide sur les événements qui ont secoué la ville. Il est resté extérieur à tout ça. Il n'a pris parti pour personne et a laissé travailler la police judiciaire.

— Bonjour, brigadier, qu'est-ce que je peux faire pour vous ?

— J'ai une triste nouvelle à vous annoncer, monsieur le premier adjoint. M. Robert Delacour s'est donné la mort cette nuit en prison. Il s'est suicidé en se pendant avec la ceinture de sa robe de chambre. Le procureur vient de me demander de vous avertir.

Le téléphone a failli lui tomber des mains. Il a du mal à comprendre. Mort ? Suicidé en prison ? Mais comment ? Pourquoi ?

Le brigadier-chef Hubert n'a pas toutes les réponses. Son rôle à lui s'arrête là.

Gabelle est un peu hébété. Mais il doit se reprendre, les premiers étals sont là. Ses électeurs l'attendent. Encore plus que jamais, pense-t-il. La larme qui apparaissait au coin de son œil est vite séchée. Rester calme, souffler. Prendre le temps, analyser la situation. Ne pas réagir à chaud. La mort du maire en prison va forcément provoquer une tempête médiatique et un tsunami politique. Que doit-il faire? Tout s'enchaîne dans sa tête. Il en a oublié sa douleur au dos. Avec ce décès, il est enfin le numéro UN. Il ne reste plus qu'à faire valider cette situation par le conseil municipal. Il est pris un peu de panique, d'autant que la foule grandit au marché. Il n'est qu'à dix mètres des premiers marchands ambulants. Il ne peut pas les voir avant d'avoir prévenu sa femme.

— Simone, Simone, c'est moi. Robert Delacour s'est suicidé en prison. Il est mort.

— Quoi? Qu'est-ce que tu racontes?

— Le maire s'est pendu cette nuit dans sa cellule. Tu entends, Robert Delacour est mort!

— Merde! Mais alors, tu... tu vas être maire! Je sais, c'est dégueulasse de parler comme ça, mais il faut être réaliste. C'est sûr, c'est triste et douloureux pour la famille Delacour, sa pauvre femme et ses enfants. Mais en même temps, il faut que quelqu'un préside aux destinées de la commune. C'est ton tour, mon chéri, c'est ton tour. Enfin! Et c'est mérité.

François Gabelle s'est complètement redressé. Il n'a plus mal au dos. Il remet une mèche de travers, regarde droit devant lui.

— Faut que je te laisse, ma chérie, j'arrive au marché. Mes électeurs m'attendent.

— Oui, oui, monsieur le maire, vas-y, cours, vole. Tu y as droit, maintenant.

— Simone?

— Oui?

— Tu ne crois pas que je devrais me mettre à fumer le cigare?

— Le cigare ? Mais quelle idée ! Ah non, c'est dégueulasse, j'ai horreur de l'odeur. François, n'oublie pas la salade et le pain.

Il a déjà raccroché. Décidément, sa femme ne comprend rien. Il s'avance, fier et souriant. Le marché lui tend les bras. Son public l'attend.

7

David enlève son casque des oreilles. Il se frotte les yeux. Il souffle, la nuit a été difficile. La filoche sur le braqueur n'a pas été de tout repos, cet enfoiré devait se douter qu'il avait les flics au cul et a été particulièrement prudent. Il a même fait plusieurs coups de sécurité. Ils ont failli le perdre sur un rond-point, où il a enquillé plusieurs tours. Heureusement le patron avait senti la patate, il avait prévenu le dispo.

— Au rond-point, ça sent le coup de sécu. Faites gaffe, les mecs. David, tu enquilles tout droit, tu ne les suis pas, et tu te planques cent mètres derrière. Jean-Pierre, tu prends du recul et t'attends. Paulo avec ta moto, c'est toi qui raccroches, tu les perds pas !

Le major Paul Monra, dit Paulo est un motard confirmé. Dix-huit ans de PJ, il en a assuré des filatures sur sa bécane. Il a repéré le voyou au carrefour. Cet enfoiré s'était complètement arrêté. Il a pu donner l'alerte et faire stopper tout le dispo avant que les collègues en filature arrivent un par un sur le rond-point. Paulo, qui a l'art du camouflage, a pu se planquer. Il a carrément couché la bécane dans le fossé et a attendu que les mecs redémarrent. La filoche n'a pas été perdue. Ils ont pu loger le chauffeur avec certitude. Il habite une jolie petite résidence peinarde dans une banlieue résidentielle de Biarritz. Pas mal pour un Rmiste. En même temps avec ce qu'il prend sur chaque braquage de DAB (Distributeur automatique de billets de banque), il peut se permettre de loger dans une villa à 2000 euros le loyer.

David bâille. Le plus dur, ça n'a pas été de loger « Rachid le braqueur ». Non, c'est d'enquiller les canons qui ont suivi avec le patron. Il était content, il a payé la croque et ils se sont retrouvés avec Paulo, Olivier et Jean-Pierre à boire des verres au bar La Suite, leur QG, à refaire la police pour la millième fois et à regarder un peu les gonzesses, quand même. Ils se sont bien marrés et il a pu avoir le 06 de la petite Julie. Mignonne, la gamine. Elle fait quoi déjà comme job ? Assistante chez un dentiste ? Dans une pharmacie ? Il ne sait plus. Faut dire qu'ils ont un peu abusé quand même. Il regarde sa montre. Un peu tôt ce matin pour la rappeler, va falloir patienter.

En bâillant, un café entre les mains, Stanislas Midlak vient d'entrer dans son bureau.

— Ça va, patron ? Bien rentré hier soir ?

— Ce matin, tu veux dire. Me suis encore fait pourrir par ma femme. Bosser un week-end, elle comprend pas.

— Et rentrer à 4 heures du mat un samedi, non plus, non ?

— Exact. Mais si on peut plus boire un verre avec les potes après le boulot... C'est pas ma faute si notre job se termine à 2 heures.

— C'est peut-être ta mauvaise foi qu'elle ne supporte plus, ta femme.

Stanislas Midlak sourit amèrement. Le capitaine David Vallespir, chef de la brigade de répression du banditisme à la PJ, le connaît bien. Ils sont potes depuis vingt ans. C'est le hasard qui les a réunis il y a deux ans, quand Stanislas a été nommé à la tête de la PJ de Bayonne.

— Je vais te dire, David, ça sent pas bon.

— Bienvenue au club, chef ! Faut dire aussi que tu ne fais rien pour arrondir les angles.

Stanislas hausse les épaules, comme s'il voulait éloigner le problème.

— T'es pas parti avec le téléphone de la petite, comment elle s'appelait déjà, Julie ?

— Pas faux. Et toi ?

Stanislas regarde David, narquois. Il se marre.

— Pas mieux.

Le patron s'est assis en face du bureau du chef de groupe. Il sirote doucement son café chaud.

— David, parlons peu, mais parlons bien. Rachid, on se le met sous le coude, au prochain braquage, on l'attend chez lui et on le tape au retour. P'tain, suis content. Il a pas été facile à loger.

— On prévient la BRI, chef ?

— Tu veux pas qu'on prévienne le Raid et l'antiterro, non plus ? On va se les faire à l'ancienne, sans l'aide de personne. On est la PJ quand même. On va pas appeler la cavalerie chaque fois qu'on va taper des braqueurs.

David sourit. C'est pour ça qu'il aime son patron. Une grande gueule qui a encore des couilles. Si ces méthodes ne sont pas appréciées de tout le monde, au moins il a des résultats et le procureur adjoint Olivier Demaudo l'a à la bonne.

Au début, leur relation a été très tendue. Puis, quand le proc adjoint s'est rendu compte qu'en face il y avait du répondant et un flic qui connaissait son job, ils sont devenus potes. David les soupçonne de se prendre des mines ensemble. Il ne crache pas sur une bonne bouteille, le proc adjoint.

Ce qui les a rapprochés surtout, c'est quand le patron a pris en main l'affaire de Sainte-Jeanne. Ce n'était pas sa tasse de thé au chef, mais après la ronflée qu'il a prise par le directeur du SRPJ et le procureur général sur cette histoire politico-financière qui n'avançait pas, il a secoué la Financière, a récupéré le dossier et l'a confié à la BRB. Rapidement, ils ont soulevé des lièvres énormes sur la mairie de Sainte-Jeanne. À l'époque, Stanislas leur a dit :

— Bon, les gars, vous êtes comme moi, vous n'y comprenez rien en matière d'infractions financières, alors on va pas s'emmerder. On va traiter cette affaire comme si on bossait sur des braqueurs. Un vrai travail de terrain. On va leur faire la totale à ces élus de la commune. Premièrement leur entourage, deuxièmement leur patrimoine, troisièmement leur facture détaillée de téléphone. Dès qu'on peut, on demande du son, on place tout le monde sur écoute. Et, surtout, on assure des filoches. C'est des élus, pas des voyous, ils ne se douteront jamais qu'on les file au cul.

Bien sûr, les gars ont un peu râlé au début. Ils sont à la BRB, pas à la Financière. Leur matière première, c'est les voyous, les vrais, pas les élus ou les administratifs, cinquantenaires embourgeoisés de la mairie. Ils ne sont pas entrés dans la police pour lutter contre les délinquants en col blanc. Ils ont toujours préféré les mecs aux mains sales. Mais ils se sont pris au jeu. À force de filocher le maire et certains cadres de la mairie, ils ont découvert leur mode de vie dispendieux. Les restaurants de luxe tous les jours, les hôtels de charme avec leurs maîtresses, même les taxis étaient des limousines, le tout aux frais du contribuable. Ils ont été rapidement dégoûtés et ont tous voulu participer à l'enquête. Il n'en manquait pas un quand il a fallu monter les équipes d'interpellation.

En six mois, ils avaient réuni tous les éléments. Le maire Robert Delacour et sa femme Jeanne, un employé de la mairie et deux entrepreneurs de la ville étaient placés en garde à vue. Certains lâchaient des aveux plus que circonstanciés. Ils étaient tous mis en examen pour une kyrielle d'infractions, allant de corruption à trafic d'influence, en passant par abus de bien public et prise illégale d'intérêt. Ils étaient tous placés sous contrôle judiciaire. Sauf le maire, lui, il était écroué. Au trou comme un vulgaire voyou. Le choc a dû être terrible pour lui, passer de la lumière à l'ombre aussi rapidement, de sa maison de 350 mètres carrés à une cellule de dix ! De « Bonjour, M'sieur le Maire » à numéro d'écrou « 6245 ». Ce n'était pas la chute d'un homme, c'était la chute d'un monde, d'un univers. Il en était l'empereur, ça lui a été fatal.

David regarde Stanislas. Leur vieille complicité reprend le dessus.

— T'es au courant ?

— Le proc m'a appelé pour m'annoncer la nouvelle.

— Putain, on n'a jamais voulu ça.

— Tu vas pas culpabiliser quand même, Stan ? C'est pas toi qui l'as envoyé au trou.

— Je sais. C'est ses conneries qui l'ont envoyé au ballon. Mais on n'arrête pas les gens pour qu'ils se suicident en prison.

— Putain, on n'est pas responsables. Souviens-toi, on l'avait prévenu. Il nous avait juré que c'était un homme d'honneur et que jamais il se suiciderait. Même là, il n'a pas respecté sa parole ! Et tout le monde nous a félicités quand on l'a envoyé à la rate. Le proc, le directeur, la presse et même les habitants de Sainte-Jeanne. Tout le monde savait depuis des années, et tout le monde a laissé faire. Ils étaient tous contents qu'on s'occupe du problème et qu'on mette au jour leur système de ripoux. Tous contents qu'il parte au trou, le maire.

— Je sais. Mais tu verras qu'au final on va nous le reprocher. C'est toujours la faute des flics.

David hausse les épaules. Il sait que son patron a raison et ça l'énerve. Depuis le temps qu'il travaille dans la boîte, il en a entendu de toutes les couleurs. Le paradoxe du policier : autant aimé que détesté par la population, il connaît par cœur.

Stanislas se secoue.

— La pression est énorme sur ce dossier. Le directeur m'a déjà appelé trois fois ce matin. Il voudrait savoir quand on intervient sur les autres. Ça donne, tes « tèques » ?

Tu veux écouter ? Je te préviens c'est... comment dire... pathétique !

Stanislas pose les écouteurs sur ses oreilles. Il entend la fin de la conversation entre François Gabelle et sa femme.

— Pathétique ? C'est dégueulasse, oui ! Dire que demain ce con est susceptible de gouverner la mairie. Putain, j'en reviens pas. On a quoi contre lui ?

8

Patrick Periti est un peu abasourdi. Il n'est pas certain d'avoir voulu ça. Six ans qu'il est au conseil municipal, six ans qu'il s'oppose régulièrement au maire, à sa politique culturelle inutile et fastueuse. Il est à l'origine de l'enquête ayant provoqué les événements. En tant que chef d'entreprise et élu de l'opposition, il s'est senti obligé de dénoncer les méthodes qu'il voyait quotidiennement. Il n'arrivait pas à déboulonner le maire de ce poste d'édile qu'il occupait depuis vingt ans. Alors, il a fini par le dénoncer au parquet. Pas une plainte à proprement parler, plus un signalement. Il était dans la logique de son tract électoral. Un de ces flyers ironiques et gratuitement diffamants distribués en masse aux habitants de la ville, s'interrogeant sur l'absence des œuvres d'art achetées par la commune au cours des années précédentes et qui ne se trouvaient ni au musée, ni à la salle d'exposition. Il ne se doutait pas des conséquences dramatiques que ce petit flyer allait provoquer et qu'il conduirait à la mort d'un homme.

Après l'appel téléphonique l'avisant du décès du maire, il hésite entre gâchis et jubilation. Il n'a pas pu en savoir plus sur les circonstances du drame. L'homme était sur le green du golf à mi-parcours, à hauteur du 9e trou, quand il l'a prévenu. Il lui a juste dit que le maire s'était pendu en prison et que la voie était libre pour qu'il devienne maire. Il n'a pas pu en savoir plus. L'homme n'était pas seul et avait une partie de golf à finir. Mais maintenant il doute. Veut-il vraiment prendre la tête de la commune ? Est-il prêt à prendre et assumer tant de responsabilités ? Est-il formé pour ça ? Prendre la place d'un mort, suicidé en plus, est-ce que cela ne va pas lui porter malchance ?

Il regarde sa femme, Thérèse. Comme tous les dimanches matin, elle a gardé sa robe de chambre rose et ses chaussons de la même couleur. Enfoncée dans son fauteuil, ses bigoudis sur la tête, elle est en train de feuilleter négligemment *Femme actuelle*. Le moins qu'on puisse dire est qu'elle n'a rien de désirable dans cette tenue. Ni dans les autres d'ailleurs. Même son prénom, Thérèse, il l'a toujours trouvé désuet, pour ne pas dire ridicule. *Quand je pense que c'est pour elle que je fais tout ça.*

— C'était qui, chéri ?

Il n'a pas répondu tout de suite. Il s'est extrait de son fauteuil, a jeté *L'Équipe* sur la table basse du salon et est allé dans la cuisine. Il a fait couler l'eau froide du robinet dans ses mains et s'est aspergé le visage. Sans un regard pour sa femme, il lui a dit d'une traite :

— Robert Delacour s'est suicidé cette nuit en prison. Il s'est pendu avec la ceinture de sa robe de chambre. Il y aura certainement des nouvelles élections à Sainte-Jeanne.

Thérèse s'est arrêtée net de tourner les pages de son magazine féminin. Ses yeux ont cherché ceux de son mari. Elle aussi hésitait entre se réjouir et s'interroger. Son pragmatisme a vite repris le dessus.

— Il est mort, il ne reviendra pas. C'est triste pour lui et pour sa famille, mais il faut penser à l'avenir. L'avenir de Sainte-Jeanne et le nôtre. Tu seras maire, mon chéri, c'est ton destin, j'en suis sûre. Bientôt nous serons tous les deux à la tête de la mairie.

Patrick Periti a souri. Tristement. Arrivera-t-il un jour à faire des choses sans sa femme ?

9

Les cloches sonnent, la foule s'amasse. Les portes de l'église sont grandes ouvertes. Le cercueil est arrivé tôt, les hommes aux costumes noirs obligés et aux visages faussement tristes l'ont déposé bien avant 9 heures. La cérémonie funèbre n'est prévue qu'à 10 heures.

Jeanne Delacour s'est habillée. Elle a revêtu une robe de circonstances. Décidément, le noir ne lui va pas. Mais le jour de l'enterrement de son mari, elle ne peut pas faire autrement que d'être habillée de la couleur imposée. Elle s'est regardée dans la glace. Malgré l'âge, elle a conservé de l'allure, même si son austérité naturelle empêche de voir qu'elle est encore jolie. De toute façon, aujourd'hui, elle ne veut pas séduire, elle veut frapper un grand coup.

Ses yeux sont rouges d'avoir trop pleuré. Elle se les frotte encore plus. Elle veut que son chagrin soit visible par le dernier des paroissiens assis au fond de l'église comme par le plus petit des citoyens debout sur les marches de la place. De la manche de sa robe de deuil, elle sort un morceau de papier. Dessus elle a écrit les mots qui vont faire mal, les phrases qui vont faire mouche. Elle relit son texte pour être sûre de ne rien laisser au hasard. Elle articule et répète : « Mort pour rien, mort innocent, mort sans revoir sa femme et ses enfants, mort... »

— Maman ?

Sa fille Louise toque à la porte. Elle jette un dernier coup d'œil sur le panégyrique de son défunt mari. Se frotte une dernière fois les yeux. Glisse le texte dans sa manche et en sort un mouchoir. Noir également.

— Entre, Louise, entre. Je suis prête.

Elle se mouche, et ne peut s'empêcher d'être fière quand sa fille pénètre dans sa chambre. Louise a touché la part principale de son héritage, de l'allure, un visage altier et des yeux vifs. Son visage est moins marqué par la douleur que celui de sa mère. Mais Jeanne sait que sa fille a terriblement souffert, de la mort de son père et des événements qui ont secoué la mairie il y a quatre mois.

Quand ses deux parents ont été mis en garde à vue par la police judiciaire, Louise est tombée des nues. Jamais elle n'aurait imaginé que la passion de ses parents, la politique, les conduirait un jour à être arrêtés, encore moins à finir en prison.

Louise n'a jamais aimé la politique, peut-être justement parce que cette passion dévorante de ses parents a bousillé leur vie de famille. Elle se souvient de ses quinze ans, quand sa mère a poussé son père à se lancer dans la course à ses premières élections municipales. Ils s'intéressaient déjà plus à la vie de la commune qu'à celle de leur adolescente de fille. Louise ne comprenait pas comment on pouvait se prendre de passion pour la gestion d'une commune et l'embellissement, même culturel, de ce petit village d'Aquitaine de 10 000 habitants.

Il lui en a fallu du temps et du recul pour reconnaître que son père a bien œuvré pour la commune. Il lui a surtout fallu prendre de la distance avec ses parents, quitter Sainte-Jeanne pour s'installer à Nantes et devenir professeure agrégée d'histoire-géographie pour comprendre la nécessité de la politique à l'échelle de l'histoire du monde. À l'époque, elle leur en voulait de s'intéresser plus à la construction d'un musée ou à la conception d'un nouveau schéma urbain pour Sainte-Jeanne qu'à ses premières amours adolescentes, surtout celles avec Gérard, le fils de Pierre Tenu, le boucher de la place de l'Église. Pierre Tenu s'était présenté aux élections municipales sur une liste opposée à celle de son père. L'air le plus grave et solennel possible, sa mère lui avait interdit de poursuivre sa relation avec Gérard. Elle n'a jamais compris. À trente-deux ans, elle est encore célibataire.

En vingt ans, son père a transformé Sainte-Jeanne. Il avait une vision futuriste de ce que pouvait devenir son village, et il l'a mise en application. En 1988, ce n'était encore qu'un charmant petit village de pêcheurs. Des chemins de terre difficilement praticables menaient aux immenses étendues de sable où régnaient en anarchie des cabanons de bois colorés. Cannes à pêche, moulinets et filets rapiécés y étaient entassés. Les rues n'étaient pas encore toutes goudronnées, et certaines vieilles maisons menaçaient de s'écrouler. Son père a changé tout ça.

L'église de Sainte-Jeanne est noire de monde. L'immense place située devant est saturée. Les rares policiers municipaux sont débordés, et même les gendarmes, venus leur prêter main-forte, ont du mal à canaliser la population. Caméras et micros ont envahi l'espace. Tous les médias locaux sont présents et les chaînes nationales n'ont pas hésité à envoyer un correspondant. Ce n'est pas tous les jours qu'un élu de la République se suicide en prison.

Le capitaine David Vallespir et Paulo se sont installés discrètement. Légèrement en retrait. Ils regardent autant surpris qu'amusés cette foule bigarrée se rendre à l'enterrement de feu leur maire. Ils n'en perdent pas une miette. Appareils photo en main, ils mitraillent la foule. Il sera temps plus tard de faire le tri. Voir les présents, pour mieux déterminer les absents. Qui ne paraissent pas très nombreux. Paulo fait remarquer à David :

— Ils ont dû oublier qu'il leur a plombé leurs impôts locaux avec ses goûts de chiottes, leur maire.

— Faut croire qu'il était aimé, Delacour. N'oublie pas que c'était un ancien médecin. Il a soigné des familles entières.

— Petiot aussi, c'était un docteur. Pas certain que toutes les familles qu'il a soignées ont été présentes à son enterrement.

— Il s'est fait décapiter, Petiot.

— Encore un qui a perdu la tête...

David ne sourit pas à la blague lourde de Paulo. Il vient d'apercevoir François Gabelle qui entre dans l'église. Sa femme marchant fièrement à ses côtés en lui tenant le coude. Paulo les a vus arriver aussi.

— Elle est accrochée à lui comme une moule à son rocher, la mère Gabelle.

— Putain, ils manquent pas d'air, tous les deux. Quand on sait comment ils ont balancé le maire, et qu'ils attendent juste qu'il soit enterré pour se faire nommer calife à la place du calife.

— Y a comme un goût de chiottes dans toute cette ambiance quand même.

— Tu sais ce que le proc adjoint a appris au patron ?

— Quoi ?

— L'emplacement du caveau du maire, au cimetière. Il ne l'a pas acheté, il se l'est fait attribuer lors d'un conseil municipal.

— Sans déconner. Même là il a magouillé ?

— *A priori*, oui !

— Et tu peux me dire à quoi ça lui sert, maintenant ?

Désabusé, David hausse les épaules.

— D'être mieux logé que les autres morts.

— J'y crois pas. Et son caveau, il l'a choisi vue mer ou vue plaine ?

David ne répond pas. Son attention est attirée par une voiture officielle. Le brigadier-chef Hubert se précipite pour ouvrir la portière arrière droite. Un homme portant haut, le visage dégarni, la petite soixantaine, sort du véhicule. Tête de circonstance, il se dirige vers l'église, en serrant quelques mains sur son passage. Le flic vient de le reconnaître.

— Dis-moi, c'est pas Jean-Hervé Lefroidure qui vient d'arriver ?

— Le président du conseil départemental ? Fais voir.

Paulo prend son temps à son tour de regarder à travers les jumelles.

— Ouais, c'est lui, t'as raison. Mais dis-moi, ils étaient pas opposants politiques, Lefroidure et Delacour ?

— Ben oui ! Étonnant, non ? Les meilleurs ennemis politiques du département, même. Ils se détestaient cordialement, c'est de notoriété publique. Décidément, c'est plus un enterrement, c'est le bal des faux-culs !

10

Tout est minuté, coordonné, précis. Ils commencent à être rodés, pourtant leur angoisse est palpable, même camouflés derrière des cagoules et des casques. Deux précautions valent mieux qu'une. Le deux-roues sur lequel ils s'apprêtent à monter est puissant, mais maniable. Stationnés à l'angle de l'avenue Charles-de-Gaulle et de la rue François-Mitterrand, ils patientent, sous les plaques et regards étonnés des anciens présidents de la Ve République, scrutant l'avenue principale. Celle du Général.

Le pilote tient dans ses mains un portable. Un Samsung Galaxy S4 dernière génération. Sous son blouson, dans son holster de poitrine, il a glissé son revolver de prédilection : un Smith et Wesson 6 pouces. Le même que Clint Eastwood dans *L'Inspecteur Harry*. Il se marre intérieurement, Harry, c'était un flic. Lui, il serait plutôt l'opposé. Mais ça ne l'empêche pas d'avoir les mêmes goûts. En matière d'armement. Pas sûr qu'en matière d'ordre et de respect de la loi il partage les mêmes affinités que le célèbre policier américain.

Son passager est loin d'avoir les mêmes considérations cinéphiles. Il veut juste être dans l'action, il ne sait pas si Clint Eastwood a déjà porté un Glock dans un de ses films, et, dans l'absolu, il s'en fout. Il sait à peine qui est Clint Eastwood. De toute façon, le cinéma l'emmerde, comme tout d'ailleurs, qui de près ou de loin pourrait ressembler à de la culture. Ce qu'il aime, lui, c'est le fric. Le pognon, le flouze. Et s'il porte une arme, c'est pour pouvoir en récupérer, et vite. S'il faut en faire usage, il n'hésitera pas. Autrement, à quoi ça lui servirait de porter un putain de flingue comme ce Glock ?

Le portable du pilote retentit. Le SMS qu'il vient de recevoir est court : Scénic blanc, BW-612-JF, 5. Le pilote donne un coup de coude à son passager.

— Un Renault Scénic blanc, dans cinq minutes.

Le passager hoche la tête, il est prêt. Son flingue coincé dans sa ceinture de pantalon. Son sac bien arrimé sur son dos. Pour se rassurer et ne pas rater la voiture, le pilote démarre le deux-roues.

Les trois dernières minutes sont les plus longues. Moteur allumé sur leur engin, ils ont l'impression d'être repérés par tout le monde. Ils prennent le risque, ne bougent pas. Le pilote regarde droit devant, pendant que le passager a la tête tournée derrière. C'est lui qui tape sur l'épaule de son coéquipier.

— Il arrive.

Le chauffeur ne se retourne pas, attend de voir passer le Scénic et engage la filature. La suite n'est qu'une question d'opportunité. Et de choix. Faire le bon. Pas de flic, pas ou peu de circulation, pas ou peu de témoins. Même si leur puissance de feu peut à tout moment faire la différence, autant se préserver de l'utiliser.

L'engin monté par les deux encagoulés se glisse dans la circulation sans difficulté, laissant quelques véhicules entre leur cible et eux. Maintenant qu'ils roulent, ils savent qu'ils n'inquiètent personne. À cette heure matinale, rien de plus normal qu'un scooter TMAX avec deux individus casqués, circulant dans les rues de Bayonne. Quand la circulation se fait plus fluide et la population moins présente, le scooter se glisse juste derrière la voiture. Le pilote n'a pas besoin de prévenir son passager. Il l'a compris, tout va se jouer au prochain feu rouge. Malgré leurs habitudes, leur flux sanguin augmente. Leur rythme cardiaque aussi.

Le Scénic stoppe au feu. Son chauffeur, un homme de cinquante ans un peu corpulent, porteur d'un petit bouc, baisse la fenêtre électrique. Le scooter s'arrête à côté de lui. Le pilote lui fait un signe de politesse en hochant du casque. L'homme lui répond par le même geste. Il ne prête pas attention au passager du scooter, qui en est descendu, fait le tour du véhicule par-derrière, et entre par la porte avant droite dans l'habitacle. Son flingue à la main.

Le conducteur comprend vite. Mais il est trop tard. Sous la menace d'un Glock à l'intérieur, sous celle d'un Smith et Wesson à l'extérieur, compliqué de réagir. Et très dangereux. Bien obligé d'obéir aux ordres que lui intime son nouveau compagnon de route.

— Tu continues comme si de rien n'était. Je te dis au fur et à mesure...

Le feu passe au vert. Le conducteur est tétanisé au volant.

— Démarre !

Le chauffeur s'exécute en faisant crisser les pneus. Arrive à se calmer et à reprendre une conduite presque normale. Il est quand même convoyeur de fonds, spécialisé dans le rechargement des distributeurs automatiques de billets de banque. Drôle de métier. Les transporteurs de fonds passent avant lui dans les locaux sécurisés des banques, déposent l'argent servant à les alimenter. Le « dabiste » passe après et, avec les fonds déposés, recharge les appareils.

Il sait donc qu'il est une cible potentielle et que sa seule voiture banalisée ne suffit pas à le protéger. Il a même été formé et préparé au braquage éventuel et pour se défendre est titulaire d'un port d'arme. Inutile et dangereux face à un Glock et un Smith et Wesson. Quand il survient malgré tout, la surprise et la peur sont au rendez-vous. L'imagination et le culot des voyous sont sans limites quand il s'agit de récupérer 50 000 euros en petites coupures.

Son calvaire ne fait que commencer. Des gouttes d'angoisse perlent sur son front. À la première banque, le braqueur du Scénic l'oblige à porter un gilet tactique. Les poches sont remplies de fils électriques et d'explosifs. La télécommande que tient le malfaiteur dans sa main libre ne laisse aucun doute sur le lien qu'elle a avec la camisole pyrotechnique qu'il vient d'enfiler. Le voyou le prévient en lui tendant sa mallette de travail :

— C'est simple. Tu fais comme d'hab. Mais au lieu de réapprovisionner, tu décharges et remplis la mallette. Sinon...

Son regard va de la télécommande au gilet.

— Boum !

Son supplice dure deux heures et trois banques. Butin : 150 000 euros pour les voyous. Au taux horaire, une belle rentabilité.

Oli.ier Demaudo, magistrat de permanence près le TGI de Bayonne, ne s'est pas déplacé sur les lieux. C'est assez rare que sur un braquage un procureur adjoint se rende à l'endroit des faits commis. En revanche, il n'a pas hésité et a saisi les policiers de l'antenne de police judiciaire de Bayonne de la suite de l'enquête. Ce n'est pas le premier qui se déroule de cette façon sur sa zone de compétence et il avait déjà désigné ce service lors du précédent vol à main armée commis selon le même mode opératoire il y a peu de temps.

La capitaine David Vallespir est sur place, assisté de deux de ses plus fidèles collaborateurs, Paulo et le brigadier-chef Olivier Mérou, dit Poisson (pour son patronyme évocateur, mais également pour sa capacité à se mouvoir dans tous les milieux, même ceux qui *a priori* ne sont pas le sien).

Tous trois effectuent des constatations sur les différents lieux où le dabiste pris en otage s'est arrêté, avec la désagréable sensation de reproduire les mêmes actes déjà effectués il y a moins d'un mois pour le même résultat : rien.

— On a que dalle. Pas de vidéo, pas d'ADN, pas de paluches. On a rien. Des pros, résume Paulo avec son franc-parler habituel.

David hoche la tête.

— À première vue, t'as raison, c'est pas gagné.

Olivier Mérou tente de minimiser la casse :

— Restons optimistes. On a un scooter de type TMAX, le signalement de deux individus et un deuxième braquage.

Les autres flics semblent ne pas comprendre où il veut en venir.

— Qui a bu, boira. Pareil pour les braquages. À force de répétitions, ils finissent par faire des conneries. L'habitude, c'est le pire ennemi du braqueur.

David lève les yeux au ciel. Pour lui, ce n'est pas la meilleure des stratégies. Laisser les banques de la région se faire braquer les unes après les autres, pour pouvoir serrer les malfaiteurs, il connaît d'avance la réponse de son patron, ainsi que celle du proc adjoint. Ils veulent des résultats. Et vite.

Avoir regardé en l'air lui aura permis au moins de voir les antennes de télécommunication. Il dit.

— Il nous reste aussi la téléphonie. Avec un peu de chance, on arrivera peut-être à géolocaliser des portables qui matchent entre eux aujourd'hui et sur le premier braquage.

11

Stanislas Midlak est fatigué, mais content. L'interpellation s'est bien passée. Ils avaient planqué toute la nuit devant le domicile de l'homme, ils ne voulaient prendre aucun risque. L'attente avait été longue. Heureusement, à deux par voiture, ils avaient pu se relayer pour dormir.

À partir du moment où ils étaient sûrs qu'il était rentré dans le bâtiment, ils avaient eu le choix. Soit l'interpeller à son domicile à 6 heures du matin en cassant la porte et pénétrer en force chez lui. Solution efficace reposant sur l'effet de surprise et la rapidité d'action, mais dangereuse par l'exiguïté des lieux. Et surtout leur méconnaissance de l'étage exact de son logement. Ils n'allaient quand même pas taper aux douze portes de l'immeuble dans l'espoir de tomber sur leur homme.

Soit l'attendre au pied de son immeuble et le serrer avant qu'il ne monte dans sa voiture. Stanislas avait opté pour la seconde solution, plus sécurisante. Ils étaient quand même huit sur le dispositif. Quand l'homme est sorti et qu'il a formellement été identifié par Paulo, resté planqué dans le local poubelle, il n'y a eu aucune difficulté pour le serrer. Malgré son mètre quatre-vingt-dix, ses cent douze kilos et son 11,43 glissé dans le pantalon. Sacré Jean-Louis, quarante-cinq ans, et encore « tanké » comme à l'époque où il jouait 3e ligne, aux portes de l'Équipe de France.

Stanislas compte plus de guerriers que de fonctionnaires de police dans son service. Des flics plus déterminés qu'athlétiques. Et au moment de l'interpellation c'est bien la détermination qui fait la différence. Peu importe le physique. Tout se passe dans la tête. L'hésitation conduit à la peur, la peur à l'erreur, et dans ce métier l'erreur est vite fatale. Quand on travaille sur des individus montant au braquage de fourgons blindés, armés de kalachnikovs et les narines remplies de coke, il ne faut pas avoir de doutes existentiels et de questions métaphysiques au moment de les serrer. En face, rien ne les arrêtera, et s'ils sentent un seul instant une faille chez celui qui vient les interpeller, ils n'hésiteront pas à la creuser.

L'homme qu'ils viennent d'arrêter ce matin-là, Jean-Louis Bastide, *alias* Loulou ou Le Grand, a les arguments de son physique : dix ans de placard pour trafic international de stups, deux évasions dont une spectaculaire en hélicoptère, fiché au grand banditisme à l'âge de dix-neuf ans, premier braquage de banque à dix-sept, soupçonné trois fois de meurtres. Il a presque tout essayé dans la voyoucratie : les putes, la came et les flingages. Il a la réputation de faire plus souvent parler son arme que sa langue, même s'il adore palabrer. Il sait qu'il ne finira pas ses jours dans son lit conjugal (une des raisons pour laquelle il n'est pas marié) entouré de ses enfants, mais avec une ou deux balles dans la tête, le corps coupé en deux, coincé dans le coffre d'une voiture volée à laquelle ses assassins mettront le feu pour faire disparaître traces et indices.

En tout cas, s'il devait s'attaquer à un concurrent lui ressemblant, c'est comme ça qu'il s'y prendrait. Quand Jean-Louis a compris que c'étaient les flics de la PJ de Bayonne qui le serraient, il a été rassuré. Il a toujours préféré dialoguer avec les poulets qu'avec les voyous. Ils peuvent être tout aussi bornés, mais tellement plus légalistes. Il sait bien qu'aucun d'entre eux ne le butera. Il s'est laissé faire et Stanislas Midlak a soufflé. Ils ont eu leur bonhomme.

Ils lui couraient après depuis trois mois.

Un type comme Jean-Louis ne dort jamais complètement. Ou alors d'un œil. L'autre reste constamment éveillé. Et à 5 h 30, il est debout. Il sait trop bien que, procéduriers comme sont les flics, ils respecteront l'heure légale de 6 heures du matin pour le serrer.

La perquisition n'a pas été facile. Si Jean-Louis s'est montré beau joueur au moment de l'interpellation, la suite des événements a été plus délicate. Il ne voulait pas leur indiquer l'étage et le numéro exacts de son « dom ». Il a fallu toute la force de persuasion de Stanislas et quelques promesses sur la gestion et la durée de la garde à vue pour que l'homme finisse par les conduire à son appartement.

Comme promis, les flics n'ont pas ennuyé Nina, la jolie blonde aux seins lourds qui se trouvait complètement nue dans le lit déserté quelques instants plus tôt par le géant au 11,43. Stanislas s'est tourné vers Jean-Louis et lui a fait remarquer qu'il s'embourgeoisait.

Puis il a avisé Gilles Trouvé, le directeur du SRPJ de Bordeaux, de l'interpellation. Tous deux entretiennent une relation cordiale faite de confiance et de compréhension. Gilles a occupé le poste de Stanislas avant de prendre des responsabilités plus importantes. Il connaît la difficulté de la tâche. Mais ce matin, il est énervé.

— J'espère bien qu'à huit contre un, vous l'avez eu, Le Grand. Ça fait trois mois que vous bossez dessus. Il était temps.

Stan connaît son chef. Quand il est comme ça, la meilleure méthode est de laisser passer l'orage avant de répondre. Malgré l'heure matinale, quelqu'un ou quelque chose avait dû l'agacer. Il sait que, plus tard, il aura tout le loisir de lui raconter l'interpellation du grand Loulou et ses rebondissements. Il sait même que Gilles sera avide du moindre détail.

— Bravo, quand même. Bon boulot. Tu féliciteras les gars.

— OK, merci, Gilles. C'est quoi, le problème ?

— Le proc m'emmerde avec un dossier politico-financier confié depuis six mois à ton service. J'ai eu la Financière là-dessus, *a priori*, rien n'a été fait. Le dossier Delacour, ça te dit ?

— Comment tu dis ? Delacour, c'est ça ? Delacour comme celle du Roi-Soleil ?

— Oui, et Trouvé comme perdu... Delacour, Robert Delacour, le maire de Sainte-Jeanne, vice-président du conseil départemental, membre de la communauté de communes, responsable du syndicat mixte de ramassage des ordures de l'est du pays Aquitain.

— Il cumule, celui-là !

— Ils cumulent tous, Stan. C'est une figure politique locale, Delacour. Une légende du département. Ça doit faire au moins vingt ans qu'il est en place. Si tu t'intéressais un peu à la politique, tu le saurais.

— Je peux pas m'intéresser en même temps à l'histoire de la voyoucratie locale et à la politique. Je n'ai pas été formaté pour ça.

— Eh bien, ça va changer. Tu vas être obligé de te plonger dans l'histoire de la vie politique de notre magnifique région. Le proc veut qu'on le tienne informé personnellement du résultat de l'enquête sur Delacour. Il m'a branché de bon matin. Il a essayé de t'avoir ce matin...

Nous y voilà, pensa Stanislas. L'objet de l'ire matinale de son chef. Un dossier politico-financier en stand-by. Le proc qui a reçu des consignes de la chancellerie et qui veut savoir où il en est. Son téléphone avait bien sonné à différentes reprises ce matin, Stanislas avait reconnu le numéro affiché, mais il était en pleine perquisition au-dessus des seins lourds de la belle Nina. Il n'allait pas abandonner son point de vue pour répondre au proc. Question de priorité.

— Bon, allez, les gars, on embarque Le Grand, on laisse madame à ses rêveries nocturnes et on rentre au service. Paraît que les gros voyous ne sont plus l'apanage de la PJ. Faut s'intéresser aux princes de la démocratie : nos élus républicains.

Jean-Louis Bastide l'a regardé en souriant.

— Qu'est-ce que tu crois, poulet ? La vraie délinquance ne dort pas entre les jambes de Nina. Elle a des maisons républicaines bien à elle. Aujourd'hui, les vrais voyous se trouvent plus à l'hôtel de ville qu'à l'hôtel de police.

12

Quand Midlak arrive au service, il est remonté comme une balle. Même si l'interpellation de Jean-Louis Bastide s'est bien passée, il n'aime pas être pris au dépourvu sur la gestion des dossiers de son service. C'est vrai qu'en tant que vieux flic de terrain, il s'intéresse plus aux braquages, aux trafics de stups et aux homicides qu'aux affaires politico-financières. En police judiciaire il existe une forme de réticence à travailler sur ce type de dossiers.

Les flics ont toujours du mal à croire que derrière un élu puisse se trouver un voyou. Même si l'histoire de la Ve République leur a trop souvent démontré le contraire. Une forme de loyauté, confinant parfois à la naïveté, les empêche de croire que ceux-là mêmes qui les dirigent puissent être plus malfaisants que les vrais voyous qu'ils pourchassent.

L'indépendance de la justice leur semble être plus une théorie juridique enrubannée de bons sentiments qu'une réalité tangible. Le ratio enquête/peine est souvent dérisoire. Deux ans d'investigations, de recherches, de recoupements, de dossiers à monter pour deux mois de prison avec sursis et 500 euros d'amende pour un abus de bien public, ils ont du mal à ne pas croire que leur investissement policier n'est pas à la hauteur de la sanction prononcée.

Encore plus que les autres citoyens, ils n'ignorent pas que les lois sont rédigées et votées par les politiques, et que ces derniers ne sont pas stupides au point de prévoir des infractions avec des peines lourdes, dont ils pourraient être demain les auteurs. Sans parler de cette facilité à voter des lois, prononçant l'amnistie générale de faits commis au cours de mandats électifs, avec effet rétroactif très large. Dans une harmonie parlementaire qui fait rêver.

Midlak en est là de ses considérations en écoutant les explications aussi farfelues qu'alambiquées du capitaine Hervé Lavoisière, chef de la brigade financière de l'antenne de police judiciaire de Bayonne :

— Patron, comment vous dire? C'est une affaire complexe. Et difficile.

— Difficile, complexe : pléonasme, Hervé, mais encore?

— On a déjà fait les réquisitions à Ficoba, la réponse est édifiante. À eux deux, le maire et sa femme ont au moins onze comptes bancaires dans six ou sept agences différentes. On en a pour des mois à tout étudier.

— Vous avez les relevés bancaires sur tous leurs comptes? Vous remontez sur combien de mois?

— Euh, non pas sur tous, patron.

— Mais sur ceux que vous avez, vous avez relevé des trucs bizarres, suspects?

— C'est-à-dire qu'avec l'affaire d'escroquerie sur

les Écuries d'Auguetan et celle de détournement de fonds à la clinique Mallœuil – vous savez, celles où on a fait de beaux résultats : deux gardés à vue, un mis en examen et un écrou – ça nous a pris quand même pas mal de temps. J'ai été obligé de mettre tous mes gars sur ces affaires.

— Vous les avez faites, les réquises aux banques, au moins ?

— Non, pas encore. Pas complètement. En fait on attendait votre autorisation.

— Vous, quoi ? Vous vous foutez de ma gueule, Lavoisière ? Depuis quand vous avez besoin de moi pour établir des réquisitions aux banques ? C'est le B.A. BA de l'enquêteur en matière financière, non ?

— Euh, d'une façon générale : oui ! Mais là, c'est quand même un dossier particulier. Vous n'avez pas l'air de vous rendre compte, patron, ce n'est pas n'importe qui, Delacour. Il est maire depuis vingt ans. Sa commune de Sainte-Jeanne, c'est quand même celle où chaque année descendent le président de la République et le ministre de la Culture au moment de l'ouverture des collections permanentes. Il a failli être sous-secrétaire d'État à l'Économie au dernier remaniement gouvernemental. Il est vice-président du conseil départemental, membre de la communauté d'agglo. Il a encore quelques autres mandats, je sais plus lesquels exactement.

— Et alors ?

— Et ce n'est un secret pour personne, il est grand maître chez les francs-macs. Au Grand Occident. Même s'il paraît qu'il y a de l'eau dans le gaz entre eux et lui.

Le commissaire n'a pas bronché. Pour lui, tout le monde est égal face à la loi. C'est écrit dans le préambule de la Constitution, c'est un principe fondamental de la Déclaration des droits de l'homme et du citoyen. L'article premier.

— Vous savez quoi, Lavoisière ? Comme dirait mon fils de huit ans, même pas peur. Je veux ce dossier au plus vite sur mon bureau. Tout ce que vous avez fait. PV, notes, brouillons et toutes vos recherches. *Illico presto*.

— D'accord, patron. Mais soyez prudent. Je connais un peu la commune de Sainte-Jeanne, ça fait longtemps qu'on parle de corruption autour du maire. Il paraît que sa villa, c'est un vrai musée. Remplie d'œuvres d'art. On soupçonne des pots-de-vin qu'il recevrait de promoteurs, des enveloppes remplies d'espèces, on parle même d'un milliardaire luxembourgeois qui viendrait y faire des affaires. En jet privé. Il aurait même emmené quelques élus et des hauts fonctionnaires de la mairie au Luxembourg. On ne sait pas trop pourquoi. Bref, c'est du lourd, ce dossier. Du très lourd.

Midlak laisse parler Lavoisière. Pendant ses explications, il a compris. Si le chef de la Financière reste fidèle à sa légende (il n'est pas un obsédé du boulot), il confirme aussi autre chose : il a peur. Est-ce l'un qui entraîne l'autre ou a-t-il objectivement des raisons d'être pusillanime ? Pas envie de répondre à cette question. Les conséquences se font déjà sentir : cette affaire n'avance pas. Sa décision est prise. Il ne laissera pas ce dossier à la Financière.

— Patron, j'ai oublié de vous dire. J'ai déjà entendu Robert Delacour dans ce dossier.

— Comment ça, déjà entendu ? Vous n'envoyez pas des réquisitions sur ses comptes bancaires parce que vous attendez mon aval, mais vous ne me prévenez pas que vous l'avez déjà entendu ? C'est quoi ce bordel, Lavoisière ?

— C'était peu de temps après votre arrivée, patron. Votre prédécesseur ne s'intéressait pas autant que vous aux affaires politico-financières.

— Et vous l'avez entendu quand, le maire ?

— En avril ou mai 2007.

Midlak a pris ses fonctions de chef d'antenne de la police judiciaire de Bayonne en octobre 2006. C'est vrai qu'à l'époque sa priorité n'était pas les affaires financières. Des règlements de comptes sanglants en centre-ville avaient mobilisé son énergie et son attention. Pour autant, Lavoisière a entendu Delacour au milieu de l'année 2007. Il y a plus d'un an. Et, depuis, le dossier n'était pas sorti ou n'avait pas avancé. Son raisonnement sur l'indolence du chef de la brigade financière n'est pas complètement dénué de bon sens.

— Et pourquoi l'avoir entendu si rapidement ?

— En fait, un signalement Tracfin mentionnait des dépôts en espèces réguliers sur son compte courant de l'ordre de 5000 ou 10000 euros. Avant toute autre forme de recherches, je me suis dit que c'était important de savoir de quoi il en retournait.

— Si je comprends bien, vous le convoquez au début de l'enquête pour l'entendre sur les faits que la justice lui reproche, avant même d'avoir fait la moindre vérification. Assez inhabituelle comme stratégie, non ? En tout cas, une jolie façon de le prévenir qu'une enquête est en cours sur lui, vous ne trouvez pas, Lavoisière ?

— C'est-à-dire, que ce n'est pas un dossier criminel, patron. À la Financière on procède souvent comme ça. On prend une première déposition des mis en cause, puis on fait les vérifs et on les reconvoque pour les mettre en contradiction avec leur déclaration initiale.

— Si vous laissez du temps à vos mis en cause pour préparer leur défense, c'est peut-être pour ça que vos enquêtes n'aboutissent pas. Vous êtes sûr qu'il n'y a pas une autre raison ? Et sinon, il vous a déclaré quoi, le maire, pour expliquer ces dépôts en espèces sur son compte courant ?

— Qu'avant le passage à l'euro, il s'était fait une cagnotte personnelle.

— Une cagnotte ? Il vous a dit une cagnotte ? Ce mot n'est plus employé depuis 1968. Et elle venait d'où cette... cagnotte ?

— De ses consultations médicales qu'il faisait avant d'être maire entre 1990 et 1998. Celles qui étaient payées en espèces, il les conservait dans un coffre, mélangé à un petit pécule que son père lui aurait légué à sa mort. Au moment du passage à l'euro, il aurait sorti ponctuellement cet argent, environ 1 000 000 de francs, l'aurait changé progressivement en euros et déposé d'une façon régulière sur son compte.

Midlak éclate de rire.

— Et la marmotte elle met le chocolat dans le papier d'alu. On est dans le grand n'importe quoi.

Une cagnotte, du pognon de son père, l'ensemble changé en euros. Mais bien sûr ! Il n'a rien trouvé de mieux ?

— C'est ce que je vous disais, patron. C'est sa première déclaration. Après les vérifs, on allait le confronter à ses contradictions.

— Et vous ne les avez jamais faites ! Ça fait presque deux ans, vous aviez largement le temps. En plus il n'y a aucune contradiction dans ce qu'il vous a dit. C'est juste impossible. Ça pue le mensonge à plein nez. Et c'est facile à démonter. Même pour un gars qui n'est pas à la Financière.

— Patron, c'est ce qu'on voulait faire.

— Mais vous n'avez rien fait.

— On n'a pas eu le temps.

— À partir d'aujourd'hui, vous allez en avoir. Je vous dessaisis de ce dossier, Lavoisière. Vous me le déposez dans dix minutes sur mon bureau. Une dernière chose : que je n'apprenne pas que quelqu'un a prévenu Delacour que ce dossier vient de changer de main. Je me suis bien fait comprendre, capitaine ?

13

Le retour au service avec les époux Delacour se passe sans incident. Une chose chagrine Midlak. En sortant de la maison-musée du maire et de sa femme, il a la désagréable sensation que quelqu'un les prend en photo. Il pense d'abord que les bœuf-carottes s'intéressent à lui ou à un de ses hommes, avant de se dire que les gars de l'IGS ont depuis longtemps oublié ce qu'était une filoche. Son doute se confirme en arrivant devant les locaux de la PJ. Un journaliste de *L'Aquitaine libre* est présent et les attend.

C'est quoi, ce bordel ? Si je trouve l'enfant de putain qui a balancé aux journaleux, il va passer un sale quart d'heure.

Il se fait la remarque que les médias sont moins nombreux lors de l'interpellation de voyous fichés au grand banditisme mis en cause dans des affaires de braquage que pour des élus impliqués dans des dossiers financiers. Décidément, les préoccupations des flics ne sont pas les mêmes que celles des journalistes. Il faudra quand même qu'il cherche quel est celui ou celle qui a balancé l'information aux médias. Ils doivent être drôlement bien renseignés pour être présents à 6 plombes devant le domicile des Delacour et, deux heures plus tard, devant les locaux de l'antenne PJ de Bayonne.

Ils sont installés dans un ancien hôtel particulier. La police a toujours eu le chic pour dénicher des endroits improbables où installer ces fonctionnaires. Celui-là ne déroge pas à la règle. Bâtiment de la fin du XVIIIe siècle, petite cour intérieure, trois niveaux. Sans compter le sous-sol, où trois misérables geôles de garde à vue ont été construites, et un grenier faisant office de salle d'archives. Seule une petite pancarte tricolore supportant le logo de la police judiciaire, la tête de Clemenceau de profil se confondant dans celle d'un tigre, avec la mention « Police Judiciaire, antenne de Bayonne », permet d'identifier ce bâtiment comme étant un local de police.

Depuis toujours, le bureau du chef d'antenne se trouve au troisième étage. Celui de l'état-major. L'accès se fait par un vieil escalier en marbre. Pour éviter tout risque de chute, la main courante a été rehaussée, mais certains gardés à vue ayant quand même été tentés de faire le grand saut, à l'instar de l'escalier sis au 36, quai des Orfèvres à Paris, un filet a été tendu en son centre. Ce qui fait dire aux plus anciens, peu enclins à la modestie :

— Le « 36 », c'est l'annexe de la PJ de Bayonne.

Stanislas passe quelques consignes. Mais les gars sont rodés, chacun sait ce qu'il a à faire. Les époux Delacour ont vite le visage camouflé par une veste ou un manteau et sont conduits rapidement à l'intérieur des locaux, où caméras et appareils photo ne peuvent les atteindre.

David Vallespir prend en charge l'épouse du maire, et s'arrête avec elle au second étage, celui des bureaux de la BRB. Midlak se réserve le choix du roi : le maire lui-même. Il l'invite à poursuivre la montée des marches jusqu'au troisième étage. Derrière sa femme, entre deux policiers, il ne peut même pas lui souhaiter bon courage.

Quand Delacour entre dans le bureau du commissaire, il est surpris. Pour un local administratif, il est spacieux. Il est composé en deux parties. La première compte une table ronde de travail avec cinq chaises, un coin télé-visio-conférence et un immense canapé en cuir vert. La surprise se lit dans les yeux du maire. Midlak sourit, il a l'habitude. Il désigne une petite étiquette brune avec un cachet en cire rouge dessus accroché au pied droit :

— C'est un scellé judiciaire. Le greffe ne pouvait pas le prendre. Beaucoup trop gros. Le juge d'instruction m'a désigné gardien de scellé. C'est assez pratique pour les siestes et après les interpellations matinales difficiles.

La seconde partie compte un immense bureau en bois, dont l'un des angles se poursuit et supporte un ordinateur et une imprimante. Une chaise de direction orne l'ensemble, tandis qu'en face trois fauteuils en moleskine beige invitent tout visiteur à s'asseoir. L'ensemble dégage une impression de confort. Loin de l'image caricaturale des commissariats de police en manque crucial de moyens. Delacour n'a pas le temps d'en faire la remarque à Midlak, qui lui dit :

— J'ai de la chance : l'un des plus beaux bureaux du département. Ce n'est pas courant qu'un service de police soit logé dans un ancien hôtel particulier. Cet étage était celui des réceptions. J'ai hérité du grand salon. Cheminée incluse. Le mobilier provient du siège d'une grosse boîte privée. Elle cherchait à s'en débarrasser pour cause de déménagement. Je crains que les finances publiques n'aient pas les moyens d'offrir ce type de confort à ses fonctionnaires. Enfin, vous connaissez le problème aussi bien que moi.

Midlak invite Delacour à prendre place. Jette son manteau sur sa chaise, range machinalement son arme après avoir enlevé le chargeur et l'avoir mis en sécurité dans le premier tiroir de son bureau. Il se tourne vers le maire et lui propose un café.

— Je vais demander à ma secrétaire. Elle va nous apporter ça d'ici deux minutes.

Il se lève et sort. Delacour regarde autour de lui. Midlak a personnalisé son bureau. Au-dessus de sa chaise, il a accroché une photo agrandie de sa promotion de commissaires en train de défiler sur les Champs-Élysées le jour de la fête nationale, il y a déjà bien longtemps, devant un autre président de la République que celui du cliché obligatoire affiché en haut de sa porte d'entrée. Alternance courante en politique. Les ministres et les Présidents changent, les policiers restent. En cherchant bien, les plus affûtés arrivent à identifier le commissaire stagiaire Stanislas Midlak au troisième rang, quatrième sur la droite. Pas facile de le reconnaître au milieu des autres policiers, portant tous l'uniforme de cérémonie et la casquette aux feuilles de chêne.

Des dessins d'enfants représentant un bonhomme aux jambes rouges, aux longs bras jaunes, au corps improbable vert et la tête en l'air avec une écriture enfantine mentionnant « papa » sont les seuls ornements d'intimité que Midlak s'est autorisés, laissant supposer comment ses enfants le voient. Ce qui est assez inquiétant. De l'autre côté, des photos datées le montrent entouré de collègues devant des saisies de voitures de luxe ou de produits stupéfiants. Elles sont accompagnées d'articles saluant les belles affaires des policiers.

Stanislas entre de nouveau, les cafés à la main. Il a vu le regard du maire se porter vers le mur de presse. Il sourit. Il revoit sa position sur les journalistes. Il faut être objectif, ils savent aussi rendre grâce à l'action de la police quand elle lutte contre le grand banditisme.

— Avec ou sans sucre ?

— Sans, merci. Vous souriez, commissaire. Vous êtes content de vous ?

Il désigne les articles.

— Vous allez pouvoir compter un maire sur votre tableau de chasse. Mais ne croyez pas que je vais me laisser épingler comme les autres. La partie ne fait que commencer.

Midlak n'est pas dupe. Il sait ce qu'il représente aux yeux de l'édile. Les deux hommes se toisent en sirotant leur café. Hypocrisie sociale où le sourire de façade dissimule les véritables pensées de l'autre. Si quelqu'un vient à entrer à ce moment-là, il pourrait voir deux coqs dressés sur leurs ergots prêts à en découdre.

Le combat vient de commencer et le maire a tiré la première flèche. Du deuxième round.

Le premier s'est déroulé au domicile des époux Delacour lors de leur interpellation. Le deuxième débute maintenant, dans le bureau du commissaire. Stanislas Midlak compare toujours la garde à vue à un match de boxe. Il faut savoir porter les coups, aimer en recevoir, canaliser la puissance de l'adversaire, lui céder quelques points et porter l'estocade au bon moment.

Pour l'instant, Stanislas gagne. Aux points. Ce n'est pas trop difficile. Il joue avec l'avantage de la surprise et est en position de force. Il représente l'autorité. Pourtant, il se méfie, il sait que Delacour n'est pas un client habituel. Il vient de le démontrer. Mais c'est aussi pour ça que Stanislas a choisi d'être flic en police judiciaire. Pour rencontrer des femmes ou des hommes sortant du commun. Et celui qu'il a en face de lui et à qui il notifie par écrit sa garde à vue et les droits y afférant n'est pas un personnage anodin. Et représente une autre autorité.

Midlak sait trop bien que Delacour a raison. Tout ça est un immense jeu. Une partie de poker menteur. Comme la vie n'est qu'une immense comédie. Sauf que pour l'instant c'est lui, Midlak, qui a les cartes en main. Qui connaît parfaitement les règles du jeu, et qui joue sur son terrain. Il pose sa tasse de café sur le bureau, se tourne vers son bureau et allume son PC. Il impose un long silence. Le temps que l'ordinateur de l'administration daigne s'allumer, et que tous les logiciels soient ouverts pour l'interrogatoire. Puis il attaque :

— Vous vous appelez Delacour, Richard, né le 15 mai 1949 à Sainte-Jeanne, Aquitaine ?

— Comme si vous ne le saviez pas.

— Vous êtes le fils de Pierre Delacour et Antoinette Porichon.

— Vous êtes obligés de dire tout ça ?

— Vous êtes de nationalité française, et exercez la profession de...

— ... de chirurgien. Bon sang, c'est un secret pour personne. À quoi vous jouez, là ?

Stanislas recule son fauteuil, s'arrête, prend son temps. Il fait tourner un stylo entre ses doigts. Il regarde Richard Delacour avec un air étonné, presque stupide. Se pourrait-il que la bagarre soit plus facile qu'il ne le pensait ? Si le maire s'énerve au bout de trois questions et demie, comment va-t-il se comporter au bout de dix heures d'audition ?

— Je crois que vous n'avez pas bien compris, monsieur Delacour.

— Monsieur le maire.

— Monsieur Delacour, vous êtes en garde à vue. Je viens de vous le notifier. J'ai donné suite à vos droits et vous avez vu votre avocat qui n'a formulé aucune remarque jusqu'à présent. Le premier interrogatoire commence toujours par la vérification de l'identité du mis en cause. C'est un passage obligé pour tout le monde. Quels que soient son grade, son titre, ses mandats électifs ou ses relations. Vous êtes sous ma responsabilité. C'est moi seul, sous l'autorité du procureur de la République, qui décide du déroulé de votre garde à vue et des questions que je vous pose. Elles peuvent vous paraître stupides, inutiles ou même farfelues. Vous pouvez choisir d'y répondre ou de vous taire, peu m'importe. Mais s'il vous plaît, ne les commentez pas. Ça ne servirait à rien, si ce n'est à perdre du temps. Ce qui serait très préjudiciable. Pour moi. Mais surtout pour vous. Désolé, mais ce n'est pas vous qui menez la partie... monsieur le maire.

14

Stanislas regarde Lavoisière. Feuillette les dossiers que ce dernier vient de lui remettre. Il hésite.

— Si je comprends bien, c'est une autre affaire concernant le maire ?

— Oui, patron, mais celle-là, c'est du tout cuit. J'ai fait toutes les vérifications. Étienne Maldon, adjoint au maire chargé des sports et inspecteur principal des impôts, a sorti à cinq reprises le dossier des époux Delacour, alors qu'il n'y avait aucun intérêt professionnel. Et comme par hasard, trois mois plus tard, le contrôle fiscal du maire est classé sans suite. Delacour a présenté un rapport de défense dans lequel il a soulevé des vices de forme.

— Et ce rapport, c'est Maldon lui-même qui l'aurait rédigé ?

— C'est évident. Delacour est chirurgien, pas inspecteur des impôts. J'ai lu ce rapport. Vous verriez comment il est rédigé ! Ce n'est pas un certificat médical, c'est pire. Des termes juridiques et des explications nébuleuses que seul un expert en droit fiscal peut maîtriser.

— Et c'est quoi l'intérêt pour Maldon de rédiger ce rapport pour le maire ?

— Le bouclier fiscal !

— Le quoi ?

— Expression de Delacour pour désigner Maldon. Des années que ce dernier rêve d'être élu à la mairie, ce n'est un secret pour personne dans la ville. Delacour lui donne satisfaction à condition qu'il lui file un coup de main sur le contrôle fiscal dont il fait l'objet. Hiérarchiquement, Maldon n'est pas en mesure de classer le dossier. En revanche, son job et ses connaissances en droit fiscal lui permettent d'en trouver les failles. Il le protège. C'est son bouclier.

— Il rédige le rapport de défense du maire sur la base duquel Delacour obtient un classement sans suite et en contrepartie Delacour le nomme adjoint chargé des affaires sportives. Ça se tient.

— Ben oui, patron, ça demande du temps et de l'énergie, la rédaction d'un tel rapport. Maldon vient de nouveau de tomber amoureux. Une Colombienne de quelques années sa cadette. Il veut lui en mettre plein la vue. Il demande et obtient du maire le prêt du stade de la ville pour se marier en grande pompe.

— Dans un stade ?

— Sa Colombienne est fan de foot. Ça se fait beaucoup là-bas. Mais c'est une première à Sainte-Jeanne.

— Il y a quand même plus romantique pour se marier. Ils ont passé la nuit de noces dans les vestiaires ?

— Dans les vestiaires, peut-être pas. Mais la jeune mariée a assuré son poste de secrétaire administrative à la mairie. À peine mariée, tout de suite nommée.

— Vous plaisantez ?

— J'aurais préféré, patron. Surtout qu'Éva Maldon est arrivée en France il y a à peine huit mois. Pour l'instant, elle sait surtout dire « oui, je le veux ». Pas certain qu'elle connaisse toutes les subtilités de notre belle langue.

— Cumul et passe-droits. Il engrange, le bouclier fiscal ! Je crois qu'on va commencer par celui-là, Lavoisière.

15

Quand le téléphone sonne, Stanislas est perdu dans ses pensées. Entre les informations de Jean-Louis Bastide sur sa participation au braquage des dabistes et la lecture des dossiers politico-financiers concernant Sainte-Jeanne, il a la tête ailleurs. Cécile, sa femme, s'inquiète de savoir à quelle heure il compte rentrer et s'il peut passer chercher le pain. Midlak sourit, il était loin de ces petits riens du quotidien. Il le sait pourtant, ce sont eux qui construisent la vie de famille. Surtout que Cécile prend soin de rajouter que Dimitri et Léa le réclament. En entendant les prénoms de ses enfants, Stanislas n'hésite pas. Sa femme a raison, il est temps de rentrer.

En partant, il passe saluer David Vallespir, encore en pleine audition de Jean-Louis Bastide. Le flic et le voyou sont installés face à face. L'écran de l'ordinateur les sépare, la bouteille de whisky posée au milieu du bureau les rapproche. En voyant le commissaire, Le Grand n'hésite pas :

— Il prend un godet avec nous, le patron ?

Décidément, ce voyou lui plaît.

— Le patron se rentre, sinon la patronne hurle.

— Flics ou voyous : même combat. L'embourgeoisement conjugal nous perdra.

— À qui le dis-tu. Et toi, ça va, tranquille? T'es à l'aise, ici?

— Jusqu'ici tout va bien. La bibine est bonne, la compagnie charmante, même si ça manque un peu de greluches, et je suis traité comme un prince. Franchement les gars, j'ai connu pire à la maison poulaga. L'avantage d'être entre gens civilisés et intelligents. On se comprend.

Midlak ne veut pas se laisser endormir par les propos charmeurs de Loulou.

— Personnellement, j'ai toujours pas compris comment ton portable pouvait être géo-localisé sur les lieux du braquage et toi ne pas y être?

Le Grand éclate de rire.

— Tu vas pas me la faire à l'envers? Pas à moi? Tu sais bien qu'un portable ça se perd, ça se vole, ça se prête.

— Et bien sûr, toi, ton portable, on te l'a volé.

— J'ai jamais dit ça. Hein, David, j'ai jamais dit ça? D'ailleurs, il est là, mon portable.

— Si t'y étais pas, pourquoi il matche sur la zone du braquage?

Cabot jusqu'au bout, Loulou fait signe à Stanislas de se baisser. Pour pouvoir lui parler plus discrètement. Comme si les murs des locaux de police pouvaient avoir des oreilles indiscrètes.

— La veille du braquage, j'ai fait une virée à tout casser. Des vieux potes du rugby, tous des anciens internationaux. Vingt ans qu'on s'était pas retrouvé.

T'imagines l'ambiance. Un bar, plus un autre, plus un troisième. J'ai arrêté de compter au douzième. J'sais plus combien on en a fait. Résultat? Pas joli à voir. Et à sentir. Le lendemain, réveil avec gueule de bois. La vraie. Vomissements inclus.

— Si tu pouvais me passer les détails.

— Une cuite de l'autre monde. Alka-Seltzer et Doliprane toute la journée. À mon réveil, plus de portable. Le trou noir, le vide abyssal. Impossible de pouvoir mettre la main dessus et impossible de me bouger. Je suis resté au pieu toute la journée. Avec Nina, ma charmante de ce matin. Elle sait me soigner.

— J't'ai demandé de me passer les détails.

— Donc, j'te raconte pas que j'avais d'autres chats à fouetter que de m'inquiéter de mon portable. Nina pourra confirmer. C'est le lendemain que j'ai refait la tournée des bars où on avait sévi et que je l'ai retrouvé. Il traînait sur le comptoir de La Troisième Mi-Temps. Maintenant, ce qu'il a fait pendant mon absence, c'est à lui qu'il faut demander.

Et se tournant vers son portable posé sur le bureau de David, il lui lance en prenant l'accent marseillais :

— Hein, Pomponette, t'étais où? Avec qui? Garce, salope, ordure? Tu t'es fait la malle avec un autre, hein? Et le pauvre Loulou, dis, qui s'est fait un mauvais sang d'encre. Il tournait, il virait, il cherchait dans tous les coins. Plus malheureux qu'une pierre, il était. Et toi, pendant ce temps-là avec ses téléphones de gouttières, des inconnus, des bons à rien. Des passants du clair de lune.

David et Stanislas ne résistent pas à l'imitation pagnolesque du Grand, ils explosent de rire.

— Je crois qu'on arrivera à rien d'autre, patron.

David a raison et Stanislas le sait. Ce n'est pas au vieux cheval de course qu'on apprend à perdre le tiercé. Bastide connaît la musique par cœur. Ils n'en tireront rien de plus. Fataliste, il sourit au voyou.

— On aura au moins essayé.

— Et avec courtoisie. Ce dont je vous remercie, messieurs.

Jean-Louis jette un coup d'œil sur les dossiers qu'emporte avec lui le commissaire.

— Tu ramènes du boulot à la maison, commissaire ?

— T'inquiète, rien à voir avec toi. Des affaires politico-financières, comme on dit dans notre jargon.

— Tu veux dire des dossiers qui touchent des élus, des hommes politiques, tout ça ?

— Exactement.

— Tu sais quoi ? Ceux-là, j'sais pas pourquoi, mais je les sens pas. Entre nous, flics et voyous, on a nos règles : Pas vu, pas pris. Vu, pris. C'est le jeu. Eux, ils ont rien, respectent pas grand-chose. La main prise dans le pot de confiture, sont capables de te dire que c'est pas leur main.

Stanislas est surpris. Décidément, ce vieux voyou a un avis sur tout.

— Tu sais, j'dis ça, moi, j'dis rien. Mais tu devrais faire gaffe, commissaire. Tu sais pas où tu mets les pieds. Ceux-là, ils finissent toujours par tirer toutes les ficelles. Méfie-toi qu'au bout du compte, ce soit pas toi qui t'y balances.

En s'arrêtant à sa boulangerie habituelle, Stanislas a encore la banane. Mêmes les propos inquiétants de Loulou ne lui ont pas enlevé son sourire. Il a tous les culots ce beau mec. Comparer son téléphone portable qui disparaît au chat de la femme du boulanger de Pagnol, et finir par le mettre en garde sur un dossier politico-financier, en vingt et quelques années de carrière, il n'avait pas encore vécu ça.

16

Stanislas stoppe sa voiture et prend le temps de récupérer ses affaires. Regarde sa petite cour intérieure. Il apprécie par-dessus tout ce moment. Celui qui précède l'instant où il va ouvrir la porte de sa maison et où Dimitri et Léa vont se jeter dans ses bras en hurlant « papa », où sa femme va l'embrasser d'un air distrait en lui faisant remarquer l'heure tardive à laquelle il rentre. Il sait que le reste de la soirée va s'enchaîner à une vitesse folle. Les devoirs des enfants à vérifier, le dîner à partager, l'heure précieuse du coucher. Comme dans un rêve. Le calme avant la tempête. Contrairement au marin, il savoure l'avant pour prendre encore plus conscience de la chance qu'il a de vivre ce qui l'attend.

En fermant sa voiture, il se fait la remarque qu'il est quand même bien installé. Il a eu de la chance de trouver cette maison en arrivant en poste à Bayonne. Il habite un petit village situé à cinq kilomètres à peine du siège de son service. Plus vraiment la ville, mais pas complètement la campagne. *Urbi et orbi* en même temps. Cela lui laisse le temps de conduire ses deux enfants à l'école et parfois même d'aller les récupérer, les déposer chez lui, les laisser à Cécile et repartir pour une heure ou deux (ou plus) au travail.

Sa maison a été joliment décorée par sa femme. Une chambre par enfant et une suite parentale. Cette expression un peu pompeuse l'a toujours fait sourire, elle signifie surtout que la chambre conjugale est équipée d'une salle de bains individuelle et d'un dressing. Pièce fondamentale pour convaincre Cécile de venir s'installer au fin fond de l'Aquitaine. Et puis, il y a cette grande superficie centrale, faisant office de cuisine américaine, salon et salle à manger avec des grandes baies vitrées s'ouvrant sur le jardin. C'est pour cette surface qu'il a craqué au moment des visites. Il tenait à avoir un grand espace de vie, de jeu et de rencontres avec ses enfants.

Il avait juste omis un détail : que son job soit aussi chronophage et l'empêche de partager autant qu'il l'aurait souhaité la vie de ces monstres d'amour, comme il aime les appeler. Alors, il se rattrape comme il peut, entre l'heure du réveil et celle où il les dépose à l'école. Moments précieux du quotidien, où discussions, explications et fous rires remplissent sa voiture.

Ce soir, avant de pousser la porte, les dossiers Sainte-Jeanne sous le bras, il souffle, savoure cet instant délicieux, conscient de la chance qui est la sienne. Puis il entre. C'est Léa, la première, qui l'entend. Elle hurle, le visage illuminé d'un sourire en courant dans ses bras : « Papa ! »

17

En reposant le combiné, Olivier Demaudo, procureur adjoint du TGI de Bayonne, est soucieux. En tant que magistrat, recevoir un appel téléphonique de la chancellerie est assez courant. En revanche, c'est bien la première fois où il sent une telle détermination dans la voix de son interlocutrice. La discussion est âpre. Mais Demaudo est un vieux routier du parquet. Il croit profondément à l'indépendance de la justice. Avec toute la politesse et la courtoisie dont il est capable, issues de sa vieille éducation bourgeoise lyonnaise tendant parfois à l'hypocrisie sociale, il ne se laisse pas faire. Et renvoie dans ses cordes son interlocutrice, avec toutes les formes nécessaires dues à ses rang et grade. Une façon de ne pas laisser Paris s'ingérer dans les affaires provinciales.

— Je comprends bien, chère madame. Le ministre insiste, je n'en doute pas. Et ce dossier dure depuis bien trop longtemps. Je suis bien d'accord avec vous. Mais voyez-vous, maintenant il n'y a pas qu'un dossier, mais trois. Et si la PJ a mis longtemps à démarrer, je crains que les preuves qu'elle a trouvées ne soient irréfutables. Croyez-moi, je les ai vues. Très difficilement discutables.

Il souffle, s'arrête brièvement. Pause suffisante pour laisser à son interlocutrice le temps de bien entendre le message qu'il fait passer. Et enchaîne :

— En plus, désormais, il n'y a pas qu'un seul enquêteur qui travaille sur le dossier. Il est suivi par une dizaine de policiers.

Son interlocutrice ne répond pas. Olivier Demaudo sait qu'il vient de passer la deuxième couche. Ne pas lui laisser le temps de trop réfléchir. Pousser l'avantage, insister.

— J'ai bien pris note des relations privilégiées qu'entretiennent le ministre et le maire Delacour, mais je crois qu'à ce stade il serait pour le moins imprudent de la part de monsieur le garde des Sceaux de continuer à affirmer publiquement l'amitié qu'il porte au maire de Sainte-Jeanne. Sans trahir le secret de l'enquête, mais juste pour vous situer l'ampleur des dégâts, je peux vous assurer que l'audition du maire, et celle de sa femme, d'ailleurs, ne sauraient tarder. Et elles ne vont pas durer que deux heures. Localement, l'onde de choc peut être violente, si vous voulez mon avis. À mon sens, il serait opportun qu'elle ne remonte pas jusqu'à Paris.

En repensant à cette discussion, Demaudo se trouve gonflé. Mais en même temps, il a une totale confiance en Midlak. Lors de leur dernière rencontre, il lui a montré la preuve formelle de la corruption du maire. Pas un on-dit ou une rumeur. L'enjeu est de taille, il ne suffit pas de se fier aux simples déclarations d'adversaires politiques plus ou moins jaloux. Il lui faut du solide, du formel, et cette facture de tableau du peintre impressionniste Eugène Lamuler, émise par un commissaire-priseur toulousain, ne fait aucun doute.

C'était quoi déjà, l'œuvre ? Peu importe en fait, Demaudo a toujours préféré le cinéma italien à la peinture impressionniste. Ce qui est sûr, c'est que la facture de ce tableau d'un montant de 29587 euros avait été établie à l'attention de M. Robert Delacour, et qu'il l'avait réglée à l'aide de deux chèques. Le premier d'un montant de 9587 euros tiré sur son compte personnel, le second de 20000 euros tiré sur le compte d'une certaine Sophie Paisange.

Dans un premier temps, le commissaire comme lui avaient pensé que Mme Paisange devait être une amatrice d'art, passion partagée avec le maire. Et que tous les deux avaient acheté en commun cette œuvre impressionniste. Mais il n'en était rien. Midlak avait découvert que Sophie Paisange était la gérante d'une société de promotion immobilière située à Sainte-Jeanne, sobrement dénommée Paisange Immobilier, qui venait depuis peu d'obtenir un permis de lotir pour un petit ensemble résidentiel de quatre étages absolument charmant sur la commune.

Il y a des coïncidences troublantes.

Qui peuvent vite devenir des preuves.

18

Stanislas fait quelques pas dans son jardin. Il fait frais. Mais cette sensation de fraîcheur lui fait du bien. Déjà plus de trois heures qu'il travaille sur les dossiers que lui a remis Lavoisière. Il a besoin de s'aérer le corps. Et l'âme. Choqué de ce qu'il vient de découvrir. Et s'il s'était trompé ? Pourtant, la réalité est là, sous ses yeux. Il a la preuve de la corruption passive du maire. La première. Il n'ose y croire. Il se secoue les épaules, regarde le ciel. Lune et étoiles semblent se livrer à un duel infini. Devant cette immensité, il ressent depuis toujours ce même sentiment d'impuissance et parfois d'inutilité. La question du « pourquoi » revient en boucle. Et celle du « à quoi ça sert » la talonne, dans une spirale sans queue ni tête.

Pendant deux heures, comme il s'y attendait, il a été tout à ses enfants. Dimitri et ses matchs de foot, à la récré comme à la télé, Léa et ses copines qui changent de meilleures amies comme de perles sur leurs bijoux fantaisie. Sa femme, souriante en bout de table, regardant avec cet air amusé ses enfants se disputer la présence et l'attention de leur père.

Ce soir, c'est Stanislas qui les a couchés. Il a raconté une dernière histoire à Léa, lui a fait un énorme câlin avant d'entamer un faux match de boxe avec Dimitri, et de l'enlacer affectueusement. Alors qu'il allait éteindre la lumière de sa chambre, son fils l'a rappelé.

— Papa ?

— Oui ?

— Je peux te demander quelque chose ?

Stanislas a été surpris. Il y avait une sorte d'angoisse dans la voix de son fils. Une lueur inhabituelle dans ces yeux.

— Bien sûr, mon grand !

— Vous n'allez pas divorcer avec maman ?

— Mais non, bien sûr que non ! Pourquoi tu dis ça ?

— Pour rien. Juste pour savoir. J'ai lu un truc aujourd'hui comme quoi soixante-dix pour cent des policiers divorcent. Et j'ai pas envie que maman et toi vous vous sépariez.

— Mais t'as lu ça où, toi ?

— En bas, sur la table du salon, un magazine de maman. Il était ouvert à la page de l'article.

Stanislas s'est rapproché du lit. A serré fort contre lui son fils. Déjà costaud pour son âge, mais tellement fragile.

— Tu sais, c'est bien de t'intéresser à tout. Mais faut pas croire tout ce qu'on lit dans les magazines. Et même si c'était vrai, ta maman et moi on ne fait pas partie des soixante-dix pour cent de policiers. Et on n'a aucune envie de se séparer.

— Alors pourquoi maman parfois, elle est distante avec toi ?

— Elle n'est pas distante. Elle est juste fatiguée. Entre son travail, la maison, vous. Et puis moi aussi. Je dois pas être facile tous les jours à supporter. Elle en a des choses à faire et des personnes à s'occuper. Mais rien de grave. Je t'assure.

Il a encore discuté avec son fils pendant quelques minutes. Calmant ses angoisses, répondant à ses interrogations. Puis il est descendu rejoindre Cécile. À l'angle de la cuisine et de la terrasse, elle fumait une cigarette. L'attention ailleurs, mais l'œil posé sur lui. Dimitri avait raison, depuis quelque temps elle avait un air absent. Presque mystérieux. Ça ne la rendait pas moins jolie, bien au contraire. Il l'a regardée, lui a demandé si tout allait bien. Elle a acquiescé. Lui a souri. En quittant la cuisine, elle lui a caressé la joue, lui murmurant :

— Je suis crevée ce soir, je vais me coucher. Tu viens ?

Stanislas a hésité. Pas assez longtemps. Il aurait peut-être dû prendre plus le temps de la réflexion. Mais il n'avait pas envie de lui parler de la discussion qu'il venait d'avoir avec leur fils. Ni même des articles de magazine qu'elle laissait plus ou moins inconsciemment à la lecture de tous. Il n'avait pas même envie de savoir s'il s'agissait d'un acte manqué, d'un appel au secours ou d'une indication de son état d'esprit. Il avait juste envie de se plonger dans les dossiers Sainte-Jeanne. Tout lire, tout analyser, tout comprendre.

— Deux-trois trucs à vérifier sur un dossier, et je te rejoins, ma chérie.

D'un air ailleurs, résigné et déjà presque triste, Cécile l'a regardé. Elle a de nouveau secoué la tête et, machinalement, elle a répété :

— Deux-trois trucs à vérifier. OK.

Elle a esquissé un départ, avant de se retourner :

— T'es un super papa, tu sais.

Elle aurait voulu poursuivre. Tellement de choses à lui dire. Mais par pudeur ou respect, elle a préféré se taire. Et elle est partie se coucher. Seule.

Stanislas n'a pas attendu longtemps. Il a sorti les dossiers sur sa grande table de salle à manger. S'est installé un éclairage intimiste, un bloc-notes et un stylo. Et a étalé les différents procès-verbaux de la première procédure, celle concernant le signalement Tracfin sur les comptes bancaires du maire Robert Delacour et de sa femme Jeanne. Comme un besoin irrépressible de comprendre les nombreux dépôts en espèces effectués sur ces comptes.

Il a d'abord lu les procès-verbaux rédigés par Lavoisière. Il n'a pas été obligé d'y mettre toute la concentration qu'il aurait souhaitée. Ça ne l'a pas surpris, même si ça l'a profondément agacé. Il s'est vite rendu compte qu'hormis l'audition du maire effectuée peu de temps après la réception du dossier au service, soit en mai 2007, les autres actes de recherches, de vérifications, d'analyses et de réquisitions ont été rédigés avec précipitation, voire à la hâte. Il y a des fautes d'orthographe et de syntaxe qui ne trompent pas.

Midlak a tenté d'oublier cet *a priori* négatif et s'est jeté dans la lecture de la prose policière de

Lavoisière. Tout d'abord, la déposition du maire : un procès-verbal de deux pages et demie, des questions courtes avec des réponses encore moins longues. Il se souvient de l'argument avancé par le chef de la Financière : une audition faite rapidement après la réception du dossier n'a pour autre objectif que d'« enferrer » le déposant et, après vérifications, de « l'encrister » sur ses contradictions.

Midlak n'a jamais été un adepte de cette stratégie. Il a toujours préféré, comme en matière criminelle, collationner les éléments à charge, avoir en sa possession toutes les billes et procéder alors à l'interrogatoire. La manœuvre choisie par la Financière lui paraît aléatoire et par ailleurs permet de mettre la puce à l'oreille au mis en cause, l'informant de l'enquête en cours sur sa personne.

Au moins, la lecture des réponses alambiquées de Robert Delacour aux questions écourtées de Lavoisière lui a permis de se faire une première idée du maire. Il n'a pas encore rencontré l'édile. Il ne sait pas à quoi il ressemble, si ce n'est par quelques photos glanées sur Internet, mais il l'imagine, pris les mains dans le pot de confiture, en train de s'expliquer. Après tout, puisqu'il a ramassé les fruits avant de passer derrière les fourneaux, pourquoi n'aurait-il pas le droit de goûter au produit de sa cuisine ?

Midlak n'a pas pu s'empêcher d'en sourire. Il ne doutait pas que le passage à l'euro en 1999 avait dû obliger certains à sortir leurs francs cachés, bas de laine, héritages ou plus-values non déclarées. Mais de là à oser dire sur procès-verbal, qui plus est par un élu du peuple, que les sommes déposées d'une façon perlée sur ces comptes pendant de nombreux mois d'affilée étaient dues à une cagnotte, était la preuve même, malgré l'emploi de mots charmants mais désuets, d'un manque flagrant d'imagination.

C'était surtout la démonstration que Delacour, qui ne connaissait pas les raisons de sa convocation lors de cette première audition, n'avait pas encore réfléchi à sa déposition. Et dans l'urgence, acculé, n'avait rien trouvé de mieux que d'inventer une cagnotte farfelue, à défaut d'être frauduleuse.

C'était surtout la preuve que l'élu prenait les flics pour des cons.

Midlak n'a pas eu besoin de prendre de notes en lisant cette déposition, il savait exactement quelles questions il poserait à Delacour sur ce sujet pour l'enferrer en peu de temps.

C'est le procès-verbal intitulé par Lavoisière : « Décompte des sommes en espèces déposées sur les comptes personnel et professionnel de Robert et Jeanne Delacour » qui peu après a monopolisé son attention. Ce dernier mentionnait que suite aux réquisitions bancaires établies, l'étude des comptes faisait apparaître 48 dépôts d'espèces variant entre 1 000, 5 000 et 15 000 euros, représentant un total de 189 000 euros.

Midlak a senti la patate. L'inexactitude. Il a tout repris. Sur son ordinateur, il a ouvert le logiciel Excel et dressé des tableaux récapitulatifs de l'ensemble des dépôts effectués sur les comptes des époux Delacour. Il ne pouvait se contenter d'une synthèse aléatoire, il lui fallait tout : le détail des versements, la date, l'heure, le montant exact et le lieu du dépôt.

Travail fastidieux, mais nécessaire, mettant en évidence que les versements avaient été effectués sur les trois comptes des époux Delacour (les comptes personnels de monsieur et madame, et leur compte commun) d'une façon récurrente entre le 01/01/2006 et le 04/11/2008, que ces dépôts étaient au nombre de 56 pour une somme totale de 225 000 euros, bien loin des résultats approximatifs affirmés par Lavoisière. Il lui permettait en outre de visualiser que tous ces versements avaient été effectués au sein de l'agence du Crédit Fédéral de l'Aquitaine basée à Cachin, dont certains le même jour sur des comptes différents.

Pourquoi avait-il fait cette recherche ? Il ne le savait pas lui-même. Mais ça le démangeait. Son esprit était rentré en mode chasseur. Il sentait que quelque chose clochait, il voulait savoir quoi. Sur son ordinateur il a lancé Google et s'est baladé dans l'organigramme du Crédit Fédéral de l'Aquitaine. Celui de l'agence de Cachin était moins important que celui de Sainte-Jeanne.

Ce fut d'ailleurs sa première réaction : *En fait, l'agence de Cachin, c'est une succursale du CFA de Sainte-Jeanne.*

Sa seconde ne s'est pas fait attendre. *D'ailleurs, pourquoi Delacour, il a ses comptes à Cachin ? Pourquoi il ne les a pas à l'agence de Sainte-Jeanne ?*

C'est en lisant le nom du directeur de l'agence de Cachin, qu'il a percuté : *François Gabelle. Mais c'est le nom de son premier adjoint à la mairie !*

Dans Google, il a basculé immédiatement sur le site Internet de la mairie de Sainte-Jeanne. Costumes et sourires plus ou moins taillés, tous les élus locaux y apparaissaient avec leur qualité et mission au sein du conseil municipal. Juste en dessous de la photo de Robert Delacour, indiquant maire de Sainte-Jeanne, il y avait celle de François Gabelle.

Adjoint chargé des finances, normal pour un banquier. Mais pourquoi à Cachin ? Pourquoi pas plutôt à Sainte-Jeanne ?

Midlak a pris le temps de la réflexion. Vieille habitude de ses heures étudiantes, à l'époque où il révisait ses examens. Petite pause qui lui donnait l'impression de rêver, mais où son esprit se mettait en mode « rouages huilés ». Après quelques secondes intensives, il s'est secoué. Il savait que cette information, *a priori* pas capitale à défaut d'être illégale, avait quelque chose *a posteriori* de surprenant.

Delacour, maire de Sainte-Jeanne depuis 1989, où se trouve l'agence départementale du Crédit Fédéral de l'Aquitaine, a tous ses comptes (personnel, commun et professionnel) au sein de sa succursale à Cachin, dont le directeur n'est autre que son premier adjoint François Gabelle.

Il souffla, avant de poursuivre son raisonnement.

Et où sont régulièrement déposées des sommes importantes en espèces...

Il n'a pas voulu s'arrêter à des conclusions hâtives, mais n'a pas pu s'empêcher de penser : *Si ce n'est pas de la complicité, c'est drôlement bien imité. Au moins, une vraie complaisance.*

Il s'est frotté les yeux. Ne s'est pas laissé envahir par le sommeil et ces affirmations gratuites. Il savait trop bien que, avant de parler de complicité, il devait *a minima* déterminer l'infraction. Notion de procédure pénale : première année de faculté de droit. Le simple dépôt d'argent en espèces, même effectué de façon régulière, sur un compte bancaire n'était pas encore un délit, tant que n'était pas démontrée l'origine frauduleuse de cet argent. C'était étonnant, certes. Illégal, pas encore.

L'heure tournait. Depuis longtemps Cécile avait éteint sa lampe de chevet. Il aurait bien aimé partager avec elle ses réflexions, mais par habitude conjugale autant que par instinct masculin, il savait que ce n'était pas forcément une bonne idée. Réveiller sa femme juste pour lui annoncer que le maire de Sainte-Jeanne avait pour directeur de banque son premier adjoint, pas certain qu'elle ait apprécié autant que lui ce que signifiait cette découverte.

Il n'avait pas envie de s'arrêter en si bon chemin. Son attention a été retenue par le procès-verbal intitulé : « Analyse des éléments fournis par Tracfin ». Bien sûr les super-flics de Bercy avaient mis en évidence, donc en questionnement, les nombreux dépôts effectués en espèces sur ces comptes, mais ils avaient soulevé également le lièvre de l'émission de chèques de montants importants. Rien n'interdisait au maire et à sa femme d'avoir des achats parfois dispendieux, c'est surtout la récurrence de ces derniers qui avait interpellé Bercy.

Lavoisière avait commencé le travail. Il avait établi des réquisitions aux fins de connaître l'objet de ces chèques. À ce stade de l'enquête, il n'avait pas reçu beaucoup de réponses. Midlak connaissait bien le problème, les banques se font toujours tirer les oreilles quand il s'agit de fournir des éléments sur les comptes de leurs clients. Encore plus quand ces clients ont un semblant de notoriété.

En l'espèce, Lavoisière avait reçu une seule réponse. Un chèque de son compte personnel d'un montant de 9587 euros, daté du 06/03/2006, avait été émis à l'attention d'une société de vente aux enchères basée à Toulouse. Le chef de la Financière avait, sur réquisition, obtenu du commissaire-priseur le motif de l'achat : un tableau signé Eugène Lamuler, intitulé *Le Cygne du lac,* peint en 1886, d'un montant total de 29587 euros.

Ce montant a immédiatement fait bondir Midlak. *29587 euros ? Delacour a payé 9587 euros en chèque, il a payé comment les 20000 restants ?*

La réponse se trouvait dans la facture émise par l'adjudicateur. Elle précisait que *Le Cygne du lac* avait été acheté pour le compte de M. Delacour Robert, à l'aide de deux chèques. Le premier d'un montant de 9587 euros avait été tiré sur le compte du Crédit Fédéral de l'Aquitaine au nom de Robert Delacour. Le second d'un montant de 20000 avait été émis depuis le compte du Crédit Agricole de Mme Sophie Paisange.

Midlak s'est immédiatement interrogé : *C'est qui, cette Sophie Paisange ?*

Il espérait découvrir la réponse dans le reste de la prose policière de Lavoisière. Elle n'y apparaissait pas. Le chef de la Financière s'était juste contenté de mentionner que le chèque de 9587 euros émis par Robert Delacour avait servi à acheter *Le Cygne du lac* de Lamuler, en commun avec une personne tierce, amatrice d'art.

Une personne tierce ? Ça veut dire quoi, une personne tierce amatrice d'art ! Elle a quand même foutu 20000 euros dans un putain de tableau, la personne tierce ! Ce serait pas con de savoir qui elle est ? Là, il m'emmerde vraiment Lavoisière. C'est pas du travail de flic, ça !

Google lui a été encore une fois très utile. Sur l'ensemble de la région Aquitaine, il n'existait qu'une seule Sophie Paisange. Hasard d'Internet et de la géographie, elle était domiciliée à Sainte-Jeanne et était la gérante d'une société de promotion immobilière, sobrement dénommée Paisange Immobilier.

Et ça, il le voit pas, Lavoisière ? C'est vraiment du foutage de gueule. Même un stagiaire aurait percuté là-dessus. Putain, il est aveugle ou quoi ? Delacour, maire de Sainte-Jeanne, achète une œuvre d'art en commun avec une gérante de société de promotion immobilière de sa ville ! Ça pue. En plus, sur les 29587 euros que coûte le tableau, il ne paie « que » 9587 et la gérante 20000 ! Joli chiffre rond.

Par acquit de conscience, il a vérifié de nouveau. Mais il ne s'était pas trompé. Même si Sophie Paisange avait acheté l'œuvre d'art en commun avec le maire, la facture émise par le commissaire-priseur ne concernait que Robert Delacour. Le nom de la gérante de la société de promotion immobilière n'apparaissait pas sur ce document comptable.

Il s'est étiré sur sa chaise. A regardé l'heure. La nuit était bien avancée. Plus de trois heures qu'il travaillait sur le dossier Tracfin de Delacour. Il a relu toutes les notes qu'il avait prises pendant la lecture de la prose de Lavoisière. Il s'est fait la remarque que l'image de dilettante collant au chef de la Financière n'était pas usurpée et qu'il lui faudrait encore beaucoup de travail pour confirmer ses premières impressions.

Tout le monde dormait chez lui. Sa femme ne s'est pas réveillée quand il a fait grincer sa chaise pour s'écarter de la table et quand l'ordinateur a joué sa petite musique d'au revoir à Windows.

Il sort prendre l'air et faire quelques pas dans son jardin. Il fait frais. Mais cette sensation de fraîcheur lui fait du bien. Après quelques minutes de réflexion, en repensant aux premiers résultats de ses découvertes, il n'a plus beaucoup de doutes. Il vient de mettre au jour une preuve de la corruption du maire. Bien sûr, il va devoir l'étayer, mais il vient de dessiner dans ses grandes lignes le mode opératoire corruptif de Delacour. Achat d'œuvres d'art avec double paiement, le premier tiré de son compte personnel, le second émanant du compte d'un tiers. En l'espèce, la gérante d'une société de promotion immobilière. Stanislas est prêt à parier que la société de cette personne a dû se faire délivrer aux environs de la date d'achat du tableau une autorisation à construire, voire un permis de lotir. La vérification sera faite rapidement à la mairie. Et tant pis si elle éveille les soupçons. Lavoisière, en interrogeant le maire à la réception du dossier, a déjà bien éclairé sa lanterne.

Comme il aime le faire, il se secoue les épaules, regarde de nouveau le ciel. La lune est cachée derrière un bandeau de nuages. Le duel qu'elle menait avec les étoiles a pris fin. Et Stanislas commence à mettre des réponses à ses questions. Quelles que soient ses fonctions, l'homme est profondément vénal.

Habitude paternelle à laquelle il ne renonce jamais, quels que soient l'heure et l'état dans lequel il se trouve, avant d'aller se coucher il embrasse ses enfants. Quand il se glisse dans le lit, rejoignant Cécile qui dort, il n'a même pas la force de se serrer contre elle. À peine le temps de constater que, même en dormant, elle a l'air triste.

19

Quand il reçoit la réponse du Crédit Agricole, en ouvrant le courrier, il a hâte. Il déchire l'enveloppe, heureusement sans endommager le contenu. La copie du chèque qu'elle contient est symptomatique. Au-delà de ses espérances. Midlak est même surpris devant ce manque de prudence de la part du maire.

Après sa nuit d'analyse sur le dossier Tracfin, et la découverte de l'achat groupé Delacour-Paisange du tableau *Le Cygne du lac*, Midlak a rédigé des dizaines de réquisitions bancaires. Du travail à la chaîne. Celui qu'auraient dû faire Lavoisière et ses hommes. Il a d'abord hésité. Stanislas avait très envie de les pourrir en leur demandant de se mettre enfin véritablement au boulot et de rédiger ses pièces de procédure à sa place, mais il a craint que cette insuffisance professionnelle ne soit pas due uniquement à de l'incompétence. Il s'est méfié, et a décidé que dans les procédures touchant la mairie de Sainte-Jeanne, certains actes resteraient de sa seule attribution. Ou de celle de la Brigade de répression du banditisme, sous la responsabilité de son vieil ami David Vallespir.

La mention « Urgent » en gras souligné et son grade mis en évidence ont peut-être accéléré les réponses. À peine quatre jours se sont écoulés depuis l'envoi de ces actes judiciaires, et déjà il reçoit des réponses. La première qu'il ouvre est celle qu'il attendait en priorité. Elle concerne le compte de la gérante de la société de promotion immobilière Paisange Immobilier.

Entre autres demandes, il a sollicité copie du chèque de 20 000 euros émis par Sophie Paisange ayant servi au paiement de l'œuvre d'Eugène Lamuler. À la première lecture de ce chèque, il tombe des nues. Il le tient entre ses doigts, le touche, le retouche, l'éloigne de son regard, le rapproche. Tout en hochant la tête, il se retient d'éclater de rire. Il murmure :

— C'est pas vrai ? Non, mais c'est pas possible !

En lisant les cinq mentions manuscrites obligatoires : date, lieu, montant en chiffres, montant en lettres et bénéficiaire, il se rend compte du problème. De la grossière erreur de Delacour. Il n'aura pas besoin de passer des heures à étudier ce moyen de paiement. La preuve est là, devant lui. Visible comme le nez au milieu de Cyrano, comme le fidèle Béru à côté de San Antonio, comme le « cygne » sur le lac d'Eugène Lamuler ! Nul besoin de faire appel à des experts qualifiés ou à des graphologues patentés pour constater l'évidence.

Il passe un coup de fil au deuxième étage de son service, le bureau du chef de la BRI.

— David, tu montes me voir, s'il te plaît.

Moins de douze secondes plus tard, Vallespir est dans le bureau de son patron. Toujours occupé à admirer la copie du chèque qu'il a entre les mains, Midlak est presque surpris de la prompte arrivée de David.

— T'as fait vite !

— Le ton employé était, comment dire, pressant !

Stanislas secoue le chèque qu'il a entre les mains et le montre à David :

— Ton analyse ?

La réaction de David est presque aussi rapide que celle de son chef. D'abord soucieux en prenant le chèque, très vite, il sourit. Il a compris. Sans rien dire, il lève la main qui ne tient pas le chèque et tend deux doigts. Majeur et index.

— Mais encore ?

— « V » comme Victoire. T'as deux écritures ! T'as la preuve. T'avais pas besoin de moi pour trouver ça.

— Avec toi, c'est mieux !

Leur vieille complicité reprend le dessus. Deux avis valent mieux qu'un. Ils se marrent. Ils ont la même analyse. En théorie, les mentions manuscrites sur un chèque doivent être écrites par une seule et unique main. Sur celui qui provoque leur hilarité nerveuse, deux écritures bien distinctes par leur forme, leur calligraphie et leur caractère sont apposées.

Une petite fine, légère et souple couvre les seules mentions des montants, en lettres et en chiffres, quand une autre un peu plus ronde, lourde et massive, couvre les mentions du bénéficiaire, de la date et du lieu. Elles n'ont que deux points communs : la couleur de l'encre. Et le support.

David interroge Stanislas :

— T'as fait la comparaison d'écritures ?

— Non, pas encore.

Il désigne alors le reste des réponses à réquisition aux banques :

— Mais j'ai de quoi la faire.

Stanislas n'a pas oublié de demander un exemplaire du spécimen d'écritures déposé par le titulaire du compte. Pas besoin d'être graphologue ou expert pour noter que celle concernant les mentions des montants en chiffres et en lettres sur ce chèque, ainsi que la signature, ont bien été rédigées par Sophie Paisange.

Pour les mentions concernant le bénéficiaire, la date et le lieu, aucun doute possible non plus, c'est une même main. Midlak a, dans un premier temps, une hésitation. Est-ce l'écriture de Robert Delacour ou celle de Jeanne Delacour ?

— C'est bizarre qu'en vieillissant ensemble des conjoints finissent par se ressembler jusque dans l'écriture !

— Toi et moi, si on continue ensemble, tu crois qu'on sera encore plus cons ?

— Toi, non ! C'est pas possible, t'as atteint la limite. Moi, j'ai encore un peu de marge.

— T'es trop con.

— C'est bien ce que je te disais.

Dans un second temps, en regardant avec encore plus d'attention, c'est David qui lève le doute.

— C'est l'écriture de monsieur, pas de madame. Il a une façon très personnelle d'enrouler les « S »...

Stanislas ne lui laisse pas le temps de terminer son raisonnement :

— Putain, on est trop cons !

— C'est vrai que t'as encore de la marge. Pourquoi ?

— On a mieux que cette façon personnelle d'enrouler les « S ». On a...

Stanislas cherche furieusement dans les dossiers de la Financière. Il sort la copie du chèque de 9 587 euros émis depuis le compte personnel de Robert Delacour pour acheter en partie *Le Cygne du lac.*

— ... le chèque du cygne !

— C'est quoi, ça : le chèque du cygne ?

Stanislas vérifie. Il ne s'est pas trompé, toutes les mentions manuscrites ont été rédigées avec une seule écriture. Il montre le chèque à David.

— Puisque c'est un chèque personnel de Robert Delacour, on peut considérer que c'est son écriture dessus.

— On peut.

Stanislas tient les deux chèques dans sa main, celui de Paisange de 20 000 euros et celui de Delacour de 9 587 euros. Il les glisse l'un derrière l'autre, derrière une lampe, et les observe à la lumière. Le doute est levé. Sur les deux documents, les mentions du bénéficiaire : « commissaire-priseur », du lieu : « Toulouse » et de la date : « 6 mars 2006 » se superposent point par point. Jackpot, c'est bien la même main qui a écrit toutes ces mentions sur ces deux documents bancaires. Celle de Robert Delacour.

Stanislas fixe encore une fois ce petit bout de papier de 15 centimètres sur 7, dubitatif :

— Sophie Paisange, gérante d'une société de promotion immobilière à Sainte-Jeanne a remis un chèque signé au maire de cette ville, sur lequel elle n'a écrit que le montant : 20000 euros. Delacour a écrit la date, le lieu et le bénéficiaire. Ce qui signifie...

— ... que Paisange ne savait même pas à qui allait être remis le chèque, ni à quelle date, ni à quoi il allait servir...

Midlak considère une nouvelle fois le chèque, siffle entre ses dents, admiratif :

— Scellé numéro un : si ça, c'est pas un pot-de-vin, c'est drôlement bien imité !

Ils passent le reste de leur après-midi à décortiquer les réponses aux réquisitions bancaires. Travail de tri, d'analyse, de synthèse. Et de descente de bières. Dans le bureau de Midlak il y a une table, utilisée en temps utile pour les réunions. Dans l'immédiat elle est recouverte de nombreux documents bancaires, classés par identité, Robert Delacour, Jeanne Delacour et Sophie Paisange. Mélangés aux bouteilles vides.

Pendant que Midlak poursuit l'étude des comptes de l'édile et de sa femme, Vallespir passe au peigne fin les relevés bancaires de Sophie Paisange. Soudain il percute :

— Tu ne les as pas encore exploités, les relevés de la dame Paisange ?

— Non, je ne me suis occupé que de son chèque de 20000. Pourquoi ?

David prend son temps, savoure. Il sent qu'il a trouvé un truc.

— Il a été émis le 6 mars 2006, c'est ça ?

— Oui, le 6. Au fait, vieux, au fait.

— Parce que, le 18 mars, elle a recommencé.

— Quoi ?

David désigne le relevé de compte qu'il est en train d'étudier.

— Au débit : chèque d'un montant de 30 000 euros.

— C'est quoi, ces conneries ?

— J'ai du mal à croire aux coïncidences.

Stanislas arrache le document que David tient dans ses mains.

— Dis donc, elle a les moyens, la mère Paisange !

— Pas forcément. Entre le 6 et le 15, elle s'est fait débloquer un crédit de 30 000 euros par sa banque.

— Putain, t'as raison. Crédit débloqué le 15 mars, chèque débité le 18 mars. On doit avoir la copie de ce chèque quelque part dans tout ça.

Pendant que Stanislas vérifie le relevé de compte, David cherche dans les autres documents remis par la banque de Sophie Paisange. Il met rapidement la main sur la copie du chèque émis le 18 mars 2006 d'un montant de 30 000 euros au bénéfice d'une société de vente aux enchères basée à Montpellier, « Les Petits Chevaux ». Il le regarde. Le sourire illumine son visage et il le brandit fièrement sous les yeux de Stanislas :

— Scellé numéro deux : exactement les mêmes caractéristiques que le premier chèque. Paisange n'a écrit que les montants en chiffres et en lettres. Les autres mentions – bénéficiaire, date et lieu – sont rédigées de la main de Delacour.

— Fais voir ! Putain, t'as raison. Tout pareil.

— Donc, dans les chèques rédigés par Delacour, on doit avoir un chèque personnel émis à la même date : le 18 mars 2006 au bénéfice du même bénéficiaire : « Les Petits Chevaux » à Montpellier.

David fouille dans le dossier Robert Delacour. Il ne lui faut pas longtemps. Mimant un roulement de tambour, il s'exclame en tenant un chèque qu'il tend à Stanislas :

— Deuxième jackpot ! Caisse centrale, martingale et tout le toutim : dans la famille le corrupteur, je voudrais le maire !

Estomaqué, Stanislas fixe ce deuxième chèque.

— 6525 euros, émis le 18 mars 2006 à Montpellier au bénéfice des « Petits Chevaux – vente aux enchères » à Montpellier.

Stanislas reste incrédule.

— Un seul chèque, à la limite, il aurait pu plaider l'erreur. Deux, ça va être compliqué.

— La répétition d'une erreur, c'est plus une erreur. C'est une connerie.

— Et une connerie répétée, ça devient vite un délit.

— J'y crois pas. Rien qu'avec ça, on le tient grave, le maire.

— T'imagines, David ? Pour ce deuxième chèque, elle a été obligée de demander un crédit.

— Ça veut dire quoi, selon toi ?

— Qu'elle n'avait pas les moyens de payer au maire ce qu'il voulait et qu'elle a demandé un prêt à sa banque.

— Ça veut dire aussi que le maire en a rien à foutre des difficultés financières des personnes avec qui il traite.

— On s'en doutait. Ce que Dieu veut, les autres exécutent. C'est un gros enfoiré.

— Et que malgré elle, la banque de Sophie Paisange se retrouve complice par fourniture de moyens de la corruption du maire !

— Mais t'as raison ! C'est le pognon que lui prête la banque qui sert à payer le maire.

— La banque : complice de corruption. Mais c'est énooooorme !

Ils travaillent ainsi pendant encore deux heures. Papiers et bouteilles de bière mélangés au milieu de la table. Ils n'ont pas trouvé d'autres éléments notables. C'est Stanislas qui le premier regarde l'heure.

— Merde, 19 heures ! J'ai promis à Dimitri d'aller le chercher à son entraînement de judo.

— Il termine à quelle heure ?

— 19 heures.

— Ça va être juste.

— C'est jouable.

En même temps qu'il parle, Stanislas se prépare. Il glisse son arme dans son étui, enfile sa veste par-dessus, récupère ses clefs de voiture et s'apprête à descendre les escaliers quatre à quatre.

— Merci pour le coup de main, David. Tu sais ce qu'on va faire ?

— Oui. On va se mettre en planque devant le domicile et le lieu de travail de Mme Paisange.

— Bien vu, et encore ?

— On va convoquer Sophie Paisange pour lui demander les différentes réalisations immobilières que sa société a effectuées à Sainte-Jeanne.

— Très bien vu, et encore ?

— On va envoyer une réquisition au service urbanisme de la mairie de Sainte-Jeanne, on veut connaître toutes les prestations urbaines réalisées à Sainte-Jeanne au cours du mois de mars 2006.

Stanislas tord le nez. David comprend.

— Au cours de toute l'année 2006 !

— Et on va envoyer des réquisitions à toutes les sociétés de ventes aux enchères de France, de Navarre et d'ailleurs, et on leur demande de nous envoyer toutes les factures émises au nom de Delacour Robert au cours de l'année 2006.

— Et bien sûr on commence par Montpellier, la société Les Petits Chevaux.

— Tu sais quoi, David ? Comme disait Hannibal, dans *L'Agence tous risques* : j'adore quand un plan se déroule sans accroc.

— Moi, c'est tes citations télévisuelles à la con que j'adore.

— Je fonce, je vais être en retard.

— Oui, oui, moi aussi, je t'aime, mon bon chef. Putain, jamais j'aurais cru ça. C'est presque aussi bandant que de faire tomber un bon braqueur !

20

Dans sa voiture, coincé dans les embouteillages, Stanislas fait le point. Pour l'instant plusieurs charges s'accumulent contre le maire. Chose rarissime, les flics ont même la preuve matérielle de sa corruption. Les deux chèques de 20000 et 30000 euros émis par Sophie Paisange, sans mentions de date, lieu et bénéficiaire. Précisions rajoutées de la main même de Robert Delacour. Stanislas sait qu'il ne sera pas difficile de trouver le permis de lotir ou l'arrêté de construire délivré par le service urbanisme de la mairie au mois de mars 2006, adressé à la société Paisange Immobilier.

Ensuite, il y a ces nombreux versements en espèces dispersés avec méthode et d'une façon régulière sur les différents comptes des époux Delacour, pour lesquels l'explication de la cagnotte d'avant le passage à l'euro apparaît farfelue, pour ne pas dire ridicule. Il va quand même falloir arriver à démontrer que ces dépôts proviennent bien de la corruption, pense Stanislas.

Enfin, il y a l'affaire du bouclier fiscal et d'Étienne Maldon, l'inspecteur principal des impôts, qui s'est marié en grande pompe au stade municipal. Stanislas imagine les noces du fonctionnaire du Trésor public avec une belle Sud-Américaine en présence des autorités de la ville. Il sourit. Il y a un peu du *Parrain* de Coppola dans cette image ou plutôt du *Grand Pardon* d'Alexandre Arcady.

En même temps, il s'inquiète. Il prend conscience de l'ampleur des dégâts que lui révèlent ces enquêtes. Jeanne Delacour semble être dans le coup, une gérante de société de promotion immobilière est mouillée, un inspecteur des impôts et son épouse sont également mis en cause. Il pressent surtout qu'elles ne font que commencer et qu'elles risquent de lui réserver encore bien des surprises. Avec plus de noms, plus de responsables, plus de délits. Il commence à comprendre pourquoi Lavoisière hésitait à s'attaquer à ce dossier.

Son téléphone portable sonne. Il regarde sa montre : 19 h 15. Il est déjà très en retard. Le prénom de sa femme s'affiche. Il décroche, et sans même lui laisser le temps de parler, lui lance :

— Je sais, je suis en retard, mais j'suis sur la route, j'y suis dans cinq minutes.

Cécile ne se laisse pas faire. Elle souffle, désabusée :

— T'as encore oublié, c'est ça ?

Stanislas n'a pas envie d'entrer dans de longues explications. Il sait toute la mauvaise foi dont il est capable pour faire avaler des couleuvres, mais pas avec Cécile. Il est en tort. Il assume.

— Dimitri tenait tellement à ce que tu voies la fin de son entraînement. Ils font des matchs pour leur passage de ceinture.

Stanislas s'excuse encore et raccroche. Il est furieux. Contre lui d'abord. Il s'en veut de rater certains moments si importants pour ses enfants. Et un peu contre sa femme, aussi. Elle n'est pas obligée d'ajouter de la culpabilité à son attitude. S'il n'accélère pas, il va arriver après la fermeture du dojo. Il n'aime pas ça, mais, depuis qu'ils ne peuvent plus faire sauter les PV, rouler au gyrophare et à la sirène reste le dernier privilège des flics.

Une ligne blanche franchie et deux feux rouges brûlés plus loin, Stanislas parvient au gymnase. Dimitri l'attend dans le hall. Ses cheveux sont encore mouillés. Il a même eu le temps de prendre sa douche. Son père l'embrasse gaiement. Et s'excuse pour son retard. Son fils le coupe :

— Je sais, ton boulot. Laisse tomber, p'pa, c'est pas grave.

Sur le trajet du retour, Stanislas questionne son fils. Mais Dimitri n'a pas le cœur à raconter son passage de ceinture. Et pas seulement parce qu'il s'est fait battre. Le trajet s'effectue dans un silence qui dénote avec le son de la sirène.

À peine chez eux, le jeune garçon fonce s'enfermer dans sa chambre. Sans prendre le temps d'embrasser sa mère, sortie sur le perron pour l'accueillir. Elle regarde son mari, s'apprête à lui dire quelque chose, avant de se reprendre, de se retourner et de claquer la porte devant ses yeux.

21

Stanislas est fatigué. Et surtout il n'a pas que ça à faire. Quarante minutes qu'il trépigne. Demaudo est déjà passé le voir deux fois en lui proposant du café. Plus, ce n'est pas une tasse qu'il va lui offrir, c'est la Thermos. Il s'est même excusé pour son patron.

— Désolé, Stan. Depuis que je le connais, il est comme ça, Pernaudet. Incapable de respecter un horaire.

Stanislas sourit. Amer.

— Tu sais quoi, Olivier? C'est pour toi que je reste. Si tu ne m'avais pas demandé de faire le point sur ce dossier, je me serais cassé. Entre notre assoce de malfaiteurs, l'affaire Delacour et mes enfants à m'occuper, c'est pas le taf qui manque.

Demaudo connaît le commissaire. Il comprend vite.

— Ta femme, c'est ça?

— Ça se complique.

C'est le moment que choisit enfin le procureur Pernaudet pour l'accueillir dans son bureau.

— Monsieur le commissaire, entrez.

Et se tournant vers Demaudo :

— Bien sûr, tu restes avec nous, Olivier. Tu deviens aussi un fin connaisseur de ce dossier. À vous deux, vous allez peut-être réussir à me convaincre.

Le procureur adjoint Olivier Demaudo ne se laisse plus impressionner depuis longtemps par son chef.

— Ce que la PJ a trouvé, ce ne sont plus des indices, ce sont des preuves.

— Des preuves, des preuves, ne nous emballons pas. On parle quand même d'un maire, vice-président du conseil départemental. J'espère que vous êtes sûrs de ce que vous avancez.

— Si on ne te convainc pas, soit tu es aveugle, soit tu ne veux pas voir. Et il n'y a pas de pire aveugle que celui qui ne veut pas voir.

D'un signe de la main, Pernaudet réussit l'exploit de faire signe aux deux hommes de s'asseoir en face de lui tout en leur faisant comprendre qu'il ne se laisserait pas abuser.

Le bureau du procureur Pernaudet n'est ni vaste, ni beau. Ni laid, ni petit. Sobre, sans élégance particulière. Anodin. Si la justice fait porter à ses tribunaux le nom de palais, ce n'est pas pour la qualité de ces locaux.

Assis sur sa fausse chaise en cuir, Stanislas se sent à l'étroit. De sa main gauche, il peut toucher le bras droit de Demaudo. La promiscuité imposée des lieux ainsi que l'ambiance tendue qu'il ressent entre les deux magistrats l'oblige à baisser le ton. Ce n'est pas dans ses habitudes. Les reparties à fleurets mouchetés l'emmerdent. Il préfère le ton incisif et direct de ses flics préférés. Pas de perte de temps, droit au but.

Les échanges perdent en politesse ce qu'ils gagnent en efficacité. Il souffle, il sait que malgré tout, s'il veut être consensuel et faire passer son message, il va falloir qu'il se plie aux coutumes locales.

Pernaudet, le sourire affiché de celui qui décide, les mains posées sur sa table vide, toise les deux hommes en face de lui.

— Alors, ces indices qui pourraient être des preuves. Je vous écoute.

Demaudo possède tous les éléments de langage du procureur. Non seulement parce qu'il est lui aussi issu de l'école nationale de la magistrature, mais également parce que son éducation judéo-chrétienne de la rive droite du Rhône a depuis longtemps porté ses fruits.

— Le mieux, cher Louis-Denis, ce n'est pas tellement que tu nous écoutes. C'est que tu les constates.

— Parce que vous avez des éléments matériels ? En matière de corruption, c'est assez rare. Surtout de la part d'élus. Ils ont plutôt pour habitude de ne laisser aucune trace.

Stanislas n'attend pas la fin de sa réponse. Il sort le premier chèque de Sophie Paisange. Puis celui du maire Delacour. Pernaudet ne met pas longtemps avant de comprendre. Il superpose les deux chèques, hoche la tête en murmurant :

— Ah, oui, quand même. Bon d'accord, deux chèques pour l'achat d'une œuvre d'art. Et alors ? Ça ne prouve rien. Cette Mme Paisange est peut-être une amatrice d'art ou une bienfaitrice des œuvres culturelles de la ville de Sainte-Jeanne. Même si je suis d'accord avec vous pour reconnaître que c'est un peu… osé comme interprétation, on peut s'attendre à tout comme explications de la part d'un vieux routier de la politique comme Delacour.

Au tour de Demaudo de sourire. Stanislas ne dit toujours rien. Il se contente de secouer ses épaules et de sortir de son dossier le deuxième chèque de Mme Paisange, celui de 30000 euros ainsi que celui de Delacour et la facture correspondante. Pernaudet commence à s'agiter sur son fauteuil. Son corps s'est un peu avachi sur le dossier. Ses mains sont fébriles en superposant de nouveau les deux chèques et en prenant connaissance de la facture rédigée au seul nom de Delacour, mentionnant son adresse personnelle. Il regarde le magistrat et le flic en face de lui. Et reprend un peu de sa superbe.

— D'accord. De vrais éléments matériels. Bien joué. J'imagine que vous avez vérifié : aucun lien de parenté entre Paisange et Delacour ? Ce n'est pas une cousine éloignée, une vieille tante ou une ancienne maîtresse, que sais-je ?

Demaudo n'en demande pas tant.

— Louis-Denis, tu t'égares ?

Stanislas, pragmatique, ajoute :

— Mme Paisange est la gérante de la société Paisange Immobilier. Sa société a obtenu deux arrêtés de lotir pour des résidences de standing. Tous deux datés des jours mêmes des achats des tableaux achetés conjointement par le maire et Mme Paisange. Les voici, monsieur le procureur.

Et il tend à Louis-Denis Pernaudet, de plus en plus mal assis, les documents qu'il vient d'énumérer.

Pernaudet considère Stanislas d'un air dubitatif, comme s'il refusait de croire à la réalité :

— Et alors ?

Demaudo poursuit, un peu exaspéré :

— Si, là, le pacte de corruption n'est pas démontré, je ne sais pas quand il le sera ?

Le procureur Pernaudet change de ton :

— Non, je ne m'égare pas, Olivier. Je préviens toute forme de réaction de la part d'un élu de la République qui a ses entrées, et parfois même ses sorties, un peu partout et qui pour sa défense va choisir deux ou trois ténors du barreau local, voire national. Bien conseillé, il serait capable d'affirmer qu'il entretient une relation avec une vieille maîtresse avec qui il fait des achats dispendieux parce qu'il partage le même amour de l'art, plutôt que de reconnaître qu'il s'est laissé corrompre par la première petite gérante d'une société immobilière quelconque. Il sait trop bien que les citoyens ont plus d'estime pour un élu connaissant quelques écarts sexuels...

Et dans un sourire, où perce une forme d'amertume ou de regret, il conclut :

— Très français comme attitude, le cul : oui ; la corruption : non !

Demaudo se tourne en souriant vers Stanislas Midlak :

— Ce que veut certainement dire, monsieur le procureur, mon cher Stanislas, c'est qu'il espère que vous, la PJ, vous avez d'autres preuves que celles concernant une femme, d'âge équivalent au maire, et qui serait susceptible de partager avec lui une passion culturelle commune.

C'est le moment qu'attendait Midlak. Il sentait depuis quelques minutes qu'il allait avoir du mal à se contenir. Alors il plonge sa main dans son dossier et en ressort des procès-verbaux d'auditions, des factures et des extraits de délibérations du conseil municipal de la mairie de Sainte-Jeanne, qu'il jette négligemment sur le bureau du procureur.

— Et sinon, toute l'électricité de la maison des époux Delacour refaite gracieusement par la société E2S, Électricité Sébastien Sanchez, et dont le gérant, le fameux Sanchez, âgé de trente-cinq ans, a obtenu par ailleurs le marché public de l'électricité de toute la ville, pardon, *les* marchés publics de Sainte-Jeanne : mise en valeur et entretien de l'électricité, y a risque de collusion, confusion, concussion ou même de passion commune entre le maire et lui, malgré leur différence d'âge et le fait qu'ils soient de même sexe ?

Pernaudet, abasourdi, dévisage Demaudo et Midlak. Il ne sait plus quoi penser. Il regarde Demaudo, inquiet.

— Qu'est-ce que ça veut dire ?

— Le commissaire Midlak vient de te le dire. La PJ a étudié les différentes délibérations du conseil municipal de Sainte-Jeanne. Les policiers ont été étonnés de constater que l'électricité de la ville avait été confiée par marché public à une petite structure comme E2S et non pas EDF ou une de ses filiales, alors ils ont vérifié. Les ragots circulant en ville les ont un peu aidés.

Demaudo explique à Pernaudet qu'une des nombreuses rumeurs faisait état que la société E2S avait obtenu les marchés publics d'électricité de la ville et qu'en contrepartie cette même société avait refait, à titre gracieux, tout l'éclairage de la maison du maire.

— Et il habite une vieille maison en pierres apparentes, surnommée le palais par les villageois. En tout cas certainement mieux éclairé que le nôtre. Il paraît que c'est somptueux chez lui. De nombreux tableaux, des tentures, des tapisseries, très bien mis en valeur par des spots modulables et autres projecteurs. Tu devrais lire les procès-verbaux des auditions des employés de E2S, c'est éloquent !

Stanislas indique :

— Bien sûr, on a pris soin aussi de contacter l'expert-comptable de E2S. Inutile de vous préciser que les travaux effectués chez le maire n'apparaissent pas en comptabilité. En revanche, ce qui apparaît clairement, c'est l'augmentation du chiffre d'affaires de E2S depuis l'obtention des marchés publics. Il est passé de 250 000 à 2 500 000 euros. Dix fois plus, en moins d'un an, belle marge de progression. Et comme ce con de Sanchez n'a pas pu s'en empêcher, il s'est offert une Porsche toute neuve, au nom de sa boîte, ça l'a perdu de parader en ville avec. Il a vite fait quelques envieux et jaloux.

Demaudo et Midlak laissent volontairement le silence s'installer. Le temps pour le procureur Pernaudet de jeter un coup d'œil rapide, mais précis, sur les différents documents présentés par le policier. Il hoche la tête. Sa réflexion est intense.

— Ça se confirme alors : Delacour est un élu ripou.

22

Patrick Periti a du mal à trouver une place de stationnement. Mais après avoir tourné pendant un quart d'heure, il peut enfin glisser son Audi A8 dans un trou de souris, petit mais autorisé. Ça l'emmerderait de se faire verbaliser le jour où il se rend à la PJ. Pas sûr que le commissaire accepterait de lui faire sauter son PV. Il est obligé de se contorsionner pour sortir de sa voiture, sa taille moyenne et ses rondeurs ne l'aident pas. Son manque de souplesse non plus. Quelques centaines de mètres à pied plus loin il parvient devant les locaux de la police judiciaire. Le souffle coupé.

Il reprend sa respiration. Expire plusieurs fois. Il sait ce qu'il vient faire. Surtout, il pressent que sa déposition d'aujourd'hui va le conduire dans un monde dont il ne connaît rien. Passer de son bureau de chef d'entreprise ou de l'univers feutré de la mairie pour pénétrer dans celui de la police l'inquiète plus qu'il n'ose se l'avouer. Il sait aussi que ce qu'il vient dire au commissaire risque de donner une nouvelle dimension à l'enquête en cours. Et malgré l'habitude de ses joutes oratoires politiques, Periti appréhende ce rendez-vous.

Le commissaire n'a pas hésité longtemps avant d'appeler le plus fidèle opposant du maire. Quoique du même bord politique que lui, Periti tente depuis des années de déstabiliser Delacour. Dans une longue missive adressée aux magistrats du parquet du TGI de Bayonne, l'opposant s'étonnait par voie d'huissier de l'absence dans les musées de la commune des œuvres d'art achetées massivement par cette dernière au cours de l'année 2007.

Midlak, en prenant contact avec cet élu, ès qualités dénonciateur officiel, souhaitait *a minima* en apprendre plus sur le maire et ses habitudes, et pourquoi pas obtenir toute information que l'édile serait susceptible de lui apporter. Tant sur le mode de fonctionnement de la commune que sur ses élus ou ses habitants.

Patrick Periti sonne à l'interphone. Une voix métallique lui demande de se présenter. L'opposant précise qu'il a rendez-vous avec le commissaire. La même voix lui répond : « Deuxième étage, porte gauche. » La porte s'ouvre et l'élu s'avance dans le hall. L'immense escalier en colimaçon le surprend un peu, il regarde en direction des étages. Le soleil traverse les vitres mal dépolies. Il est un peu ébloui. Hésite avant de commencer l'ascension.

Au premier étage, la porte s'ouvre. David Vallespir, clope au bec et flingue à la ceinture, quitte à cet instant les locaux de la BRB. Il croise l'élu et le toise :

— C'est pour quoi, m'sieur ?

Le soleil empêche Periti de voir son interlocuteur. Il met ses mains sur ses yeux pour mieux le discerner. David, agacé, répète :

— Vous avez rendez-vous avec quelqu'un, m'sieur ?

L'élu sent au ton irrité qu'il a intérêt à ne pas hésiter plus longtemps.

— Euh, oui, avec le commissaire. M. Midlak.

David regarde l'homme. Pas le genre de client que son patron reçoit habituellement.

— Au deuxième. Porte gauche.

Patrick Periti le remercie et continue son ascension.

Après l'exiguïté de la cage d'escalier, Periti, comme tous ceux qui pénètrent dans le bureau du commissaire, est surpris par sa taille. Midlak sait l'effet produit par son antre. Il laisse toujours le temps à ses interlocuteurs de s'en imprégner avant de commencer l'entretien. Une façon de les mettre à l'aise ou au contraire de les déstabiliser. Avec Periti, il souhaite juste que l'élu se sente bien, pour mieux se confier.

Les deux hommes sympathisent rapidement. Periti, d'allure bonhomme, cheveux dégarnis, dégage une empathie naturelle, qui doit lui être très utile en politique. Des rondeurs qui ne peuvent pas laisser supposer un quelconque machiavélisme. L'élu comprend immédiatement tout ce qu'il peut tirer de ce policier, de la même génération que lui. Surtout, il sait faire oublier au commissaire qu'il est un élu, se positionnant dans le rôle du citoyen, victime d'un système mis en place depuis plus de vingt ans par ce vieux requin de la politique qu'est Delacour.

Études, génération et langage communs : cause partagée. Periti tente même le tutoiement, mais sent bien qu'à cet instant Midlak se méfie.

Il reprend vite le cours de la conversation, dans un vouvoiement de circonstance. Les deux hommes discutent à bâtons rompus, comme deux vieux copains de fac. Après quelques fausses hésitations, Periti se lâche vite et dresse le portrait des différents élus et responsables administratifs de la mairie. Un tableau inquiétant, dans lequel les uns et les autres n'ont pas de beaux rôles.

De l'adjoint chargé de la sécurité Paul Richard ayant obtenu un logement social pour son fils François au directeur de l'urbanisme Roger Fantacci associé avec le promoteur d'origine luxembourgeoise en charge des projets sur la ville, Charles-Frédéric Kayser, pour en effectuer avec lui dans d'autres communes, sans parler du directeur de cabinet Marc Kavedjian monnayant en espèces chaque entrevue avec le maire ou le directeur général des services, Olivier Lamaury, imposant le droit d'entrée à 3 euros le mètre carré pour réaliser des projets immobiliers dans la commune ; à ses yeux, administratifs ou élus, ils sont tous plus ou moins coupables de profiter de leur situation. Imitant leur maire, Robert Delacour. Qui, en l'espèce, paraît être leur maître.

Midlak n'en croit pas ses oreilles. Il prend des notes, sur tout et tout le monde, sans forcément comprendre qui est qui et qui fait quoi. Il se rend compte surtout que le fonctionnement d'une commune est un monde à part, avec ces codes et modes de fonctionnement, et que ses cours de droit administratif sont bien trop anciens pour qu'il se souvienne avec précision des rôles et responsabilités de chacun.

Ce qui lui importe, c'est de mettre des noms en face des fonctions, s'habituer à les entendre, pour mieux les appréhender, savoir pour chacun d'eux quelle est sa mission.

De son côté Periti s'assure auprès de Midlak que sa déposition reste confidentielle. Sous couvert d'anonymat, le courage de Periti semble sans limites.

L'élu raconte, digresse, en rajoute certainement un peu et colore ses affirmations pour s'assurer de l'intérêt total du commissaire. Déjà étonnamment passionné par ce dossier qu'il devine extraordinaire.

— Vous auriez vu la tête du directeur général des services quand l'huissier est arrivé à la mairie, avec la liste complète des œuvres d'art achetées depuis un an par la commune, demandant à savoir où elles étaient entreposées. Il était impayable, le vieux Lamaury. Perdu et apeuré.

Periti savoure. Midlak s'étonne :

— Mais personne avant vous n'avait pensé à vérifier la réalité de ces achats ?

— Mais c'est ça qui est le plus dingue, commissaire. Au conseil municipal, ils sont tous tellement contents de ce que le maire leur octroie qu'aucun d'entre eux n'a jamais seulement voulu penser à vérifier la réalité de ce qu'ils ont acheté lors des délibérations. En plus, la plupart n'y connaissent rien, à l'art. Ils se fient au choix du maire.

Midlak regarde de nouveau l'acte d'huissier : les œuvres achetées par la commune au cours de l'année 2007. Lui non plus n'est pas un fin connaisseur.

Pourtant, l'ensemble lui apparaît disparate et très hétéroclite. Des statues chinoises se mélangent à des tapis hindous, des tentures exotiques se disputent à des tapisseries anciennes et des tableaux de maîtres connus se confondent avec des œuvres d'artistes moins cotés.

— Y a un côté inventaire à la Prévert dans cette liste, ça ressemble plus à du bricolage qu'à une création de collection.

— Vous l'avez noté, aussi ? En fait, je pense que Delacour n'est pas un vrai connaisseur d'art. Il veut s'en donner le genre, c'est tout, mais n'y connaît rien. Une façon pour lui d'asseoir un peu plus son personnage d'homme érudit et fin. Un moyen supplémentaire d'affirmer son autorité. Vous savez, en France, en tout cas en province, on ne conteste pas, on ne critique pas celui qui sait : l'homme de l'art !

Nouveau temps avant de poursuivre :

— Se faire passer pour un homme de goût, tout en finesse et délicatesse, ça requiert du temps et de l'argent. Au bout de son quatrième mandat, inutile de vous dire qu'il a pris tout son temps, Delacour, et qu'il sait où trouver l'argent. Personne n'oserait imaginer que cet homme est juste cupide et capable des pires ignominies pour parvenir à ses fins.

Le mot argent a fait résonance dans l'esprit de Midlak. Il consulte de nouveau la liste des œuvres d'art achetées par la commune au cours de l'année 2007, jusqu'à la conclusion précisant la somme totale de tous ces achats.

— 2 250 000 d'euros ? Rien que pour l'année 2007, cette petite plaisanterie d'achat d'œuvres d'art a coûté cher à la commune !

— Une commune dont la dette atteint les 42 000 000 d'euros, commissaire, ce n'est pas anodin. Sainte-Jeanne est la commune la plus endettée de France.

Midlak réfléchit. Étudie de nouveau la liste de l'huissier. Puis constate :

— Cette liste concerne uniquement l'année 2007, c'est bien cela ?

Periti, surpris, hésite.

— À ma connaissance, oui. Pour moi, c'est l'année la plus marquante.

— Mais on peut légitimement penser qu'il est en de même pour les années précédentes ?

Periti exulte.

— Bien sûr, on peut. Avec mon équipe, on s'est arrêté à 2007, l'année juste avant les élections municipales. Mais si vous arrivez à avoir accès aux achats effectués par la commune au cours des années précédentes, vous risquez d'avoir d'autres surprises.

Midlak pose ses deux coudes sur la table de son bureau, regarde droit dans les yeux Periti. Il est comme absent, ailleurs. L'opposant en est au départ gêné. Puis il finit par comprendre. Le policier ne le voit pas. Il vient juste d'entrer dans une phase de réflexion intense. Et il faut croire qu'à ce moment Periti a compris où les pensées du commissaire le mènent.

Delacour a été élu pour la première fois en 1989. Il en est à son cinquième mandat de maire. Depuis combien de temps, sous couvert d'achat d'œuvres d'art pour la commune, le maire s'est-il constitué un patrimoine personnel artistique ? Et de quelle valeur ?

Pas certain, pour autant, qu'à ce moment Periti comprenne la réflexion du policier.

— Bon, l'alcool est interdit dans les locaux de police, mais vu la masse de travail qui nous attend, j'imagine que vous n'êtes pas contre un petit remontant? D'autant que, là, on a dépassé l'heure légale de service, alors on peut.

Periti a son tour vérifie l'heure. Se fait la remarque que le temps passe vite. Et accepte la proposition du commissaire.

— Je suis d'accord avec vous. On peut. On doit, même.

Juste avant de trinquer, Stanislas descend au premier étage, dans les locaux de la BRB. À la salle de repos, il est surpris de constater que, malgré l'heure tardive, Paulo et David sont encore là. Tous les deux assis en face d'un verre de whisky. Eux aussi s'étonnent de la présence de leur patron. Il est le premier à réagir.

— Vous faites des heures sup, les gars?

— Pas exactement. Ça bouge sur les tèques. Pas impossible que notre équipe de braqueurs remonte ce soir d'Espagne. On attend la confirmation. On voudrait les loger.

— Le Grand est dans la boucle?

— Pour lui, c'est le vide intégral. On a que dalle.

— Vous me tenez au courant, si ça bouge!

— Évidemment, patron.

Paulo et David suivent des yeux le commissaire qui prend deux verres et un paquet de chips. Paulo s'étonne.

— T'as un rendez-vous galant, chef?

— Pas exactement. Je reçois Patrick Periti, l'opposant politique de Delacour dans l'affaire Sainte-Jeanne.

David lance :

— C'est le petit gros un peu chauve qui est monté tout à l'heure ?

— Ça doit être lui.

— Je sais pas pourquoi, je le sens pas, ce type. Trop rond pour être honnête.

— Qu'est-ce qui te fait dire ça ?

— J'en sais rien. L'intuition. Une façon de me lorgner dans les escaliers. Tu sais bien que je les sens à cent mètres les faux-culs. Celui-là, je l'ai respiré du premier étage.

— Écoute, pour le moment ça se passe plutôt pas mal. Il me fait des révélations de fou furieux.

— Je me demande quand même si tu ne ferais pas mieux de passer ta soirée avec ta femme, plutôt qu'avec ce politique rondouillard.

Paulo, goguenard, enchaîne :

— Politique ET rondouillard, il cumule, le mec !

Stanislas est reparti dans ces pensées. Il n'entend pas David conclure :

— Et méfie-toi, c'est dans leurs gènes, aux politiques, le cumul.

En remontant, Stanislas se replonge dans la discussion qu'il vient d'avoir avec Periti. Il se demande comment depuis tant d'années le maire a pu gérer ainsi sa commune. Comment et pourquoi personne n'a tiré avant la sirène d'alarme ? Surtout, il s'interroge : il n'existe pas des organes de contrôle ? De ses études de droit, il se souvient que l'un des rôles de la préfecture est justement de vérifier les délibérations des conseils municipaux et de s'assurer qu'elles sont conformes à la loi

Il rentre dans son bureau. Periti a son téléphone portable collé à l'oreille. Il raccroche précipitamment. Il lui propose de s'asseoir autour de la table ronde pour partager chips et bières. Une façon d'être moins distants entre eux. Les deux hommes se regardent, sourient. Midlak feuillette négligemment l'acte d'huissier dénonçant l'absence des œuvres d'art dans les locaux communaux. Et les questions se bousculent dans sa tête du policier. Elles arrivent en flots.

— Bon, dites-moi, comment se font ces achats ? Qui s'en occupe ? Qui les récupère ? Qui les stocke ? Où ? Comment ? Pourquoi c'est le maire qui décide des œuvres d'art à acheter ?

— Ouh là, doucement commissaire. Pas tout en même temps. D'abord, ce n'est pas le conseil municipal qui choisit les œuvres. Comme je vous l'ai dit, beaucoup d'élus n'y connaissent rien. En fait le maire, lors de sa deuxième mandature, a fait voter une délibération précisant qu'il était le seul habilité à pouvoir acheter des œuvres d'art au nom de la commune. Depuis, comme il a été systématiquement réélu, personne n'a jamais remis en question cette décision.

— Si je comprends bien, le maire s'est fait délivrer par le conseil municipal une sorte de blanc-seing lui donnant la possibilité, et à lui seul, d'acheter des œuvres d'art au nom de la commune.

— Vous avez tout compris.

— Et personne n'y a jamais trouvé à redire ?

— Mais qui, commissaire ? Qui oserait s'opposer au maire ? Des années qu'il occupe le poste. Il a tout cadenassé. Et est devenu l'homme de l'art. En plus, comme je vous le disais, à part quelques élus de l'opposition, ils lui sont tous redevables de quelque chose. Tous.

— Mais de quoi, par exemple ?

— Delacour sait vite juger les hommes et sait ce qui peut les toucher. Il se trompe rarement. Alors il les flatte par où ils sont fragiles. Un poste, un honneur, une récompense pour les moins intéressés. Vous savez, se faire appeler « monsieur l'adjoint » par leur voisin suffit à beaucoup d'entre eux. Ça flatte leur ego. Ça gonfle leur suffisance. Ça leur donne une pseudo-importance dans laquelle ils aiment se vautrer. Les autres, en revanche, sont plus attirés par l'appât du gain.

— Je pensais qu'être un élu de la République d'une petite commune relevait plus de l'abnégation ou du bénévolat que de la recherche de pognon.

— Oh, ça va pas chercher très loin, commissaire. Mais ça donne du gras au bouillon, comme on dit par chez nous. Si vous êtes adjoint ou membre d'une quelconque délégation sans importance ou d'une sous-sous-commission d'étude ou de travail, vous touchez une petite indemnité de 250 euros environ.

— 250 euros ? C'est un petit bouillon. Ou un gras-léger.

— Vous ne devriez pas vous moquer. 250 euros pour certains, ça commence à être important. Mais le fin du fin pour d'autres, c'est d'arriver à être dans plusieurs délégations. Entre 250 et 500 euros chaque fois, la soupe devient vite très bonne.

— Je croyais que le cumul n'existait pas en politique ?

— Le cumul des mandats. C'est-à-dire, des postes pour lesquels ils ont été élus. Mais en tant que membres de telle ou telle commission, ils ne sont pas élus du peuple. Ils sont nommés du fait même de leur fonction. Subtilité de notre belle langue, bien mise en scène par notre non moins subtil beau droit administratif. Certains arrondissent rapidement leurs fins de mois.

Midlak prend le temps de digérer. Entre la suffisance des uns et la cupidité des autres, sa gorgée de bière a du mal à passer. Mais il ne souhaite pas philosopher sur la nature humaine. Trop peur des réflexions qui pourraient le conduire là où il ne veut plus aller. À la suite d'un flingage qui avait mal tourné, point d'orgue de situations douloureuses mal évacuées, il avait connu quelques années auparavant les bras dangereux de cette tentatrice nommée dépression. Il s'est promis de ne plus jamais y sombrer.

En plus, il refuse autant qu'il se méfie des conclusions hâtives. Des années qu'il pratique son métier de flic, chirurgien de la société, à côtoyer le noir, le sordide, la misère et la mort. Il a perdu presque toutes ses illusions sur l'homme. Et pourtant, il a appris que la lumière ne vient pas toujours de ceux qui sont chargés de la distribuer, encore moins des autoproclamés de la bienséance ou des élus de la moralité. Il préfère la présence de certains voyous à la compagnie de ceux chargés de lutter contre eux. S'il connaît les barrières des premiers, il n'est pas toujours certain de savoir où se trouvent celles des seconds.

Et malgré tout, il aime croire que son job lui réserve autant de désillusions que de belles surprises. Rares, mais réelles. Et même s'il sent que, dans cette affaire, la balance entre le beau et le sordide a déjà choisi son camp, il veut croire qu'elle lui fera découvrir des aspects de l'être humain qu'il ne connaît pas encore. Il se refuse de tomber dans le « tous pourris ». Il sait qu'il sera temps, plus tard, de dresser des portraits de tous ces êtres, petits ou grands, beaux ou laids, qu'il aura croisés au cours de sa carrière et de vérifier alors de quel côté la balance a penché.

Pour l'instant, il n'a que des supputations et des déclarations d'un opposant, certes d'apparence sympathique, mais qui reste lui-même un politique. Alors le commissaire ne veut s'appuyer que sur les faits, rien que les faits.

Periti a respecté le temps de réflexion du policier.

— Vous voyez d'autres questions, commissaire ?

— Beaucoup trop. On risque d'y passer la nuit. Une seule encore, peut-être. Comment sont achetées les œuvres d'art ? Qui les récupère ? Et à votre avis où peuvent-elles être entreposées ?

— Effectivement on va bosser jusqu'à l'aube si à chaque question vous en posez trois !

— Pas faux. Mais elles découlent l'une de l'autre.

— Bon, vous avez bien noté que le maire a fait en sorte d'être le seul à pouvoir acheter des œuvres d'art pour le compte de la mairie. À chaque nouveau conseil, il fait voter, perdu au milieu des nombreuses délibérations, une ligne budgétaire intitulée « achat d'œuvres d'art ». Le montant varie chaque fois. Marge basse : 100 000 euros, marge haute : 500 000 euros.

Midlak émet un sifflement, admiratif et moqueur.

— Si je comprends bien, par cette nouvelle délibération, le maire sait alors qu'il dispose pour le mois du budget ainsi voté et validé par le conseil municipal.

— C'est cela.

— Et les élus ne savent toujours pas ce qu'il a acheté.

— Mieux, ils ne savent pas ce que le maire a l'intention d'acheter. Et ils s'en foutent. D'autant qu'en quelque sorte ils n'ont pas droit de regard. Et entre nous, je pense que Delacour lui-même ne sait pas encore ce qu'il va acheter. Il sait juste que des enchères vont avoir lieu dans telle ou telle société de vente, et veut être sûr de disposer du budget pour pouvoir participer.

Le commissaire n'en croit pas ses oreilles.

— Ce système permet au maire de jouer aux enchères avec l'argent public, validé par un budget voté en conseil municipal, sans aucune vérification *a priori* et *a posteriori* de ce qu'il achète.

— Tout à fait. Il participe aux enchères, il joue, comme vous dites. Il s'enferme dans son bureau et passe des appels téléphoniques, achète toiles ou tapisseries, se fait envoyer les factures à la comptabilité de la mairie, qui renvoie l'ensemble au Trésor public, qui paye...

— ... avec nos impôts !

— Eh oui, mais qui paye. Puisque tout a été validé en conseil municipal.

Midlak secoue la tête. Encore une fois il est incrédule. Il s'écrie presque ;

— Mais putain, y a bien quelqu'un qui est chargé de contrôler tout ça ?

Petite hésitation de Periti, surpris par le ton du commissaire.

— Ils devraient exister à différents niveaux. Avant l'inscription des délibérations au conseil municipal, c'est le directeur général des services...

Midlak consulte sa liste de noms.

— Euh, Lamaury, c'est ça ?

— Oui, Olivier Lamaury, DGS depuis toujours de la mairie de Sainte-Jeanne. Homme totalement dévoué au maire, son âme damnée en quelque sorte. Il s'est fait embaucher par le maire au cours de sa deuxième mandature. Depuis, son salaire n'a jamais cessé d'augmenter. Aujourd'hui, il émarge à plus de 9000 euros.

Le policier, éberlué, s'exclame :

— 9000 euros ? DGS d'une commune de 10000 habitants ? C'est du grand n'importe quoi. Mais qui décide d'un tel montant ?

— L'employeur, monsieur le commissaire, en l'espèce, c'est monsieur le maire. Avec un tel salaire, Lamaury n'a aucun intérêt à le dénoncer ou à ne pas exécuter ce que celui-ci lui demande d'inscrire en conseil municipal. Donc contrôle *a priori*...

— Négatif, j'ai compris ! Et *a posteriori* ?

— *A posteriori*, normalement c'est la préfecture. Et le Trésor public. Chargés de valider les comptes. Mais jusque-là, grands absents. Ne me demandez pas pourquoi, je ne sais pas. On peut tout imaginer, de la complaisance politique des uns à l'incurie des autres. Votre enquête permettra peut-être de le vérifier.

Tout bonhomme et complaisant que soit l'opposant, le policier ne s'en laisse pas conter. Il regarde de nouveau droit dans les yeux Patrick Periti. Cette fois, il se fait insistant. Presque perçant. De nouveau, l'élu est mal à l'aise. Il a raison.

— Et l'opposition, monsieur Periti ? C'est aussi le rôle de l'opposition de dénoncer les méthodes et abus du pouvoir en place.

C'est le seul moment où la discussion entre les deux hommes se tend. Mais Periti a anticipé. En acceptant de venir voir le policier, il savait qu'il ne pourrait éviter cette question. Il n'a pas besoin de chercher midi à quatorze heures, la réponse est dans sa présence aujourd'hui dans les bureaux du commissaire et dans la missive qu'il a envoyée au procureur de la République dénonçant l'absence des œuvres d'art dans les locaux de la mairie.

Le commissaire se contente de cette assertion, même s'il sent inconsciemment qu'elle est incomplète. Pour l'instant, il ne peut que constater que Periti, ès qualités membre de l'opposition à la mairie de Sainte-Jeanne, tente de dénoncer les méthodes plus que contestables de Robert Delacour. Il ne peut pas lui reprocher de ne pas intervenir.

Leur discussion dure depuis plus de deux heures. Midlak a encore des milliers de questions qui le hantent. Mais dans l'immédiat, il ne sait pas trop par quel bout prendre les problèmes. De son côté, Periti fait une pause dans sa liste non exhaustive des saloperies commises par les uns et les autres. Stanislas relit ses notes et, devant ce recueil de noms, fonctions et infractions supposées qui s'accumulent avec les adresses à côté, il fixe l'élu, se gratte le front avec son stylo.

— Je connais même pas Sainte-Jeanne. Vous me faites faire le tour du propriétaire ?

— Pardon ?

— Je ne connais même pas votre commune. Ça vous dirait de me faire une visite guidée ? Vous êtes le mieux placé, finalement. Vous me montrez les différents bâtiments administratifs, la mairie, les locaux techniques, les écoles, je ne sais pas, moi, tout ce que compte Sainte-Jeanne : l'église, le temple, le stade, les rues piétonnes. Tout ce qui la caractérise. Ainsi que les différents domiciles des personnes que vous venez de me citer. *L'Art de la guerre*, Sun Tzu. Pour bien combattre ton ennemi, connais-le parfaitement. Jusque chez lui. Bon, c'est peut-être pas la citation exacte, mais c'est l'idée. Une façon de prendre la température sur place. Vous en pensez quoi ?

Periti hésite. Son courage d'accusateur ne le conduit pas à prendre le risque d'être vu dans une voiture de police avec le commissaire chargé de l'enquête sur sa commune. Puis il consulte l'heure. 21 h 30. Peu de chance d'être vus et encore moins de savoir qui l'accompagne, en même temps, dans l'immédiat, il a plein d'autres choses à faire. Il est chef d'entreprise, quand même. Il a des employés à diriger, et une femme à la maison qui l'attend.

— Avec plaisir, commissaire, mais une autre fois. Tout de suite, je peux pas. On se programme ça plus tard.

Midlak aussi a vérifié l'heure. Il est déjà tard. Il souhaite commencer à analyser tous les documents que vient de lui remettre l'opposant.

— OK, je vous tiens au courant, on fait ça très vite.

L'élu s'en va, le commissaire l'accompagne jusqu'en haut des escaliers et le laisse descendre seul. Il est un peu perplexe. Un sentiment d'inachevé. Il appelle sa femme. Elle ne répond pas. Il lui laisse un message lui annonçant qu'il rentrera tard.

Depuis son bureau, Stanislas jette un coup d'œil au premier étage. Tout est éteint. Seuls les ordinateurs sur lesquels sont enregistrées les écoutes téléphoniques ronronnent doucement.

23

Quand Cécile a entendu son téléphone, elle savait que c'était son mari. Elle savait aussi qu'il l'appelait pour lui annoncer qu'il était encore pris par son boulot. Elle a préféré ne pas répondre. Il y a des silences plus éloquents que des grands discours.

Elle est allée embrasser ses enfants dans leurs chambres. Léa avait déjà éteint sa lampe de chevet. Cécile a tiré la couverture jusque sous son cou. Sa fille a toujours l'habitude de s'endormir en poussant sa couette à ses pieds. Comme si son poids était trop lourd à porter. Une fois encore, elle s'est endormie avant que sa mère ne vienne l'embrasser, à moins qu'une fois encore elle ne fasse semblant, juste pour avoir le plaisir de sentir sa mère se pencher sur elle et lui murmurer en l'embrassant : « Bonne nuit, ma chérie, je t'aime. »

Puis elle s'est rendue dans la chambre de Dimitri. Sa lumière était encore allumée, mais il ne lisait pas, perdu dans le vague d'une intense réflexion.

— Tu ne dors pas, mon chéri ?

Fidèle à lui-même, Dimitri s'est contenté de secouer la tête.

— Il faut éteindre, tu sais. Demain y a école. Il faut que tu dormes.

De ses grands yeux noirs, il a regardé sa mère.

— Il rentre tard, p'pa ?

Cécile s'est dit que ce n'était pas le moment. Elle a opté pour la vérité.

— Je ne sais pas. Et lui-même n'en sait rien. Avec son métier, c'est toujours un peu compliqué. Policier, c'est pas vraiment un métier normal.

— Et pourquoi il a pas choisi un métier normal, papa ?

Cécile a souri, là aussi elle a opté pour la vérité.

— Parce qu'il est comme ça, ton père. Je crois en plus qu'il n'aurait pas pu faire autre chose. Il a l'impression d'être utile.

— Et il l'est ?

Cécile a hésité.

— Il en est persuadé. C'est le plus important. Allez, tu éteins maintenant, mon grand. Tu connais ton père, quand il rentrera, il ira vous embrasser tous les deux, ta sœur et toi. Sinon, c'est lui qui ne peut pas dormir.

Dimitri a éteint sa lampe de chevet, s'est tourné dans son lit. Elle quittait sa chambre quand il lui a lancé :

— À moi, en tout cas, papa, il est très utile.

Cécile est restée bloquée deux minutes. Elle a eu du mal à ne pas sombrer en larmes. En redescendant dans le salon, elle songeait : *Et moi donc, s'il savait combien il m'est utile...*

24

Une fois n'est pas coutume, le procureur adjoint Olivier Demaudo se rend sur place. Dès qu'il a été avisé de cette tentative de braquage de dabiste, selon le même mode opératoire que les deux précédents, il n'a pas hésité une seconde. Il a pris son plus beau téléphone et a déversé sa plus grosse colère sur le commissaire Midlak, lui demandant ce que faisaient ses services et si les flics de la PJ attendaient que tous les distributeurs de toutes les banques du département soient braqués pour interpeller les auteurs.

D'autant qu'aujourd'hui les malfaiteurs n'ont pas hésité à faire feu à deux reprises sur le dabiste lorsqu'il a pris la fuite. En plein centre-ville de Bayonne, ça fait mauvais genre.

Même s'il n'est pas policier à se laisser impressionner par les magistrats, l'attitude du proc adjoint a surpris Midlak. Il a compris que monter au créneau sur le même ton n'arrangerait en rien les excellentes relations police-justice que jusqu'alors ils entretenaient. Le commissaire a préféré laisser passer la foudre et, apprenant que le juge se déplaçait sur les lieux, a décidé de s'y rendre aussi. Un vrai rendez-vous physique, plus pratique qu'un entretien téléphonique pour régler ses comptes. Meilleur moyen aussi pour savoir exactement ce qui s'est produit.

Sur place, les flics de la BRB sont à pied d'œuvre. Le commissaire se rend vite compte qu'eux-mêmes commencent à avoir les nerfs à vif contre ce duo de braqueurs qui les narguent et qui ont franchi un cap dans la violence, en faisant usage de leurs armes pour la première fois.

Demaudo s'est calmé. Avant qu'il ne s'entretienne avec lui, David Vallespir glisse à l'oreille de Midlak qu'en arrivant le magistrat était très remonté mais est tombé sur un Paulo des grands jours, qui l'a vite remis à sa place. En lui disant en résumé et version polie dans le texte : s'ils étaient moins saisis d'affaires qui ne les concernent pas par le parquet, ils pourraient se concentrer sur leur cœur de métier et gagner du temps pour l'arrestation des voyous.

— Et encore, il ne lui a pas parlé de la complexité de la procédure pénale, ni de la légèreté des sanctions prononcées à l'égard des voyous par les juges. On a échappé au pire, lui souffle David.

Stanislas sourit. Il se félicite d'avoir dans son équipe des gars de la trempe de Paulo, capable de dire tout haut ce que beaucoup taisent. Il s'approche de Demaudo, qui lui tend la main dans un demi-sourire.

— C'est toujours un plaisir de te voir, commissaire.

Il a enterré la hache de discorde. À voir l'engagement des policiers de la PJ, il ne doute pas un seul instant de leur investissement total. Par principe, plus que par reproche, il fait quand même la remarque au commissaire que c'est le troisième braquage ou tentative de ce type à Bayonne et dans ses environs. Il devient urgent d'y mettre un terme, surtout si les voyous se mettent à tirer en plein centre-ville.

Stanislas hausse les épaules, il sait tout ça. Et ce n'est pas faute d'avoir étudié toutes les pistes, de Jean-Louis Bastide à d'autres. Mais c'est vrai que, jusqu'alors, ils n'avaient aucune bille, les braqueurs n'avaient pas commis d'erreur. Sauf aujourd'hui, puisqu'ils ont raté leur objectif. Le dabiste ne s'est pas laissé faire et, au moment où le second braqueur tentait de monter dans sa voiture, il a démarré à toute allure, grillant lignes blanches et feux rouges, en surprenant les malfaiteurs plus habitués à la soumission qu'à la rébellion. Furieux, l'un des malfrats n'a pas hésité à faire feu à deux reprises.

Le commissaire en profite pour lui rappeler que l'affaire Sainte-Jeanne leur prend beaucoup de temps, et que ses effectifs n'ont pas le don d'ubiquité. Personne ne s'attendait à ce que ce dossier devienne aussi important et soit autant chronophage.

Demaudo lui demande :

— À propos, les écoutes, ça donne ?

— Le temps de faire les réquisitions et d'établir les branchements, on commence à peine à s'habituer à leurs voix.

— Tu sais qu'il va bientôt falloir agir. Ça s'impatiente en haut lieu. Surtout quand ils vont apprendre qu'on a mis sur écoute des élus locaux, ça risque de ruer dans les brancards.

Midlak hoche la tête. Tous deux se taisent et regardent la scène, où les policiers de la BRB œuvrent. Vallespir est occupé à recueillir le témoignage du dabiste qui semble ne pas en revenir d'avoir échappé aux deux malfaiteurs. Paulo, muni de gants de protection, cherche au sol les douilles des deux cartouches utilisées. Mérou tente de récupérer des témoins qui auraient pu voir le deux-roues des malfaiteurs. Le proc adjoint se tourne vers le commissaire :

— Encore une fois, va falloir sortir le grand jeu. Et compter sur la chance.

— Elle se compte pas, la chance, elle se provoque. Surtout que, là, ils ont raté leur coup. À mon avis, ils vont remettre ça très vite.

— Si on pouvait faire quelque chose, avant que Bayonne ne devienne un champ de tir, ce serait bien.

Provoquer la chance ne suffit pas. Elle est comme le talent. Il ne suffit pas de l'avoir, encore faut-il en faire un bon usage et ne jamais cesser de la travailler.

25

Les archives de la préfecture ne sont pas très éloignées de l'antenne de police judiciaire de Bayonne. Stanislas s'y rend à pied. Une façon de se faire croire qu'il a le temps, dans ce mouvement d'enquête où les saisines augmentent et les affaires s'accélèrent. Il est accompagné de Paulo. Le major lui plaît. Il lui apporte ce brin de folie et de fantaisie qu'il aime tant et dont il se fait le reproche de ne pas assez le cultiver. Après la préfecture, ils ont prévu de passer au labo, savoir où en est l'examen des douilles.

Mais une fois n'est pas coutume, Paulo ne dit rien. Le commissaire respecte ce temps de silence. Tout le monde a le droit de faire des pauses, même un boute-en-train reconnu. Les deux hommes marchent côte à côte dans la rue. Juste avant de pénétrer dans le bâtiment austère, où sont stockés les milliers de documents envoyés chaque année par les communes du département à la préfecture. Paulo finit par demander :

— Tu le sais qu'on va trouver encore plein de trucs ? Depuis le temps qu'il est maire, le Delacour, il a dû en faire des saloperies.

— Franchement j'en sais rien. Mais je l'espère. Y a quelque chose qui te fait peur?

— Peur, moi? Jamais. Je veux juste savoir jusqu'à quand on va les remonter, ses conneries? On a d'autres trucs sur le feu quand même.

Stanislas ne le sait que trop : l'équipe des braqueurs de DAB n'est pas du menu fretin. Serrer des professionnels du banditisme requiert de la disponibilité et de ne pas trop s'éparpiller. Pour l'instant, cette affaire politico-financière leur prend beaucoup de temps et les empêche de se concentrer sur leur cœur de métier : le grand banditisme. Le nouveau braquage dont ils viennent d'être saisis le démontre, ils ne sont pas assez concentrés sur le reste.

Il entend bien le message que lui fait passer Paulo. Les gars de la BRB ne rechignent pas au travail, mais ils pestent contre leurs collègues de la Financière qui n'ont pas fait le leur.

Quand une enquête est lancée, difficile de savoir à quel moment elle va s'arrêter. Surtout que ce dossier leur apporte chaque jour son lot de nouvelles découvertes. Le commissaire le pressent, il va être obligé de mettre des limites. Temporelles d'abord, liées à la prescription, mais aussi nominatives. À vouloir tailler des costumes à trop de personnes, ils ne pourront pas les habiller à leur juste mesure. Il le sait et le regrette déjà, ils n'auront pas les moyens d'enquêter sur tous les noms que cette procédure fait apparaître. Certains passeront à travers les gouttes. Tant pis pour l'enquête, tant mieux pour eux. En espérant juste qu'ils craignent un jour le retour de bâton et arrêtent leurs saloperies.

Stanislas s'est déjà fait une raison.

— T'inquiète, la prescription veille. Pour commencer, on va limiter nos recherches aux dernières années comptables.

L'archiviste en chef les attend. Stanislas avait pris soin de le prévenir de leur venue. L'homme un peu bossu, un peu âgé, un peu seul, archétype caricatural du bibliothécaire administratif qui se respecte, est content d'avoir de la visite.

— ... du moment que vous ne restez pas toute la nuit, prend-il soin de rajouter, caché derrière ses petites lunettes rondes tenues par un cordon et posées sur un nez camouflé par une moustache imposante assez incongrue.

Paulo le rassure immédiatement.

— Ni la nuit, ni le jour. À peine une heure. On a du taf ailleurs.

Le vieil administratif, qui en a vu et entendu d'autres, esquisse un mouvement des lèvres, qui pourrait faire croire à un sourire. Il pose sur le comptoir le séparant du commun des mortels et des flics trois énormes registres, sobrement intitulés « Annexes Comptes annuels Sainte-Jeanne », pour les années 2007, 2006 et 2005.

— Les trois dernières années, comme demandé. Mais j'ai avant si vous le souhaitez. Tout est très bien classé ici.

— Ça, j'en doute pas une seconde.

Le vieux bibliothécaire est ravi du compliment, dont l'ironie semble lui échapper. Il désigne les documents qu'il vient de poser sur le bat-flanc :

— J'ai pas pu m'en empêcher. J'ai jeté un coup d'œil.

Il tord son nez d'une façon étonnante, faisant dresser le côté droit de sa moustache.

— Ils aiment bien l'art, à Sainte-Jeanne.

Stanislas est surpris. Il sent que l'homme a des choses à lui dire. Il ne lui répond pas, se contente de le regarder droit dans les yeux, en hochant légèrement le menton. Technique d'incitation à la parole qui rate rarement. Et Stanislas ne se trompe pas.

— Depuis que je suis là, j'en vois passer des registres de comptes annuels de communes. Quand tout est bien à sa place, je regarde un peu, je m'intéresse, je consulte et je compare. Le rangement n'empêche pas la curiosité. Je peux vous dire que je vois passer des trucs assez étonnants. Pas sûr que monsieur le préfet ou vous, messieurs les policiers, vous ayez le temps de tout voir.

Même Paulo s'est arrêté de se moquer. Il échange avec l'administratif le même regard profond que son chef, dans le même silence et le même hochement de tête. Le vieux bibliothécaire devient bavard.

— C'est pour ça que j'ai vu les dépenses de la commune de Sainte-Jeanne pour les œuvres d'art en 2007. Au total pour l'année, ça fait une jolie petite somme. Beaucoup plus que Cachin sa voisine.

Il montre les deux autres registres.

— Vous n'allez pas être déçus, y a à peu près la même chose en 2006 et 2005. Et pour ne rien vous cacher, y a aussi à peu de chose près les mêmes sommes pour les années précédentes. C'est exponentiel depuis 2001. On sent qu'au début des années 2000 ils tentent ce type d'achats, pour voir si ça va passer. Et comme ils constatent qu'il n'y a aucune remarque, ils enchaînent. Le pompon, c'est quand même en 2008. J'ai fait le calcul : 2250000 euros.

Le commissaire fait le lien. La même somme indiquée par Periti dans ses tracts électoraux, quand il posait la question de savoir où étaient les œuvres d'art achetées par la mairie au cours de l'année écoulée. Sur ce point, l'opposant politique ne s'est pas trompé. Et ne leur a pas menti. Et l'acte d'huissier qu'il a fait établir mentionne bien que, dans tous les lieux de la commune, il n'a pas trouvé trace de ces œuvres. Stanislas a maintenant la confirmation qu'il doit manquer aussi les œuvres d'art achetées en 2006 et 2005.

Pendant ce temps, le petit bibliothécaire moustachu s'excite. Il prend les registres étalés devant lui. Désigne au hasard des achats effectués, tableau de Weber : 45000 euros, statue de Devinsky : 38000 euros, tapisserie Saint-Georges : 250000 euros. Pour les plus visibles. Avec pour chacun leur date d'acquisition. Il y en a pratiquement à toutes les pages.

L'inventaire sera fastidieux et long, mais relativement facile, pense Stanislas.

Le commissaire et le major remercient l'archiviste de les avoir ainsi aiguillés, s'emparent des trois registres et s'apprêtent à quitter les lieux, quand le bibliothécaire les retient :

— Messieurs, j'ai oublié de vous dire...

Les policiers aiment bien quand une phrase commence ainsi. Ils se retournent avec le même sourire de contentement.

— J'ai été étonné que tous ces achats aient été validés par le conseil municipal. Il y a des mois où le montant total des achats dépasse 500 000 euros. Je me suis dit qu'une telle somme, même pour des élus pas très au fait ou pas trop regardants, au bout d'un moment, ça aurait dû les inquiéter. C'est le prix d'une maison quand même...

Stanislas confirme.

— Pas faux. Et ?

— Alors j'ai vérifié sur les lignes budgétaires délibérées à chaque conseil municipal. Certaines sont clairement identifiées à « acquisition d'œuvres d'art », mais parfois ça colle pas avec le montant total des œuvres achetées pour le mois. C'est nettement moins. En revanche, quand vous ajoutez à la ligne budgétaire : « acquisition d'œuvres d'art » celle concernant la mention « acquisition connexe à l'ameublement », cela correspond bien au montant total du budget mensuel d'œuvres d'art.

Stanislas a peur de comprendre. Pour lui-même, il répète en épelant chaque syllabe :

— Acquisition connexe à l'ameublement...

Paulo n'est pas en reste, avec ses mots à lui :

— Si je comprends bien, ils font voter un budget mensuel pour l'achat de merdes artistiques, inscrites à la ligne « acquisition d'œuvres d'art », mais ça leur suffit pas, ils en veulent plus, alors ils camouflent d'autres achats de merdes artistiques derrière une ligne budgétaire balourde.

Le vieil homme répète :

— Balourde ?

Stanislas explique :

— Qui n'existe pas. Une fausse ligne budgétaire, en fait.

L'archiviste reprend :

— Ah, mais si, elle existe bien, la ligne budgétaire. Mais normalement, elle est prévue pour l'achat de petites fournitures : stylos, feuilles, cartouches d'encre, tout ce genre de choses, quoi. Normalement le budget prévu pour cette ligne c'est 2000 ou 3000 euros maximum mensuels. Rarement, 50000 ou 150000 euros, comme je l'ai vu une ou deux fois dans le registre de l'année 2007 à Sainte-Jeanne.

Il prend encore son temps, lisse les deux côtés de sa moustache.

— J'avoue, je n'ai pas regardé pour les années 2006 et 2005 si c'était la même chose. Mais entre nous... y a pas de raison.

Des propos qui réjouissent Paulo et Stanislas. Et qui font fuir tous leurs doutes. Il y a urgence à continuer à enquêter sur cette affaire. Les auteurs potentiels des infractions plombent depuis beaucoup trop longtemps le budget de la commune en utilisant l'argent public à des fins très personnelles.

Rien à voir avec les équipes de braqueurs sur lesquelles ils bossent. Bien sûr, élus et administratifs de la mairie ne font pas usage d'armes à feu, mais sans risque physique, sans violence et sans courage, ils usent de manœuvres frauduleuses pathétiques en se cachant derrière l'honorabilité de leurs fonctions.

C'est vraiment dégueulasse.

Les deux flics ont hâte de rentrer au service et d'effectuer l'inventaire des achats effectués par la mairie sur ces deux lignes budgétaires au cours des trois dernières années. Histoire de voir à quel niveau se situent les dégâts. Ils en oublient même de passer au labo pour l'examen des douilles saisies sur la tentative de braquage. D'autant que Midlak reçoit alors un appel téléphonique.

26

Il y a des jours où tout s'accélère. La pression atmosphérique, l'air du temps, l'alignement des étoiles ou l'aide précieuse de saint Martin, le saint patron des policiers, qui se décide à filer un coup de pouce au destin. Et à l'enquête en cours. À voir trimer ses fidèles adorateurs, le saint bonhomme a peut-être envie de les remercier pour leur constance, leur abnégation et leur dévouement. Peut-être aussi qu'à force de provoquer la chance elle finit par se laisser dompter.

À peine sorti de la préfecture, Midlak reçoit un appel de David Vallespir. Le capitaine de la BRB et Olivier Mérou viennent de prendre en filature le directeur général des services Olivier Lamaury et le directeur de cabinet du maire Marc Kavedjian. David explique rapidement qu'il a assuré les écoutes des lignes téléphoniques des élus, et celle qu'il vient d'intercepter lui laisse supposer que les deux hommes vont à un rendez-vous important.

Marc Kavedjian a été appelé par un certain Christophe Pinson, promoteur immobilier, très en colère. David a compris que Pinson semble être dans l'attente d'une signature de permis de construire du maire pour son projet immobilier de centre commercial déposé au service urbanisme de la mairie de Sainte-Jeanne depuis plus de huit mois. Or, ce dernier n'avance pas. Pour un prétexte ou pour un autre (une signature qui manque, un document mal orthographié, un formulaire ridicule absent), son dossier est retoqué par le service urbanisme.

Aujourd'hui encore, il vient de se prendre un refus par le directeur de ce service, alors que le maire lui a donné des gages de faisabilité lors de l'ébauche de ce projet. Il s'est toujours soumis aux desiderata imposés par la mairie. Il voudrait savoir quel est le problème dans cette commune, qui reste la seule du département où il voit systématiquement tous ses dossiers d'urbanisme retoqués. Compte tenu de la parole du maire, il a investi dans ce projet et il ne voudrait pas que les milliers d'euros déjà dépensés passent à la trappe, pour une question de mauvaise circulation de l'information au sein de cette maudite administration locale.

Au-delà de la découverte de ce mode opératoire étonnant, la conversation entre Pinson et Marc Kavedjian devient encore plus intéressante lors de la réponse du directeur de cabinet.

— Je crois qu'il faut qu'on se voie.

Et de lui donner rendez-vous à 19 h 30 au restaurant bar L'Équinoxe.

La réponse si rapide de Marc Kavedjian comme ce lieu de rendez-vous inattendu laissent à penser à David que cette rencontre a un intérêt certain.

Le problème : au moins trois restaurants dans le département s'appellent L'Équinoxe. Pour ne pas rater le bon, il a mis en place un dispositif de surveillance à la sortie de la mairie de Sainte-Jeanne, et a vite constaté que Marc Kavedjian et Olivier Lamaury sont partis dans la même voiture, une BMW série 5, identifiée à la société Car Kayser.

— C'est quoi ça, Car Kayser ? Un lien possible avec Immo Kayser ? demande Stanislas. Si je comprends bien, t'as besoin de monde pour assurer la filoche, et le rendez-vous à L'Équinoxe des deux cadres de la mairie avec le promoteur ?

— Yes, chef. Vu la colère du Pinson en question, et la réponse spontanée de Kavedjian pour une rencontre ailleurs, dans un coin neutre, loin des yeux et des oreilles de la commune, il risque d'y avoir du grabuge. Ou des explications viriles.

Stanislas regarde Paulo.

— Ta moto est prête ?

Le major sent l'action.

— Toujours.

Stanislas reprend sa conversation avec David et lui annonce qu'il rejoint le dispositif avec Paulo l'inoxydable.

Pour l'instant, la BMW, direction Bayonne.

— S'ils continuent sur cette route, L'Équinoxe est au bout, annonce David au bout de vingt minutes. Ils ont bon goût. L'endroit est sélect et discret. On y trouve du beau linge.

— Du beau monde comment ?

— Du genre, avec des grandes jambes et des gros seins. Habillé court mais chic... et cher !

Stanislas est pris d'un doute.

— Paulo, tu fonces au restau. Tu fais une première vérif des bagnoles présentes et tu envoies leur numéro d'immat.

Dès qu'il entre sur le parking, son attention est attirée par un scooter de type TMAX. Il est à peu près sûr de l'avoir déjà vu, il ne se souvient pas où ni pourquoi, mais le numéro d'immatriculation qu'il transmet par radio lui rappelle quelque chose.

David réagit le premier.

— Putain, c'est le TMAX de Jean-Louis Bastide. Le Grand.

Olivier Mérou à son tour fait part de sa surprise.

— Le Grand ? Mais qu'est-ce qu'il fout là, ce con ?

Paulo renchérit :

— David nous a prévenus, les gars. Y a du beau monde à L'Équinoxe.

Stanislas réfléchit. Si Jean-Louis Bastide est présent dans l'établissement, c'est risqué pour eux de s'y rendre. Mais les flics ont aussi le droit d'aller dans des endroits sélects prendre l'apéro entre amis, même s'ils sont fréquentés par des voyous fichés au grand banditisme. Ils n'ont pas l'apanage du bon goût. Le Grand a l'habitude d'avoir les flics aux fesses, s'il reconnaît l'un d'eux, ça ne devrait pas le déranger plus que ça. Sinon, il ne serait pas en train de se pavaner dans un restaurant branché.

— De Stan à tous, Paulo, t'enlèves pas ton casque. Tu redémarres et te planques à cent mètres, direction Biarritz. Olive et David, vous rentrez comme deux clients lambda dans le rade, et vous essayez de trouver une table le plus près possible des mecs de la mairie. Et le plus loin du Grand. Je reste à l'extérieur. On prend pas le risque de se faire détroncher. Ma ganache est déjà passée plusieurs fois dans les journaux. Et bien sûr, c'est moi qui rince, les mecs. Conservez bien la note.

L'architecture de L'Équinoxe est coloniale, presque asiatique. En forme de pagode, avec un toit bas, et une pièce centrale ouverte sur l'extérieur qui dessert une succession de terrasses avec vue panoramique, face à l'océan. Plusieurs tables hautes et rondes sont installées, entourées de tabourets, où de nombreuses personnes sont assises. Pour ne pas dire : exposées. Ou exhibées.

Hommes et femmes, quadras et quinquas d'allure facile et élégante, échangent entre rires et éclats de voix pour tenter de couvrir la musique house. Sans être ostentatoire, l'ensemble dégage une impression de qualité et de confort. David et Olivier sont invités par une jeune serveuse en jupe et T-shirt courts, aux seins aussi moulés que les fesses, à la suivre jusqu'à une table libre. Le DGS et le dir cab, situés deux terrasses plus bas, sont dans leur champ de vision. Leur emplacement est parfait.

David communique avec Stanislas par SMS. Pas de doute : Marc Kavedjian et Olivier Lamaury sont des habitués des lieux. Ils saluent le personnel, ont leur table réservée et, hasard ou non, se retrouvent à côté de celle du Grand, Jean-Louis Bastide. Marc Kavedjian a même engagé la conversation avec le voyou. Simple courtoisie ou véritable connaissance ?

Un homme âgé d'une quarantaine d'années, svelte, élégant, costume bleu ciel, veste sur l'épaule, vient d'arriver à la table des responsables de la mairie. Le Grand quitte les cadres de la mairie, d'autant qu'à côté trois personnes le réclament. Un homme et deux femmes. Parmi lesquelles David ne reconnaît pas Nina, la blonde aux seins lourds, croisée dans le lit du géant au 11,43 le jour de son interpellation. Les deux femmes avec lui aujourd'hui n'ont rien à envier à la belle Nina, à ses avantages mammaires, ses blanches dents et ses jambes infinies. Les deux flics se regardent et sourient. Ce vieux Loulou ne changera jamais, la fidélité n'est pas tatouée dans ses gènes éducatifs, ni dans son mode social.

L'homme accompagnant Jean-Louis Bastide attire le regard professionnel des policiers. De taille moyenne, d'origine nord-africaine, trente-cinq ans environ, nez cassé. En bras de chemise, il laisse voir des muscles taillés et tatoués. Il ne prête pas attention aux deux jolies femmes se trouvant autour de la même table que lui, et se lance dans une discussion animée avec Le Grand.

À la table d'à côté, la discussion aussi est enlevée. L'homme au costume bleu ciel est Christophe Pinson, le promoteur immobilier. Il semble très remonté à l'égard des deux hommes de la mairie, qui restent souriants, presque narquois.

Les deux policiers ne perdent pas une miette de la scène se déroulant quelques terrasses plus bas. Pour une fois, la providence policière fait bien les choses, réunissant dans le même champ de vision les protagonistes de deux affaires différentes traitées par leur service. Même s'ils n'entendent pas les propos qu'ils tiennent, au moins Olivier Mérou à l'aide de son téléphone portable peut discrètement prendre en photo tout ce joli petit monde.

Ils sont tout même surpris par la similitude des scènes. D'un côté, l'homme au nez cassé semble très remonté et menaçant contre Jean-Louis Bastide qui, chose étonnante de sa part, laisse faire en étant ennuyé ; quand, de l'autre, le promoteur paraît vindicatif et agressif à l'égard des deux cadres de la mairie, qui restent stoïques, presque hautains.

Et puis, ce qui étonne les flics, c'est qu'à une table d'écart et sur des sujets différents, le vieux voyou et les deux cadres finissent par avoir le même air désabusé.

Dans sa voiture, Stanislas continue de feuilleter le registre de comptes de la mairie. Il va de surprise en surprise. Il pose celui de 2007 et feuillette ceux de 2006 et 2005. Et se fait la réflexion : *Putain, ils s'emmerdent pas.*

Pris par sa lecture attentive des registres, il met du temps avant de répondre à l'appel de Paulo.

— Patron, t'as vu qui c'est, le mec sur la photo ? C'est Rachid. Rachid Zerkaoui. Un ancien boxeur, devenu braqueur. Je l'ai tapé en 2000 en flag de braquage de DAB. C'est un spécialiste. Putain, il est déjà sorti de tôle, j'en reviens pas. Il avait pris au moins quinze piges.

— T'es sûr ?

— Certain. Il s'est pas laissé faire à son interpelle, ça a été chaud. Il a été champion de France des poids moyens.

— Sur l'affaire des braquages, c'est peut-être le chaînon manquant : Zerkaoui ?

— C'est-à-dire ?

— Le Grand informe, Zerkaoui le fait. On a le donneur d'ordres et l'exécutant.

— Et le tout se débriefe à L'Équinoxe... comme les gugusses de la mairie, en fait !

— Ça sera pas la première fois que politiques et voyous font restau commun. On peut remercier saint Martin.

— T'es croyant, toi ?

— Quand ça m'arrange. Mais là, franchement, deux affaires pour le prix d'une. C'est pas une promotion, c'est une évolution.

— Et la rencontre des mecs de la mairie à L'Équinoxe, ça t'apprend quoi ?

— Déjà qu'ils fréquentent L'Équinoxe... et qu'ils en profitent pour régler des trucs qu'ils ne gèrent pas en mairie. Il a raison, David, ça pue !

Son téléphone reçoit un double appel. Stanislas n'a pas le temps de dire à Paulo ce qu'il a découvert pendant son temps de pause. Les lignes budgétaires des livres de compte de la mairie, où le nom L'Équinoxe apparaît au moins à cinquante reprises. Autant de fois où élus et administratifs de la mairie ont mangé aux frais du contribuable dans ce restaurant chic et branché.

Comme dans ceux de La Rizière, du Chardon des Pyrénées et du Pyrope Basque, fréquentés régulièrement dans les pages roboratives des comptes annuels communaux. Même pour le nouveau venu qu'il est dans la région, Stanislas ne peut ignorer qu'il s'agit de restaurants gastronomiques dont les chefs sont aussi célèbres que le prix de leur prestation.

David prend le risque de l'appeler depuis l'intérieur du restaurant pour lui annoncer le départ de l'homme au nez cassé. Après une discussion vive avec Bastide, les deux hommes se sont tapés dans les mains. Le Grand a donné ses clefs et son casque au boxeur, qui prend la direction de la sortie. Une nouvelle filature s'engage.

27

Comme chaque fois qu'il s'apprête à faire sa mission, l'homme est un peu angoissé. Plus de cinq ans qu'il exerce son métier, mais quand son tour revient, il angoisse. Il embrasse sa femme Diana, qui s'est levée un peu plus tôt que lui, d'abord parce qu'elle partage la même inquiétude que son mari et ensuite parce qu'elle lui prépare son petit déjeuner, en silence. Pas question que, maladroit comme il est, d'un geste brusque il fasse tomber des affaires qui pourraient réveiller leur petite fille de sept ans, Kimberley.

Même s'il a toujours trouvé que ce n'était pas le plus joli prénom du monde, il n'a pas eu le choix pour celui de sa poupée d'amour. Sa femme est d'origine anglaise, elle tenait à ce que sa fille affiche cette hérédité. Il avait vite compris qu'on ne s'embrouille pas avec une femme décidée qui vient d'accoucher d'une merveilleuse petite fille. Encore plus quand il s'agit d'une femme décidée d'origine anglaise.

Juste avant de partir, il vérifie son matériel, sa sacoche est prête, son arme aussi. Un Sig Sauer, le même que les policiers ont en dotation, dans un holster discret qu'il glisse sous la ceinture de son pantalon, juste au niveau de l'aine. Même si ce port de l'arme est désagréable, il aime sentir le canon de son arme qui frotte sur sa cuisse et frappe sa couille droite. Une façon d'affirmer sa virilité et de lutter contre sa peur.

Il sort de chez lui avec prudence et vérifie qu'il ne fait pas l'objet de surveillance. Il le sait, c'est l'un des moments les plus délicats de sa mission, le seul où il est à découvert. Il ne remarque rien d'anormal et fonce s'installer dans sa voiture. Une Citroën C3 blanche, d'une banalité confondante, seule l'absence de siège arrière et la longue plage de coffre la démarque, et démontre qu'il s'agit d'un véhicule de société. Il place sa sacoche juste devant le siège passager et démarre. Il envoie un baiser à sa femme qui, rassurée, ferme enfin la porte de leur maison.

Il quitte les rues calmes de son quartier pour accéder à la voie rapide menant à Bayonne. Une fois dans cette ville, la circulation s'intensifie et son anxiété diminue. Plus il y a de monde autour de lui, plus il est en sécurité. Le feu passe au rouge, il s'arrête. Baisse sa fenêtre et allume, l'air distrait, une cigarette.

Un scooter de type TMAX, monté par deux individus, gantés et casqués, s'arrête à ses côtés. Négligemment, il regarde le pilote du scooter, qui le salue d'un hochement de tête. Il lui rend la politesse. Le pilote fouille dans sa poche intérieure de veste. Le chauffeur de la C3 se demande ce qu'il cherche.

Une seconde d'inattention pendant laquelle le passager du scooter met pied à terre, tourne derrière sa voiture et s'engouffre à l'intérieur par la porte passager avant droit. Le pilote du scooter termine sa fouille dans sa veste pour le menacer avec un revolver de la main droite, pendant que, de la gauche, il met son index ganté sur le devant de son casque, indiquant ainsi au chauffeur de la C3 qu'il a intérêt à ne pas hurler.

Pour l'instant il ne voit que le canon du revolver dirigé vers lui : un Smith et Wesson 6 pouces, sa mémoire est formelle, il l'identifie immédiatement, c'est un fan absolu de Clint Eastwood et de l'arme qu'il porte dans *L'Inspecteur Harry*. Un moyen comme un autre de refuser de comprendre que ce qu'il craignait depuis qu'il fait ce job vient d'arriver; il se fait braquer.

Il vit la suite dans un brouillard nébuleux. L'homme assis à côté de lui est également armé, un pistolet automatique, un Glock 19, lui semble-t-il, mais il est moins formel que pour le Smith et Wesson. À sa connaissance Clint Eastwood n'en porte pas dans ses films. Son passager lui intime l'ordre de continuer sa tournée, comme si de rien n'était. Et c'est ce qu'il fait. En constatant dans son rétroviseur que le scooter TMAX est toujours derrière lui. Pris au piège. Pas d'autres solutions que d'obéir. En priant pour que tout se termine bien. Mais c'est sûr, s'il s'en sort, plus jamais il ne fera ce job de convoyeur de fonds, spécialisé dans les rechargements de distributeurs automatiques de billets de banque.

28

Par principe autant que par nécessité, Stanislas décide de vérifier toutes les informations communiquées par Lavoisière, le chef de la Financière. Comme celles qu'a commencées à lui indiquer l'opposant Periti. D'autant qu'il a été étonné la veille de découvrir que Marc Kavedjian roulait dans une voiture BMW identifiée à Car Kayser. Il vérifie si elle a un lien avec Immo Kayser, la société de promotion immobilière ayant réalisé des programmes de luxe à Sainte-Jeanne, propriété de l'homme d'affaires luxembourgeois Charles-François Kayser.

Son statut de chef de service lui donne un accès niveau haut pour ne pas être restreint dans son usage d'Internet. Tous ses enquêteurs ne peuvent pas en dire autant. La réponse ne se fait pas attendre. Il découvre que Charles-François Kayser est soit actionnaire majoritaire, soit gérant d'une dizaine de sociétés aux activités variées, allant de la promotion immobilière avec Immo Kayser aux produits de finance avec Fikayser, ou encore l'horlogerie de luxe avec Horo Kayser, et enfin la vente de véhicules avec la société

Car Kayser. Basées pour la plupart au Luxembourg, mais ayant des établissements annexes en France. Il découvre même que l'homme d'affaires luxembourgeois est le propriétaire d'une petite compagnie aérienne dénommée Compagnie luxembourgeoise de transports aériens.

En découvrant ce nom, en adéquation peu conforme avec les dénominations égotiques des quatre autres sociétés de Charles-Frédéric Kayser, Midlak a un doute. Il vérifie. Mais il ne s'est pas trompé : Kayser est bien l'heureux et modeste propriétaire de cette flotte de quatre Falcon, assurant des liaisons plus épisodiques que régulières, entre le duché du Luxembourg et l'aéroport de Biarritz-Anglet-Bayonne.

Il veut en avoir le cœur net. Il demande à David Vallespir de l'accompagner. Tous deux prennent la direction de l'aéroport, où une quinzaine de compagnies assurent des liaisons nationales et internationales. Certaines sont des grandes compagnies, d'autres plus discrètes. Air France y assure des vols réguliers avec Paris. La compagnie Luxair assure, d'une façon saisonnière, des vols pour le Luxembourg. Elle n'est pas la seule : la CLTA, la Compagnie luxembourgeoise de transports aériens, aussi. Certes, d'une façon plus confidentielle et privée que sa concurrente luxembourgeoise.

En roulant, Stanislas débriefe avec David la journée de la veille

— Et vraiment, la filature du boxeur sur le scooter du Grand, elle vous a conduits nulle part?

— On n'a rien compris à ce qu'il a foutu. Le gars a roulé pendant dix minutes, jusque dans une banlieue résidentielle de Biarritz. Il a ralenti, regardé un peu partout. Des maisons toutes similaires, un quartier chicos, mais sans plus.

— Il vous a levés, le gonze ?

— Je pense pas.

— Comment elle s'appelle, déjà, la rue où il a fait demi-tour ?

— Rue d'Archange.

— T'es sûr ?

— D'Archange, oui. Ou quelque chose comme ça.

David a l'air dubitatif. Ce nom ne lui dit rien. Pourtant il est originaire de Biarritz et connaît sa ville comme sa poche. Soudain, il percute :

— Ça serait pas plutôt, la rue d'Arcangues ? Pas très loin du château d'eau.

— T'as raison, c'est ça. D'Arcangues. Rue d'Arcangues, à hauteur du numéro 7.

— Je m'en souviendrais, rue d'Archange... Arcangues, c'est une petite commune du Pays basque, entre Anglet et Biarritz.

— Je connais pas encore tous les bleds du Pays basque.

— Y a pas de bled au Pays basque. Y a que des villages de charme.

— Mais qu'est-ce qu'il allait foutre là, Rachid ?

La voiture entre sur le parking de l'aéroport. Les deux hommes se dirigent vers les bureaux. Ils n'y connaissent pas grand-chose en planification de vols, mais ils se disent qu'un aéroport de la taille de celui de Biarritz-Anglet-Bayonne doit conserver traces des trajets effectués par les compagnies officiant sur ses tarmacs, ainsi que la liste des passagers en transit.

Encore plus quand les vols ont pour destination l'étranger, quand bien même cette destination internationale est celle d'un duché de 2586 kilomètres carrés.

Ils ne se sont pas trompés. Le directeur des opérations est un peu surpris par la demande des policiers. Mais il ne lui faut pas longtemps pour donner suite. La précision et la méthodologie du personnel aéroportuaire sont des atouts. Ici, tout est noté, enregistré et archivé. La CLTA a commencé ses premières rotations Luxembourg-Biarritz en 2005, avant de s'amplifier en 2006 et de poursuivre sa progression en 2007. Depuis mai 2008, elles se sont stabilisées, et ont trouvé un rythme de croisière de 2 à 3 allers-retours mensuels. Le plus fort des voyages se situe en 2006, au moment même où les programmes immobiliers de Kayser Immo sont en plein développement à Sainte-Jeanne. Et six responsables de la commune de Sainte-Jeanne ont effectué un vol au Luxembourg, à bord d'un jet de Kayser, du vendredi 17 novembre 2006 au dimanche 19 novembre 2006. Parmi lesquels le maire Robert Delacour, le premier adjoint François Gabelle, l'adjoint chargé de l'urbanisme Paul Richard, le directeur général des services Olivier Lamaury, son alter ego au cabinet du maire Marc Kavedjian, et le directeur de l'urbanisme Xavier Fantacci. Tous accompagnés par le modeste propriétaire de la compagnie Charles-François Kayser lui-même, et par la représentante d'Immo Kayser à Sainte-Jeanne : Bernadette Loufois.

— C'est quand même pas normal que, chaque fois qu'on gratte sur ce dossier, on finit par tomber sur les mêmes gus, avance David en quittant les lieux.

Sa réflexion est perturbée par le portable de Midlak. Le proc adjoint leur annonce un nouveau braquage de dabiste.

— Après leur tentative d'hier, c'était à prévoir.

Pour lui, pas de doute il s'agit de la même équipe que celle qui a échoué la veille. Cette fois, ils n'ont pas eu à faire usage de leur arme. Heureusement, précise le proc.

29

Interrogé par les enquêteurs de la BRB, le convoyeur ne parvient pas à se souvenir de tout. Il est encore sous le choc. À partir du moment où le braqueur est monté dans sa voiture, il a vécu tout ce qui a suivi dans un état second. Dès qu'il l'a pu, au moment où les voyous l'ont abandonné en plein centre-ville de Bayonne, s'enfuyant avec sa mallette remplie des 650 000 euros qu'il venait de vider des DAB, il a prévenu la sécurité de sa boîte et les flics. Et s'est laissé porter par les événements. Il était en vie, et c'était la seule chose qui lui importait dans l'immédiat. Il savait qu'il pourrait resserrer dans ses bras les amours de sa vie, Kimberley et Diana, dont il trouve à l'instant que, même anglais, ce sont les plus jolis prénoms du monde.

Paulo et Poisson se sont rendus immédiatement sur place. Rejoints par le capitaine David Vallespir. Ils ont récupéré l'employé de la société de transport de fonds et l'ont conduit dans les locaux de la PJ.

Le convoyeur n'arrive pas à énumérer toutes les banques qu'il a assurées. Trois, quatre ou cinq.

Il patauge dans ses souvenirs. Seul lui revient, en boucle, le canon Smith et Wesson du pilote du scooter et ce que voulait le braqueur dans sa voiture. Il ne lui a pas demandé de recharger les distributeurs, mais de les vider. Et de tout charger correctement dans sa mallette.

Son état d'approximation s'explique. Juste avant la première banque, son passager armé lui a fait enfiler un gilet tactique militaire, les poches pleines et des câbles électriques qui en sortaient. Avec un sourire méchant, le braqueur lui a dit :

« Un gilet d'explosifs. Pire qu'une ceinture. Notre assurance : pour que tu vides correctement tes petits appareils. »

Alors qu'il aurait pu s'en passer, le braqueur a même ajouté, très sûr de lui :

« Et pour ton information, Kimberley et Diana vont bien... Pour l'instant. »

— Diana, c'est ma femme. Elle est d'origine anglaise. C'est pour ça qu'on a appelé notre fille Kimberley.

David hoche la tête. Non qu'il approuve le choix de ce prénom, mais les détails donnés par le braqueur l'intriguent. Olivier a le même ressenti, il se tourne vers David :

— Drôlement bien renseignés, ces braqueurs.

David a comme un flash. Il demande au convoyeur :

— Vous êtes parti d'où, exactement ce matin, avant de vous faire braquer ?

— De chez moi. Comme tous les jours.

— Et rappelez-moi : vous habitez où, exactement ?

— Dans le quartier du château d'eau à Biarritz : 12, rue d'Arcangues.

David sourit. Il se fait le pari que le numéro 12 de la rue d'Arcangues doit être en face du numéro 7.

Plan de la ville de Biarritz à l'appui étalé sur la table de travail du commissaire, il ne faut pas longtemps à David Vallespir pour refaire avec Stanislas Midlak le parcours effectué par Rachid Zerkaoui avec le scooter de Jean-Louis Bastide, le jour où ils l'ont filoché presque par hasard depuis le restaurant L'Équinoxe jusqu'au numéro 7 de la rue d'Arcangues à Biarritz, qui se trouve bien en face du numéro 12.

— L'adresse de notre victime sur le dernier braquage de DAB, dit David.

Stanislas réfléchit, et poursuit :

— Quand on l'a pris en filoche, Rachid savait donc parfaitement où il allait.

— Repérer le « dom » du dabiste. Avec le scooter de Bastide.

— Le scooter *et* les indications du Grand. C'est lui qui a dû communiquer l'adresse du dabiste à Rachid. Il est allé la vérifier dans la foulée.

Il se tourne vers David.

— Y a malgré tout un truc qui tourne pas rond. Pourquoi un type comme Bastide fournit ce type d'indication à Rachid. C'est quand même deux mondes qui s'opposent.

— Pas vraiment. Ce sont tous les deux des braqueurs.

— Y en a un des deux qui cite Pagnol dans le texte. Ils sont pas de la même génération. Y a autre chose je te dis.

— Tu penses à quoi ?

— Tu m'as bien dit qu'à L'Équinoxe, Le Grand, il avait l'air désabusé devant Rachid ?

— Désabusé, oui. Presque obligé.

Le commissaire fait tourner un stylo entre ses doigts. Il s'arrête brusquement. Regarde David Vallespir droit dans les yeux.

— Et ça t'étonne pas, toi, qu'avec la gueule et le physique qu'il a, Bastide, il fasse « l'obligé » devant Rachid. Au point qu'il prend le risque de lui filer son scooter. Et son portable. Pour faire un repérage sur un braquage ?

David réagit au quart de tour.

— Le portable, on n'en est pas sûr.

Midlak reprend le jeu incessant de faire tourner son stylo entre ses doigts.

— Bien sûr que si, on en est sûr, puisqu'il a matché sur le premier braquage, pour lequel on pensait l'accrocher et qu'il nous a fait la grande scène du IV en nous racontant que quelqu'un avait dû lui piquer pendant sa virée à tout casser avec ses potes du rugby. Qui ont d'ailleurs tous confirmé sa présence avec eux pendant ces trois jours de fête au cours desquels ce putain de premier braquage s'est déroulé.

Stanislas cesse de faire tourner le stylo. Presque pour lui-même, il sourit.

— Faut reconnaître qu'il a du style, Le Grand, avoir comme alibi une chouille d'anthologie avec l'équipe de France de rugby de 1987 ! Difficile de remettre en cause la parole de quinze joueurs de légende.

Il fait de nouveau tourner son stylo, avant de poursuivre :

— Mais je te parie une tournée de bières contre une boule à zéro que si on géolocalise de nouveau le portable de Bastide, il va matcher rue d'Arcangues.

David n'est pas effrayé par le pari.

— T'as pas peur du ridicule, toi. La boule à zed ?

— Parce que je suis sûr de gagner. Je suis certain que Le Grand, pour une raison qui nous échappe, fournit à Rachid toutes les indications pour commettre les braquages sur les dabistes, portable et scooter en prime. Le tout est de savoir pourquoi ?

— L'appât du gain, juste l'appât de gain. Avec les braqueurs, faut pas chercher plus loin.

— On parie ?

— Pari tenu.

— Ça t'ira bien, une tête de bonze ! Crois-moi : le petit Rachid, il le tient par les couilles, Le Grand.

Ensemble, ils continuent leur réflexion. Une chose est sûre, ils ont identifié un des braqueurs au scooter : Rachid Zerkaoui. Vu la taille de Jean-Louis Bastide, il ne peut pas être le deuxième. Son rôle semble se limiter à communiquer des renseignements sur les dabistes. Il leur reste donc à déterminer qui est le complice de Zerkaoui au moment des passages à l'acte sur les vols à main armée. Mais le plus dur est fait : l'identification d'un membre de l'équipe des braqueurs au scooter. Le hasard leur a fait découvrir la bobine, il ne reste plus qu'à dérouler le fil.

L'interpellation des membres de tout le gang n'est qu'une question de temps et de patience. Habituellement, ils n'en manquent pas. Mais depuis que la Brigade de répression du banditisme traite les affaires de la financière, ils en sont un peu dépourvus.

Et comme un fait exprès, c'est le moment que choisit l'opposant Patrick Periti pour contacter Stanislas Midlak et lui proposer une visite approfondie de Sainte-Jeanne. Comme convenu lors de leur première rencontre.

Il y a des invitations qui ne se refusent pas, surtout quand on craint qu'elles ne se renouvellent pas.

Avant de partir, Stanislas rappelle à David de vérifier tous les antécédents et relations de Jean-Louis Bastide et de les croiser avec ceux de Rachid Zerkaoui. Cette histoire d'obligé ne lui plaît pas. Il reste persuadé qu'il existe un lien entre eux, il souhaite le trouver. Sa touffe de cheveux hirsute à laquelle il tient est en jeu. Et le soir même il demande à David Vallespir d'assurer une nouvelle surveillance à L'Équinoxe. Après l'identification du potentiel donneur d'ordres et d'un braqueur, il serait intéressant d'élargir leur cercle de connaissances.

Pas certain que cet emploi du temps chargé réjouisse sa femme. Stanislas le sait. Il aurait pu prendre le soin d'appeler Cécile avant d'organiser ces virées nocturnes. Mais depuis quelque temps, autant par oubli que par mauvaise foi, il ne l'appelle plus.

30

Le silence s'est installé dans l'habitacle de la Peugeot 308 banalisée. Stanislas Midlak conduit doucement. Il suit les indications de Patrick Periti, écoute ses explications. Quand il en donne. Depuis plus d'une demi-heure, le commissaire sillonne les rues de Sainte-Jeanne.

Si dans le bureau de Midlak l'ambiance était calme, depuis qu'ils sont dans la voiture quelque chose d'indéfinissable s'est passé. L'élu n'est plus aussi à l'aise. Et le flash du radar que le commissaire a déclenché sur la voie rapide entre Bayonne et Sainte-Jeanne n'a rien arrangé. Même si Stanislas a essayé de détendre l'atmosphère. Il a rappelé à l'élu qu'ils étaient dans sa voiture de service. Et même si les rapports entre forces de sécurité sont parfois tendus, il est rare que l'État s'autoverbalise.

L'humour cynique du policier n'a pas fait rire l'élu. Il préfère les flashes des appareils photo au moment des meetings que ceux imprévus des radars de la sécurité routière.

— Ne vous inquiétez pas, si je reçois la photo, je dirai que vous étiez en garde à vue. Je plaisante. Si j'ai la photo, je la détruis immédiatement.

Pas certain que ce genre de réflexion suffise à rassurer l'édile. Il continue à avoir l'air angoissé, même s'il tente de donner le change et indique les différents endroits notables de Sainte-Jeanne. L'avantage est qu'il connaît parfaitement les lieux, et dans cette ville pleine de ronds-points et de sens interdits, il lui indique petites rues et raccourcis. Une façon aussi de ne pas prendre les grands axes et de se faire remarquer.

Concentré sur sa conduite et sur la découverte de la ville, Midlak fait semblant de ne pas voir que Periti reçoit et envoie des messages depuis son portable. Cette attitude l'agace. D'abord parce qu'il a du mal à imaginer que l'élu ne se rende pas compte qu'il a parfaitement conscience de son manège, ensuite parce qu'elle présuppose qu'il aurait des choses à lui cacher.

Midlak sait aussi que ces messages n'ont peut-être rien à voir avec ce que Periti est en train de faire et peuvent tout aussi bien concerner une affaire privée. Alors, même s'il est profondément hérissé par cette façon de procéder, il préfère ne pas réagir. Dans l'immédiat.

De façon assez désinvolte, Periti montre tout d'abord à Midlak les différents bâtiments administratifs de la commune. L'immense terrain sur lequel se trouvent les locaux et engins techniques, sorte de gros entrepôt situé à l'entrée est de la commune. Les deux écoles maternelles, charmantes et fleuries installées en centre-ville, pas très éloignées de l'unique lycée et collège. Ainsi que les trois immenses campings quatre étoiles implantés en bord de mer, côté ouest, qui font la réputation estivale de Sainte-Jeanne, permettant de multiplier de façon exponentielle sa population pendant les mois de vacances.

Chaque fois qu'il passe dans une rue ou devant l'adresse d'un élu ou d'un cadre administratif de la mairie faisant partie de sa liste de dénonciation, Periti lui désigne. À cette heure tardive, Midlak ne note rien de particulier. Des visages et des ombres passent derrière des fenêtres. Des luminaires éclairent des intérieurs, plus ou moins décorés. Ici ou là résonnent les publicités de la télévision ou la musique criarde d'un vieux poste radio. L'ensemble lui donne une impression de calme et de quiétude, presque de confort. Un mardi soir tranquille d'hiver dans un village sans histoire. Midlak sourit, il se souvient de cette sentence prononcée par sa première petite amie : « Chacun son mauvais goût. » En sourdine, la radio de la voiture distille une chanson de Francis Cabrel. Le policier se surprend à la chantonner : « C'est une histoire d'enfant, une histoire ordinaire, un samedi soir sur la terre... »

31

Une fois n'est pas coutume, la BRB demande de l'aide à ses collègues de la Crime. Ils ont besoin de monde pour assurer une filature. Ils ont surtout besoin d'une femme pour accompagner Olivier Mérou, *alias* Poisson, à L'Équinoxe, histoire que sa seule présence masculine n'attire pas trop les regards et les questions. Valérie Feldey, jolie brune de trente-cinq ans, brigadière-cheffe pugnace, spécialiste des scènes de règlements de comptes, a accepté de jouer le jeu. Elle avait très envie de sortir de l'étude de son dernier rapport d'autopsie. Un jeune homme de vingt-deux ans, flingué à bout portant par une rafale de kalachnikov. Elle avait comptabilisé sur la scène de crime pas moins de 22 impacts transfixiants. Un pour chacune des années de sa courte vie.

Un peu d'air frais et de musique branchée dans un endroit sélect pour goûter à la vie après un tel décompte macabre ne pourrait pas lui faire de mal. Pourtant elle a du mal à s'intégrer dans le milieu hype de L'Équinoxe. Heureusement la présence de Mérou, fidèle à sa légende, très à l'aise en tous lieux, lui permet de ne pas être complètement déconnectée. Poisson, grand seigneur, n'hésite pas à offrir à la jeune femme un cocktail hors de prix, mais de qualité supérieure, lui permettant de prendre des couleurs et de l'assurance. C'est d'ailleurs elle qui remarque la première Zerkaoui et Bastide, situés deux terrasses plus bas, tout sourires, en train de siroter du champagne.

Mérou annonce par SMS à David Vallespir et Paulo Monra, restés dans leur véhicule à l'extérieur, la présence des deux hommes en train de fêter quelque chose. Il leur précise que Zerkaoui ne semble pas être en tenue de motard et qu'il n'a pas noté la présence des deux-roues habituels sur le parking.

Bastide est le seul à boire. Si Zerkaoui a trinqué avec lui, il n'a pas touché à sa coupe. Les deux hommes sont en pleine conversation animée. Bastide descend les verres les uns après les autres, en proposant chaque fois à Zerkaoui, qui refuse. À la fin de la première bouteille, Bastide fait signe à une serveuse, jupe courte et T-shirt moulant, qu'il souhaite la suivante. Zerkaoui lui fait comprendre qu'il ne l'accompagnera pas. Il regarde sa montre, l'air pressé. Bastide, désabusé, fait signe au braqueur qu'il peut y aller. Les deux hommes se tapent dans la main, et Zerkaoui remonte les escaliers quatre à quatre en direction de la sortie, pendant que Bastide ouvre la seconde bouteille de champagne et propose un verre aux deux jeunes femmes assises à la table d'à côté. Ni belles, ni moches. Juste présentes à côté de lui au bon moment. Il n'aime pas boire du champagne seul.

La scène s'est déroulée très vite. Poisson était en train de commander un deuxième cocktail pour Valérie, à qui rien n'a échappé. Elle n'hésite pas et, l'air de rien, suit Zerkaoui dans les escaliers. Poisson a à peine le temps de téléphoner à Vallespir pour lui annoncer le départ de Rachid le braqueur.

— On fait quoi ? On suit Rachid ou on assure Le Grand ?

— Rachid. On l'a pas logé.

Valérie est presque obligée de courir derrière lui. Rachid, sur ses gardes, se retourne brusquement et voit arriver sur lui une jolie jeune femme de trente-cinq ans, qu'il croit éméchée. Instant de panique pour Valérie. Elle heurte volontairement le braqueur, s'en excuse et poursuit sa course jusqu'à la sortie en maugréant. Presque en beuglant :

— Ah, le salaud, le salaud, le salaud. Il m'a pas fait ça, c'est pas vrai ?

Rassuré, Rachid quitte l'établissement et se rend sur le parking, en faisant sauter dans ses mains des clefs de voiture. Il voit Valérie tourner en rond, en train de chercher quelqu'un ou quelque chose, prendre son portable, et hurler dedans :

— T'as pas fait ça, enfoiré. Tu m'as pas laissée en plan, comme ça. T'es vraiment un connard. Reviens tout de suite. Enfoiré. Bouffon. Trou-du-cul.

Un sourire apparaît sur ses lèvres quand il ouvre les portes d'un gros 4x4. Un Porsche Cayenne gris. Il démarre lentement, se rapproche de Valérie qui continue de manifester sa mauvaise humeur éthylique. En passant à côté d'elle, il baisse la fenêtre.

— T'inquiète pas, ma jolie. Un de perdu, dix de retrouvés !

— Je l'emmerde, ce salopard.

Rachid se marre. S'il n'était pas aussi pressé ; il se serait bien occupé de la petite brunette, il a toujours aimé les filles avec du caractère. Mais il a à faire. Clignotant à droite, il quitte le parking de L'Équinoxe.

Valérie se pose, souffle. Son cœur se calme. Elle reprend ses esprits. Et quand survient Poisson, elle lui annonce :

— Porsche Cayenne gris, CG-135-CC, direction le large.

Olivier lui claque une énorme bise. Et prévient David Vallespir.

— Tu sais que l'alcool te réussit, toi ! Quand tu veux, tu viens à la BRB.

Valérie sourit. BRB ou Crime, dans l'absolu, elle s'en fout. Elle veut juste être flic en PJ. Pour avoir ce genre d'adrénaline.

32

La Peugeot 308 banalisée poursuit sa ronde nocturne dans Sainte-Jeanne. Periti veut montrer à Midlak la mairie : le palais républicain de Delacour, en plein milieu du village, parfaitement indiqué par des panneaux à la calligraphie étonnante, travaillée, presque stylisée. Déjà de l'art, pense le policier, moqueur. L'opposant fait savoir au commissaire que c'est une volonté du maire. Même s'ils coûtent plus cher qu'un panneau indicateur traditionnel, il veut que tous ceux indiquant son royaume soient plus jolis.

Imposante par deux ailes proéminentes de chaque côté et en son centre une entrée magistrale au-dessus de laquelle est mentionné, avec une écriture similaire à celle des panneaux indicateurs : « Hôtel de Ville de Sainte-Jeanne ». Devant se trouvent quelques marches desservant une placette, autour de laquelle les véhicules des visiteurs peuvent stationner. Parking payant. Sauf une place située à quelques mètres de la porte d'entrée de la mairie, sur laquelle un panneau indique : « Stationnement réservé à monsieur le maire ».

— Vous pouvez me croire, personne à la mairie n'ose prendre sa place. Même quand il n'est pas là. Je crois d'ailleurs que c'est illégal de privatiser ainsi un stationnement. Mais là non plus personne n'a jamais rien osé lui dire. Et le pire, c'est qu'il habite juste derrière. Deux minutes à pied. Mais c'est plus fort que lui, toujours cette façon d'imposer son autorité.

— Et les musées ?

— Quels musées ? Sainte-Jeanne n'a pas de musée.

— Mais toutes les œuvres d'art achetées par le maire, elles sont bien prévues pour être exposées quelque part ?

— C'est le cœur du problème, commissaire. La raison de ma dénonciation. Si vous écoutez le maire, il vous répondra que c'est pour le musée qu'il veut faire construire. Mais pour l'instant, ce musée reste une promesse de campagne. Même pas une promesse, une hypothèse de promesse.

Periti sourit à ce qu'il croit être un bon mot. Stanislas reste muet quelques instants. Plus de trois heures qu'il est avec l'opposant, et il ne lui avait pas encore posé cette question de la destination des œuvres d'art. Peut-être parce que la réponse lui semblait une évidence. Si la mairie de Sainte-Jeanne achète des œuvres d'art, en quantité quasi industrielle, c'est forcément pour les exposer dans un musée. Que le maire en garde une petite partie relève d'une sale manie délictuelle de certains élus, confondant biens publics avec propriété privée. Mais qu'il en garde la totalité, pour les exposer ultérieurement dans un hypothétique musée, dont la construction n'a pas même été encore envisagée, c'est une autre histoire. Au-delà de l'institutionnalisation du délit, c'est vraiment prendre les électeurs pour des cons.

— Si je comprends bien, le maire a choisi le contenu, avant d'avoir le contenant.

— Une façon de voir les choses. Il n'y a pas de musée, mais il y a les expositions tournantes.

— C'est quoi ça, les expositions tournantes ?

— Le maire choisit une salle communale, dans une école, le théâtre, le stade...

— Décidément, il sert à tout, le stade.

Periti n'a pas compris l'allusion du commissaire.

— Vous ne croyez pas si bien dire. Le maire, pendant un temps donné, fait exposer par un ancien professeur d'art qu'il a nommé pompeusement directeur des expositions, et qu'il a débauché de l'Éducation nationale pour un salaire indécent, quelques œuvres mineures parmi toutes celles qu'il a achetées. Où elles sont avant, et ce qu'elles deviennent après, lui seul pourrait vous le dire. Avec son directeur des expositions, bien sûr. Monsieur Emmanuel Tisard.

Midlak réfléchit vite. Encore un nouveau nom qui apparaît dans sa liste, déjà bien remplie, de tous ceux qu'il va falloir entendre. L'audition de ce directeur des expositions lui paraît fondamentale. Alors qu'il s'apprête à lui demander où et comment il pourrait contacter ce Tisard, Periti se raidit et s'affaisse sur son siège. Midlak s'est arrêté au feu rouge. Devant eux, venant de droite et pénétrant dans une rue propre et lumineuse, une voiture vient de surgir. Une BMW série 5, neuve.

— Dans la BM, c'est le maire. C'est sa voiture. Je l'ai reconnue.

Midlak s'étonne du comportement de l'édile.

— Ne vous inquiétez pas, il n'a pas pu vous voir.

— Il est entré dans la rue Denoël. C'est sa rue. Au numéro 12.

— Eh bien, on va aller regarder ça de plus près, on est aussi là pour ça.

Periti s'enfonce un peu plus dans son siège.

— Vous êtes sûr que c'est une bonne idée ?

— Certain. Il n'a aucune raison de penser qu'il a les flics au cul. Et surtout que vous êtes avec moi.

Et le policier engage à son tour sa 308 banalisée dans la rue. Il est encore plus surpris par la taille et l'éclairage de cette voie. Ainsi que par la propreté y régnant. Il constate que c'est la seule voie unique qu'il a été amené à emprunter jusqu'à maintenant. Il n'a pas le temps d'en faire la remarque à Periti. À hauteur du numéro 12, la BMW, portière avant gauche ouverte, est stationnée devant cette adresse. Un homme, d'une soixantaine d'années, portant beau, vient d'ouvrir le lourd portail en fer forgé et regagne sa voiture. Quand la Peugeot 308 arrive, il se fige de toute sa hauteur et fixe avec intensité le véhicule banalisé. L'éclairage, pourtant puissant, ne lui permet pas d'en voir les occupants. Ni même d'en déterminer le nombre. Pourtant, tout dans son attitude le laisse croire.

En le croisant, le commissaire Midlak ne peut s'empêcher de le regarder. Il comprend tout de suite que c'est dans les habitudes de l'homme de toiser ainsi les gens, même s'il ne les voit pas. Encore une façon, par un regard, de s'imposer. Montrer que rien ni personne ne peuvent le déstabiliser. Pas mal, pense le commissaire, impressionnant, le bonhomme. Il se tourne vers Periti pour lui faire part de ses remarques, mais l'homme a disparu, pratiquement caché sous son siège.

Le policier lui demande de se redresser. Ils ont quitté la rue du maire. Periti, rougissant, s'exécute. Le commissaire préfère ne lui faire aucune remarque. Il voudrait noter le numéro d'immatriculation de la voiture du maire qu'il a relevé en la doublant. Periti est ennuyé, il n'a rien pour prendre des notes.

— Notez-le sur votre portable, et envoyez-le-moi en SMS.

L'élu hésite, mais devant l'insistance de Midlak et le ton qu'il emploie, finit par s'exécuter.

Le silence revient dans l'habitacle. Cabrel a depuis longtemps arrêté de chanter les samedis soir ordinaires sur la Terre. La petite musique du portable de Midlak résonne, indiquant qu'il a bien reçu le SMS de Periti, qui reprend petit à petit une posture normale. Tous deux se taisent. Pour l'instant ils n'ont plus rien à dire. Chacun dans sa bulle.

Subitement, Midlak a très envie de rentrer chez lui. Embrasser ses deux enfants. Serrer sa femme dans ses bras. Il s'en veut de ne pas avoir pris le temps de l'appeler. Il souhaite juste se poser, se détendre, se retrouver dans son univers. C'est à ses enfants qu'il pense. Leurs bras autour de son cou, leurs éclats de rire et même leurs cris et engueulades lui manquent. Il s'interroge sur le sens de son métier. Quand tous sont couchés, bien peinards au fond de leur lit ou les pieds dans leurs pantoufles en train de regarder la télévision, lui arpente les rues silencieuses d'un village dans le but de recueillir des éléments contre l'élu numéro un avec son principal opposant. Mais pour quoi faire ?

Il envisage de mettre fin à cette tournée citadine quand, en passant devant le numéro 2 de la rue Meynaudier, Periti devient de nouveau volubile. Il se tourne vers Midlak et lui désigne une maison ancienne, petite cour intérieure, visiblement rénovée.

— Je ne sais pas si dans tout ça, je vous ai parlé de Marc Kavedjian ?

Stanislas regarde l'élu. Il a une tête étrange. Un sourire presque malin sur le visage. Incroyable comme ce type peut passer du rien au tout, et vice versa.

— Le directeur de cabinet du maire. Enfin, directeur de cabinet, c'est sa fonction officielle. Il fait un peu tout ce qu'il veut à la mairie, du moment que ça arrange le maire. Ils se sont bien trouvés, ces deux-là.

— Vous m'en avez parlé. Celui qui s'occupe des trajets pour ramener les œuvres d'art comme du choix des artisans pour retaper la maison du maire ?

— Sacrée mémoire, commissaire. J'ai dû aussi vous préciser que c'était un homme à femmes.

— Aussi.

— Et que son ancienne concubine Sorène Véri est secrétaire à la mairie.

— Vous avez aussi pris soin de préciser qu'elle était la plus jolie femme de la commune.

— Certains prétendent même du département, commissaire. Kavedjian n'a pas pu s'empêcher d'aller voir ailleurs pendant qu'ils étaient ensemble. Pas très malin de sa part. Fatalement, elle a fini par le savoir. Elle lui a pardonné deux ou trois fois, mais après elle l'a foutu dehors.

— Les goûts et les couleurs, vous savez.

— Vous ne direz pas ça quand vous l'aurez vue. Je vous conseille de la rencontrer. Pas à cause de sa beauté, mais surtout pour ce qu'elle pourrait vous raconter sur Marc Kavedjian, aux ordres de Delacour. Ils ont vécu trois ans ensemble. Elle sait des choses. Finalement, la seule dont elle n'était pas au courant, c'est le nombre exact de maîtresses que Kavedjian a eues pendant qu'ils étaient ensemble. Kavedjian s'est tellement senti merdeux qu'il lui a laissé cette maison. Vous verrez, elle est charmante. Mais méfiez-vous quand même, commissaire, on ne sait jamais où tout ça peut mener.

Les sous-entendus de son passager commencent à l'agacer. Il n'a qu'une envie maintenant, que ce tour de ville s'arrête. Il en sait assez. Ou trop. Periti jubile. L'engrenage est lancé. Les hameçons sont bien en place. La police a mordu avec son plus gros poisson.

33

Grâce aux indications de Valérie, Paulo sur sa moto a pu raccrocher le Porsche Cayenne conduit par Rachid Zerkaoui. Mais il est inquiet. Si au départ l'homme conduisait à allure normale, depuis que la route se fait plus déserte et droite il ne cesse d'accélérer. Difficile dans ses conditions d'aller à la même vitesse que lui, sa moto ne permet pas de dépasser les 180 km/h. Surtout à cette heure avancée de la nuit, sur ces routes peu fréquentées, le risque est double, celui de l'accident comme celui de se faire détroncher.

Mais Paulo est un têtu. Il a bien repéré la forme caractéristique des feux arrière du Cayenne, et même s'il ne colle pas la voiture, il peut ainsi, quand la route est droite, continuer à la suivre et annoncer sa progression. Jusqu'au moment où, à un rond-point, il ne voit plus rien. Il hésite. Ne sait pas quelle direction prendre. Continuer à droite, tout droit, à gauche ? Les panneaux indicateurs ne lui apprennent rien. Pas de solution concrète, il ne doit se fier qu'à son instinct. Il décide de prendre la direction la plus à gauche.

En même temps, il annonce par radio à ses coéquipiers qu'il tente un coup de bluff et leur conseille de rester planqués à quelques centaines de mètres du rond-point.

Derrière David Vallespir dans sa Ford Fiesta, Poisson et Valérie dans leur sous-marin stoppent leur progression. Pas la peine de se faire griller sans savoir où ils vont. Paulo est pris d'un doute. Son instinct lui indique que quelque chose ne va pas. Aucune lumière en vue, aucun feu arrière qui brille dans cette zone désertique. Comme un réflexe, alors qu'il croise sur sa droite un petit chemin de terre il entre dedans, fait quelques centaines de mètres et coupe phares et moteur de son trial.

Il souffle quelques secondes avant d'enlever son casque. Et tout ouïe tendue se met à écouter la nuit. Dans un premier temps, il n'entend rien. Juste les cliquetis discrets et caractéristiques de sa moto, quand elle s'arrête. Mais le silence toujours. Effrayant et apaisant à la fois. Paulo se secoue un peu plus. Descend de la moto, pose le casque sur la selle, essaye de se repérer comme il peut. Fait quelques pas dans la nuit noire. Il fouille dans la poche de sa veste, en sort un paquet de cigarettes et son briquet. Il allume sa clope. Et savoure la première bouffée.

Le vrombissement d'un moteur puissant se fait entendre. Par réflexe plus que par crainte, Paulo éteint son mégot. Pas la peine que le petit bout incandescent rouge de sa tige le fasse repérer. Le bruit du moteur se rapproche, mais Paulo ne distingue pas de faisceaux de phares. Pourtant, il ne fait aucun doute qu'une voiture puissante circule sur la nationale qu'il vient d'emprunter.

Il descend se positionner le plus près possible de la route et se camoufle derrière un bosquet. Il a à peine le temps de scruter la nuit qu'il devine plus qu'il ne voit le Porsche Cayenne rouler à vive allure, tous phares éteints, devant lui.

— Oh, le con !

Paulo n'a pas besoin de réfléchir longtemps pour comprendre. Tout au long des kilomètres enfilés, le conducteur a dû remarquer un phare de moto qui le suivait. Il a voulu s'assurer que ce n'étaient pas les flics. Au rond-point, il a fait un coup de sécurité. Étrange paradoxe mimétique de la lutte des flics contre les voyous, il a dû procéder de la même façon que Paulo. Dès qu'il a pu, il a enquillé un petit chemin en terre, a coupé moteur et phares et a attendu de voir la moto passer. Il a patienté une à deux minutes et a redémarré tous phares éteints avant de poursuivre sa route.

Peu enclin à penser au pire, Paulo préfère ne pas imaginer ce qu'aurait fait le chauffeur s'il n'avait pas à son tour, mû par son instinct de flic, disparu de la circulation. Il se félicite de sa décision d'arrêter la filature et de se camoufler. Il a évité toute rencontre dramatique avec le braqueur, mais surtout il a dû rassurer l'homme qui doit être persuadé de ne pas avoir les flics au cul.

Une fois qu'il n'entend plus le moteur, il s'autorise à allumer de nouveau sa clope et rend compte à David et aux deux autres policiers de ce qu'il vient de vivre.

La filature perdue, il propose de lever le dispositif de surveillance et de rentrer au service.

C'est sans compter sur l'arrogance de la jeunesse et le culot de la seule femme du groupe. Elle annonce à la radio :

— À la Crime, on n'aurait pas abandonné aussi facilement...

David est surpris par le ton de Valérie.

— Tu nous expliques, Val ?

— Je viens souvent faire de la bécane dans le coin. La route que Rachid a empruntée est sans issue. Pour rentrer à Biarritz, le rond-point est le passage obligé. Je peux pas vous dire quand, mais il repassera par là. Faut juste être patient... comme on sait l'être, à la Crime.

Poisson la regarde avec de grands yeux. La petite l'épate. Jolie et impertinente, tout ce qu'il aime chez une femme. Ce n'est pas la réflexion sarcastique de Valérie qui a emporté la décision. En entendant les propos de sa jeune collègue, David n'a pas hésité une seconde. Et tant pis s'ils doivent planquer toute la nuit.

— OK, on le fait. Paulo, tu restes où tu es. Sans dormir. Et t'annonces quand le Cayenne revient. Les autres, vous vous positionnez discrets en direction de Biarritz. Putain, il sera pas dit qu'on planque moins que la Crime.

34

Même si la nuit a été courte, Stanislas est déjà au bureau. Ce matin, il tenait à lever lui-même ses enfants et à les accompagner à l'école. Léa avait cent mille histoires à lui raconter, des histoires de meilleures amies devenues pires ennemies et de garçons qui voulaient les pousser dans la cour. Pour rien au monde Stanislas n'aurait voulu rater les épisodes de la vie trépidante de sa fille.

Dimitri, taiseux, était juste content que son père soit à côté de lui. Il l'observait essayer de comprendre les discours alambiqués et définitifs de Léa sur l'amitié entre filles, l'amour avec les garçons et le sens de la vie. Stanislas faisait semblant de ne pas comprendre ces poncifs enfantins et lui posait des questions aussi stupides que délirantes, ce qui faisait marrer son frère. Stanislas regardait alors son fils et lui faisait un énorme clin d'œil. Ce signe aussi insignifiant que banal suffisait à le combler.

Dans ces moments, Midlak était heureux, même s'il fallait toujours un peu secouer Léa qui traînait et finissait par mettre tout le monde en retard. Et même si, à l'instant où il les vivait, Stanislas n'avait pas conscience de son état de quiétude.

Une fois les enfants déposés à l'école, il pouvait être à son service à l'heure. Et avant les arrivées perlées de ses collègues et le briefing matinal du café, procéder à des vérifications. La tournée de Sainte-Jeanne avec Periti avait été aussi bénéfique que pénible. Il a maintenant une masse de renseignements qu'il doit traiter. En réalité, il ne sait pas trop par où commencer. Seul élément intéressant, ces informations lui ont été communiquées sous couvert d'anonymat. Même si la pusillanimité de l'édile rondouillard le chagrine, dans l'immédiat elle l'arrange. Il ne fera apparaître dans sa procédure écrite que les faits dont les vérifications auront permis d'établir une réalité formelle. Pas de rumeurs ou de on-dit, pas de facilité ou d'interprétation rapides, que des faits avérés.

Alors il choisit une méthode ancienne qui a fait ses preuves. Des fiches de travail. Pour chaque individu dénoncé par Periti, il rédige une note sur bristol. Avec les mêmes mentions sur chacune d'elles. Il sourit. Comme celles que lui demandaient de rédiger ses professeurs, quand il devait se présenter en début d'année. Non, prénom, date et lieu de naissance. Le job est fastidieux, répétitif. Adresse, profession. Les faits dénoncés par Periti et leur éventuelle qualification juridique. En tout, Periti lui a bien soufflé une vingtaine de noms dont il a visualisé les domiciles. Depuis qu'il s'intéresse à ce dossier, certains commencent à lui être familiers.

À tout seigneur tout honneur, Robert et Jeanne Delacour bien sûr. Roi et reine du village de Sainte-

Jeanne. Il hésite avant de rédiger celles de leurs deux enfants, Louise et Éric. Mais au diable, l'avarice. Dieu et l'enquête reconnaîtront les leurs. Les deux enfants du couple ont droit aussi à leur petite fiche.

Il poursuit avec le premier adjoint chargé des finances, François Gabelle. Pour sa femme Simone, même si Periti, dans sa langue de serpent, lui en a glissé deux mots, il considère que, pour l'instant, elle peut se contenter d'apparaître sur celle de son mari. Point trop n'en faut quand même. Il faut savoir garder raison et donner de l'importance à ceux qui en méritent.

Puis vient le tour de l'adjoint chargé de la sécurité, Paul Richard, qui a obtenu un logement social pour son fils François. Midlak mâchouille son stylo. S'interroge. Pas longtemps. Le rejeton apparaîtra sur la fiche de son ascendant. Une autre note pour le directeur de l'urbanisme Roger Fantacci, accolée à celle du promoteur luxembourgeois réalisant des projets immobiliers d'importance et de luxe à Sainte-Jeanne : Charles-Frédéric Kayser. Et bien sûr une pour le directeur de cabinet, Marc Kavedjian et une autre pour le directeur général des services, Olivier Lamaury. Il n'oublie pas celle concernant la responsable de la société de promotion immobilière, Sylvie Paisange, et une autre pour le gérant de la société d'électricité E2S, Sébastien Sanchez.

Le commissaire considère son lot de fiches. Il lui fait penser à un jeu de cartes. Certaines ont des têtes d'atout, d'autres présentent moins de points. En tout cas aucun joker, pense-t-il. Il les feuillette. Relit les indications que lui a fournies Periti, ajoute ici ou là des précisions. Vérifie des dates, cherche sur Internet et déniche parfois des photos des uns ou des autres.

Il en profite pour vérifier l'immatriculation de la voiture du maire. Il regarde sur son portable les différents messages reçus. Il cherche celui que Periti lui a envoyé, mais il ne le trouve pas. Il ne comprend pas. Son portable a bien sonné quand il a reçu le SMS. Au cours de l'audition, il lui a donné son numéro. Il se souvient de l'avoir enregistré immédiatement. Il vérifie et voit bien la fiche mémorisée au nom de Periti Patrick, mais aucun message ne lui est associé.

Il fait défiler la liste de ses appels passés et reçus et tombe sur un SMS dont le numéro n'est pas identifié à un titulaire, indiquant : RD-066-SJ. L'immatriculation de la BMW du maire. Stanislas percute. Periti a deux téléphones, un professionnel et un personnel. Ou un officiel et un second qu'il utilise avec discrétion. Un téléphone dédié, qui sert uniquement pour contacter un groupe restreint. Il y a des antécédents célèbres. Jusqu'au plus haut niveau de l'État.

Pas certain qu'hier au soir Periti voulait lui communiquer son deuxième numéro. Mais dans son effroi de croiser le maire, et jouant depuis le début de la soirée avec son portable, il a confondu ou oublié quel téléphone il avait en main. Il lui a envoyé le SMS depuis le mauvais.

Il s'apprête à quitter le fichier des cartes grises quand une mention inattendue l'interpelle. En d'autres temps, il n'y aurait pas prêté attention, mais depuis sa découverte de l'erreur de portable, il est en configuration tout sens en alerte. Il pense que ce petit détail doit avoir son importance. Il ne sait pas encore pourquoi, mais il le sent. L'instinct policier. Le fichier mentionne que ce véhicule a été importé du Luxembourg.

Ce n'est pas l'origine de ce véhicule qui l'a fait tilter, mais bien le fait que le maire, grand défenseur devant l'opinion et les médias du made in France, l'ait fait importer. Encore plus quand ce pays est de taille modeste, pour ne pas dire petit. Rouler dans une voiture étrangère, quand on est un élu du peuple revendiquant le savoir-faire, la construction et la fabrication française relève *a minima* d'un oxymore politique, *a maxima* d'une contradiction nationale.

Le Luxembourg, patrie de Charles-Frédéric Kayser, patron d'Immo Kayser, qui a déjà fait construire quatre résidences de standing de quatre-vingts appartements chacune à Sainte-Jeanne, et propriétaire de Car Kayser, concessionnaire exclusif BMW au Luxembourg, spécialisé dans la vente et l'exportation de voitures de cette marque. Midlak attrape son téléphone de service.

— Les cartes grises ? Commissaire Midlak de la PJ, vous pouvez me mailer rapidement toutes les pièces du dossier du véhicule BMW série 5, immatriculé RD-066-SJ, s'il vous plaît ? Merci.

En attendant, Midlak jette encore un œil sur son jeu de cartes aux couleurs des habitants de Sainte-Jeanne. Il pense n'avoir oublié personne. Imagine déjà le boulot qui va pouvoir être fait sur chacun d'eux. Les surveillances, les filatures, les réquisitions sur les comptes bancaires et sur les factures détaillées de téléphone. Il s'arrête, pensif. Par mauvaise habitude, il mâchouille encore son stylo. Cette dernière réflexion sur les fadettes l'interpelle.

D'un coup, son stylo quitte sa bouche. Il se saisit d'une nouvelle fiche bristol. En en-tête, il inscrit : Patrick Periti. Et note dessus, entre autres, ses deux numéros de téléphone.

Puis il prend une autre fiche et inscrit : Sorène Véri. Sur Internet, il trouve rapidement une photo de la jeune femme prise au cours d'une cérémonie municipale. Il acquiesce. Effectivement, elle est très jolie.

35

Quand David Vallespir entre dans le bureau, il trouve son patron en pleine lecture de documents. Midlak n'a même pas remarqué la présence du capitaine. Il est obligé de toussoter pour que Stanislas lève la tête et daigne lui adresser un signe.

— Tu snobes, patron ? Tu viens pas au café ?

— Merde, j'ai pas vu l'heure.

— Tu vieillis, patron. C'est l'apéro, là.

— Je crois qu'on tient autre chose.

David prend les documents que lui tend son chef.

— Je crois que nous aussi.

Stanislas se dresse. À trop examiner les dossiers Sainte-Jeanne, il en oublie les autres affaires en cours. Déjà oublier le café-débrief relève d'une faute managériale qu'il n'aime pas commettre, mais ne pas se soucier des activités nocturnes de ses subordonnés, au seul prétexte que lui-même assurait une surveillance, prouve bien qu'il n'est pas dans son état normal.

— Excuse-moi, vieux. Vingt ans de police, je ne pensais pas voir ça un jour. Ça a donné quoi, vous ?

— Rachid s'est arraché vers 23 heures de L'Équinoxe, seul, à bord d'un Cayenne. On l'a perdu à l'aller et, coup de bol, rechopé au retour. Ils étaient quatre dans le Porsche, chargé à bloc.

— Sans déc?

David laisse à son chef le temps de digérer toutes ses infos.

— Et c'est pas tout. On a logé un entrepôt, au milieu de la zone industrielle des Mingues, spécialisée dans l'agro-alimentaire. On les a vus décharger cinq énormes sacs. Rachid en tête. Armes ou cames, on sait pas encore. Mais ça sent bon.

— Et Le Grand?

— Pas vu, ni à l'aller, ni au retour, ni au déchargement.

Stanislas en est presque soulagé.

— Mais c'est des braqueurs, nos lascars, pourquoi ils donneraient dans les stups?

— Tu fatigues, chef! Un bon voyou a toujours un plan B. Le pognon des braquages leur sert peut-être à financer la came. Gain multiplié par dix.

Décidément, Stanislas n'y est plus. Il regarde son vieux pote. Secoue la tête, désigne les documents qu'il vient de recevoir du service cartes grises de la préfecture que David tient entre ses mains.

— Ça me prend la tête, tout ça. Plus je gratte et plus je découvre des trucs de dingues. Dans la série : « je diversifie mes activités », le maire n'est pas en reste.

Stanislas ne laisse pas le temps à David de prendre connaissance des documents qu'il vient de lui remettre. Impatient, il lui dit :

— Alors, t'as trouvé la manip sur la bagnole?

— Pour l'instant, non. À part que Delacour s'est payé une BM neuve au Luxembourg à 35 000 euros.

— Tu brûles : vérifie qui lui a vendu ?

— La société Car Kayser ! Marc Kavedjian roule aussi dans une voiture Car Kayser.

— Bon point pour toi, mais encore ? Car Kayser...

Après concentration, David enchaîne :

— ... est une des sociétés de Charles-François Kayser, le promoteur immobilier qui sévit à Sainte-Jeanne.

— Et tu lis quoi sur la facture ?

— Car Kayser lui a fait une reprise de 8 000 euros sur son ancienne voiture. C'est pas interdit ça, une reprise.

— T'as raison, sur le principe : une reprise, c'est pas interdit, sauf quand l'ancien véhicule, contrairement à ce qui est annoncé sur la facture, n'a jamais été repris.

Stanislas se lève, reprend les papiers que tient David entre ses mains, cherche au milieu et lui tend un formulaire :

— Oh, putain...

— J'en conclus que t'as trouvé.

— Son ancienne bagnole a été remisée à Auto Mercourti, la fourrière de Sainte-Jeanne, et détruite. Il ne l'a jamais remise à Car Kayser...

Il comprend ce que cela signifie.

— ... donc, la facture est bidon.

— Bravo. Et ça veut surtout dire que Charles-François Kayser a fait au maire une réduction de plus de vingt pour cent sur sa bagnole. Et n'a pas hésité pour justifier cette dernière à émettre une fausse facture. La vraie question, donc, est : en contrepartie de quoi ?

36

La stratégie est vite définie. Il est temps de faire une pause. Déjà prendre l'apéro avec les membres de la BRB. Et refaire avec eux la filoche de la nuit. Paulo est en verve. Son auditoire est presque au complet, c'est là où il est le meilleur. Il en rajoute des tonnes sur ce qui s'est déroulé la veille. Et comment, grâce à sa maîtrise parfaite de la moto et du terrain, il a pu éviter tous les pièges et coups de sécurité mis en place par les voyous pour éviter les poulets. Il évite de raconter l'épisode du trajet aller où il a perdu de vue le Porsche conduit par Rachid, pour ne retenir que l'essentiel, le retour où, bien aidé par Valérie, ils ont fait le choix de rester stationnés au rond-point.

Leur attente avait été de courte durée. Moins d'une heure après leur avoir faussé compagnie, la voiture était repassée en sens inverse. Elle n'avait pas échappé à Paulo, qui attaquait son deuxième paquet de clopes et avait pu donner l'alerte, en précisant que Rachid n'était pas seul, mais accompagné de trois autres individus. Dont il n'avait pas pu voir les visages, à cause de la nuit, mais aussi parce que les passagers portaient des cagoules.

Il avait fallu la jouer serrée pour ne pas se faire remarquer. Dans la nuit, Paulo n'avait pas hésité à rouler comme les voyous, tous phares éteints.

Il ne s'était pas laissé leurrer par les techniques vicelardes des voyous qu'il suivait. Il avait su accrocher la surveillance et voir le véhicule s'engouffrer dans la zone industrielle des Mingues. Juste le temps de rameuter le reste de la troupe, quand les quatre malfrats déchargeaient de gros sacs dans l'entrepôt numéro six *bis*, à l'enseigne : « Tout Frais ».

Midlak sourit en écoutant Paulo. Pour lui, ces moments de détente liés à l'activité professionnelle sont primordiaux. Pas la peine d'être en mode : « cravaté du cou et sourire jamais » pour faire correctement son métier. Les rares fois où il a porté une cravate, Paulo la lui a coupée. Tradition à la PJ de Bayonne : toute cravate a une durée de vie limitée. Et ce, quel que soit le porteur de cet ornement vertical vestimentaire : chef d'antenne, commandant de gendarmerie, directeur de cabinet du préfet. Comme des trophées, Paulo affiche leurs bouts de tissu découpés au-dessus du bar de la salle de vie. Une façon aussi de savoir ceux qui ont des goûts de chiottes. Ou de luxe. Le commandant de gendarmerie ayant le sens de l'apparat lié à son arme est bien noté, le directeur de cabinet fait un peu pâle figure.

Paulo n'a reculé qu'une seule fois. Le jour où le ministre de l'Intérieur est venu en personne féliciter les policiers de l'antenne pour l'élucidation d'une affaire de meurtre. Ce n'est pas la peur d'être mal vu, ce sont les gardes du corps du premier flic de France qui l'en ont empêché. Impossible d'approcher l'édile sans que ses deux cerbères plus imposants qu'intelligents repoussent les impétrants. Paulo s'est promis une revanche. Il le sait, un jour il coupera la cravate du ministre.

Plus Stanislas vieillit dans la boîte, plus il a conscience que ce boulot de flic n'est pas fait pour les endimanchés du quotidien et les costumés du sérieux. Juste fait pour des gamins qui ont grandi trop vite et qui continuent de jouer aux gendarmes et aux voleurs. Éternel jeu. Chacun dans son rôle. Midlak le connaît par cœur. C'est certainement pour ça qu'il est devenu flic. Jouer, parce que la vie est un grand jeu, dont l'issue est certaine. Indéfectible et définitive. La seule vraie question est de savoir comment se comporter entre les règles imposées pour arriver jusqu'à la fin et la rendre la moins insupportable possible. La moins dégueulasse.

Alors, il écoute en se marrant la filature de la veille racontée par Paulo. La mine réjouie et les simagrées de son collègue lui démontrent qu'il a raison. La vie policière est faite de ces moments. Comme un sas de décompression entre une réalité violente et le retour à la vie privée.

Mais il doit aussi fixer les objectifs. Deux enquêtes d'importance menées en même temps par des effectifs limités et non extensibles, cela conduit à quelques contorsions et dépassements d'horaire fatigants et compliqués. Mais Midlak connaît aussi ses hommes, il sait comment les appâter.

Il leur fait part de ses découvertes sur les différents élus de la commune de Sainte-Jeanne. Il fait circuler son jeu de cartes bristol. Paulo émet un sifflement en voyant celle de Sorène Véri.

— Une jolie dame de cœur, lance-t-il tout haut.

Midlak leur raconte également l'élu délateur, Patrick Periti, aussi rond que peureux.

— Le fou du roi, avance Paulo.

Et tous les méfaits supposés qu'auraient commis les élus dénoncés.

Les autres collègues font à leur tour des remarques persifleuses, chacun y va de son commentaire sur les hommes politiques. Peu importe la couleur ou l'orientation. Tous sont atterrés par ce que leur raconte le commissaire.

Midlak n'a pas besoin de motiver ses troupes. Il leur propose de continuer à travailler sur les élus désignés comme s'ils bossaient sur une équipe de braqueurs. Écoutes, filatures, mises en évidence du train de vie.

— On a pu déjà le constater, ce ne sont pas des voyous tradi, ils ne peuvent pas imaginer avoir les flics au cul.

Même si cette affaire regarde *ab initio* leurs collègues de la Financière, ils sont tous volontaires pour travailler avec lui sur ce dossier. Ce qui compte, c'est que les voyous soient arrêtés, qu'ils soient costumés et cravatés ou malfaiteurs d'habitude.

— Entre nous, on se demande qui sont les plus habitués aux saloperies ?

Mais ils doivent aussi travailler sur Zerkaoui et son équipe. Personne ne voulant choisir son camp, Midlak organise un tirage au sort pour savoir qui se concentrera sur Rachid et ses sbires, sous la direction du capitaine Vallespir, et qui viendra s'occuper, sous ses ordres, de l'association d'élus.

Hasard du jeu, Paulo se retrouve dans le groupe de Stanislas.

Stanislas forme les équipes. Il veut deux enquêteurs par élu soupçonné. Travail classique d'environnement, aussi bien administratif que sur le terrain. Qui est qui ? Qui fait quoi ? Avec qui ? Comment ? Où ?

Devant son ordinateur, Poisson bâille. La filature de la veille l'a exténué. Même s'il était ravi de partager le sous-marin avec Valérie de la Crime. Il l'a un peu plus découverte hier au soir, et il n'est pas insensible à ses charmes et atouts. Il croit se souvenir qu'elle lui a précisé qu'elle était célibataire. En tout cas, personne à l'antenne ne lui connaît d'aventures masculines. Lui, il y a bien longtemps que son mariage et les histoires de couple, de cœur ou de cul, se sont soldés par des échecs.

Il souffle. Il faudra quand même qu'un jour il se décide à se poser. Il se redresse sur son fauteuil, repense à Valérie et à la tête qu'elle a faite quand elle s'est retrouvée à L'Équinoxe en train de siroter un cocktail tout en surveillant des voyous de haut vol. Mû par l'évidence qu'il aurait dû le faire dès le début, il entre dans ses fichiers les noms de Jean-Louis Bastide et Rachid Zerkaoui, afin de faire une recherche croisée.

Quand il entre sans frapper dans le bureau de David Vallespir, il a tout vérifié.

— Vas-y, je t'écoute.

— Si je te dis un truc énorme, qui fait vraiment avancer l'enquête, tu peux agir de ton influence auprès de Midlak pour que la petite Valérie de la Crime, elle vienne dans notre groupe ?

— Tu m'emmerdes avec tes affaires de cul, Poisson, si tu veux sauter la petite Valérie, tu lui dis directement. Tu passes pas par moi.

Il est à peu près sûr qu'il a été entendu par tous les membres du service.

— Bon, vas-y, envoie, maintenant.

— J'ai trouvé un lien entre Le Grand et le boxeur.

— Bizarrement, là, tu vois, tu m'intéresses.

Poisson lui explique qu'au départ tout oppose les deux hommes : leurs origines, leur culture, leur âge. Le seul lien qui les unit est le banditisme, et le fait que tous les deux soient des braqueurs. Et leurs relations communes.

Il fallait chercher du côté des prisons fréquentées par les uns et les autres.

Le lien saute aux yeux du chef de la BRB.

37

Pendant que Stanislas conduit, Paulo vérifie le document administratif de destruction de l'ancien véhicule de Robert Delacour. Ce papier en atteste la réalité et précise que c'est bien le garage Auto Mercourti qui s'en est chargé. Paulo a compris où voulait en venir son chef. Il hoche la tête.

— On se la joue brutal, à l'ancienne, ou normal ?

— On voit, on jauge, on discute... et on improvise.

Albert Mercourti, petit homme chauve à la moustache touffue, est âgé d'une soixantaine d'années. Il prétend ne pas avoir l'habitude de voir débarquer des officiers de police judiciaire dans son garage. Devant les deux policiers posant des questions insistantes, ses souvenirs lui reviennent au pas forcé. Il ne lui faut pas longtemps pour retrouver trace de son intervention, le jour où il a procédé à l'enlèvement du véhicule du maire. Les indications sur son livre de bord ont beau être aussi manuscrites que sales, elles lui permettent d'avoir la mémoire vive et l'explication détaillée. Une fois démarré, plus personne n'arrête Albert Mercourti. Ce n'est pas la première fois que

Stanislas constate ce phénomène : la vertu accélératrice et libératoire de la carte tricolore.

Le garagiste se souvient du soir où il a été contacté par la police municipale. Au mois d'octobre, à 22 h 57. Non seulement il note tout sur son registre, mais maintenant qu'il lit ses notes, il se souvient bien de cette heure étonnante. Pas une heure à laquelle habituellement les forces de l'ordre locales, municipales, nationales, militaires ou étrangères l'appellent. Plutôt une heure où il a l'habitude d'aller se coucher. Ce soir-là donc, les policiers municipaux de Sainte-Jeanne lui ordonnent de procéder à l'enlèvement d'un véhicule qui venait d'avoir d'un accident léger sur la voie publique. Vu l'heure, il leur a demandé si ça ne pouvait pas attendre le lendemain. La réponse a été sans appel. Il y avait comme un caractère d'urgence. Et de confidentialité.

Il s'est rendu avec sa dépanneuse rue Dompierre à Sainte-Jeanne, pas très loin de l'église, la rue qui fait l'angle avec la rue Denoël, la rue du maire. Et là, en fait d'accident léger, il s'agissait plutôt d'un truc lourd. La voiture qui avait embouti le poteau électrique était hors d'usage. Et l'électricité coupée dans le secteur.

Le conducteur n'était autre que le maire Robert Delacour, dans un piteux état, ivre mort. Bourré comme une cantine, le maire, quoi ! Il a procédé à l'enlèvement du véhicule et les municipaux n'ont même pas eu besoin de lui demander de se taire sur l'état du premier élu de la commune. Pas de témoin, pas de blessé. Des dégâts collatéraux propres à la mairie. Inutile de rajouter de la délation à son intervention nocturne.

Il n'allait quand même pas dénoncer son principal fournisseur de travail à Sainte-Jeanne, capable d'intervenir pour ou contre lui lors du renouvellement de son agrément préfectoral. Et puis, ça ne relève pas de sa responsabilité, de constater l'état d'ivresse des gens. Lui, il a juste fait son job dans les règles, d'ailleurs tout est noté dans son registre. Il a même pris des photos de la voiture et a renvoyé tous les documents à la préfecture pour notifier la destruction de ce véhicule.

Le maire ne pouvait pas imaginer qu'Albert avait si bien travaillé et avait conservé les traces administratives et photographiques de son ancien véhicule détruit, mentionné comme étant une reprise sur la facture d'achats de la société Car Kayser pour sa BM flambant neuve.

Stanislas et Paulo repartent avec les documents et les photos.

— Tu vois : pas besoin de mettre en place de stratégie. Juste le laisser venir, le père Albert.

— Pour y être venu, il est venu. Pas ce qu'on appelle une balance, mais un vrai moulin à paroles.

— Surtout avec les forces de police locales, municipales, nationales...

— ... ou étrangères.

Les deux policiers rigolent en montant dans leur voiture.

— 8000 euros de réduction pour la reprise d'un véhicule détruit. Jolie remise pour monsieur le maire.

— Ouais, et qui dit détruit, dit véhicule inexistant. Donc fausse facture.

— Mais pourquoi ?

— C'est toute la question.

Paulo examine encore les documents que vient de leur remettre Albert.

— Et sinon, ma vieille Clio de 1983, tu penses qu'il peut me faire une remise de combien dessus, Kayser ?

— Le Luxembourgeois est un homme de goût. Une Clio de 1983, poubelle sur roues, sans jantes et essuie-glaces..

— Ah, si, j'ai réparé les essuie-glaces !

— Eh bien, alors, si t'as un terrain à vendre pour faire construire dessus, et avec les essuie-glaces, tu peux en tirer 20 000, facile.

— Tu crois vraiment que ça s'est passé comme ça ?

— J'en sais rien. Mais j'en ai bien peur. De toute façon, cette remise n'est pas gratuite. Il y a quelque chose derrière.

Paulo regarde la route qu'emprunte son chef.

— Tu vas où, là, comme ça ?

— Une convocation à porter. Sorène Véri. J'ai envie de savoir ce qu'elle a à nous raconter, cette petite.

— La dame de cœur de ton jeu de bristol ?

Stanislas sourit. Rien n'échappe à Paulo.

— Elle-même. Elle a partagé sa vie pendant trois ans avec le directeur de cabinet du maire, elle pourrait être au courant de beaucoup de choses.

— Te fatigue pas, j'ai appris sa carte par cœur.

À l'adresse de Sorène Véri, au 2, rue Meynaudier, personne ne répond. Stanislas laisse une convocation. Il observe la maison. Comme le lui a soufflé Periti, c'est vrai qu'elle est charmante. Puis il contemple l'ensemble de la rue, elle lui semble déjà très familière.

38

Quatre véhicules banalisés sillonnent Sainte-Jeanne. Ils ne lâchent par leurs objectifs, qui n'imaginent pas une seule seconde faire l'objet d'une filature.

En fin d'après-midi, Paulo a assuré les écoutes mises en place sur les différentes lignes téléphoniques des protagonistes de l'affaire Delacour. Particulièrement celle du maire, de sa femme, de Sophie Paisange et de Sébastien Sanchez.

Il a l'oreille habituée et le réflexe policier. Dès le commencement d'une conversation, il sait si elle va avoir de l'importance ou pas. Il ne se trompe jamais, et en outre prend toujours le temps, même si les échanges entre les appelants lui paraissent anodins, de l'écouter jusqu'au bout. Avec cette capacité inouïe de lire *L'Équipe* ou le *Midi olympique* en même temps.

Les derniers exploits du Bayonne Olympique ne l'ont pas empêché de relever la conversation numéro 9876 du jour et de comprendre, au ton employé par Delacour, qu'elle pouvait avoir son importance. Paulo s'était déjà rendu compte que, pour parler à ses employés, le maire n'hésitait pas à être sec, pour ne pas dire autoritaire. Dans cet enregistrement, le maire a laissé tomber son ton autocrate pour être au contraire mielleux, à la limite de la flagornerie. S'inquiétant même de savoir comment allait la si charmante épouse de son employé.

Il n'en a pas fallu plus aux policiers pour en déduire que Delacour allait confier une mission à son homme de main. Et de monter en urgence un dispositif de surveillance et filature.

Stanislas venait de terminer de faire réviser ses devoirs à Dimitri quand il a été prévenu par David Vallespir. Depuis le passage de ceinture de son fils, auquel il est arrivé en retard, Cécile est très remontée contre lui. Quitte à passer une soirée compliquée, autant que ce soit au fond d'une voiture de police, pour faire avancer un dossier d'enquête.

Il n'a pas cherché à donner plus d'explications à sa femme. Il part du principe qu'elle sait qu'il est flic depuis des années, et depuis le temps, a assimilé qu'à n'importe quel moment il peut être appelé pour une mission. Il n'a pas pris en compte que, lorsque les problèmes surviennent dans un couple, l'assimilation de l'un ne signifie pas l'acceptation de l'autre.

Il a rejoint en urgence le dispositif. Et se dit qu'il a de la chance de faire de la police de riches. Quatre policiers pour trois voitures et une moto, tous les services d'enquête n'ont pas de tels moyens.

— À tous de Stan. En place, à cinq cents mètres de la mairie.

À l'entrée de la rue, il voit un cycliste roulant droit dans sa direction. Il s'enfonce un peu plus dans son fauteuil, même si le risque est minime il ne tient pas à être vu. Il n'a surtout pas envie qu'un riverain inquiet de voir un homme affalé dans sa voiture appelle la police municipale pour le contrôler.

Le cycliste est une cycliste. Stanislas s'est garé rue Meynaudier, pas très loin du numéro 2. Il l'avait senti, cette adresse ne lui était pas inconnue. Il s'agit du domicile de la jolie Sorène Véri.

Elle ne l'a pas vu et pose son vélo devant sa petite maison. Il a tout le loisir de la contempler. Fine, souple et élégante. Ses cheveux emmêlés par le vent, elle tente dans un geste gracile, vain, de les démêler. Ce mouvement met en valeur sa silhouette et ne cache rien de ses formes. Stanislas est séduit. Il se surprend même à n'en sentir aucun remords.

39

Sorène Véri est une belle femme. Pas de cette beauté qui pollue les magazines féminins, mais de celle discrète qui irradie l'évidence. Trente-sept ans, taille moyenne, élancée, cheveux châtains, mi-longs, yeux clairs. On perçoit qu'elle a déjà eu son lot d'amertume et de déception. Mais qu'elle regarde encore le monde avec surprise et étonnement.

Quand elle sonne à la grande porte du paquebot de l'antenne de la PJ de Bayonne, elle ne sait pas ce qui l'attend. Elle hésite entre effroi et envie de tout déballer. Éternel paradoxe que provoque le flic. Pas très heureuse d'être ainsi convoquée à la police judiciaire, encore moins par le commissaire en titre. Mais en même temps, hâte de rencontrer les types qui font trembler les fondations du régime communal dont elle dépend.

Des années qu'elle aimerait dénoncer tout ce qu'elle sait. Et elle en sait. Et depuis qu'elle sait, elle sait surtout qu'elle ne sait pas tout. Sa liaison de presque trois ans avec le directeur de cabinet Marc Kavedjian lui a permis d'en voir beaucoup. Surtout, elle lui a permis de comprendre que cet homme était un menteur, un truqueur, un manipulateur, autant dans sa vie privée que dans sa vie professionnelle.

Elle a compris que son ex-concubin cache très bien son jeu et qu'elle n'est au courant que de quelques cartes que, par maladresse ou excès de confiance, il a dévoilées. Mais même concernant ces dernières, elle a des doutes. Elle se demande si l'exhibition involontaire de telles ou telles données ne relève pas d'une manipulation à plusieurs niveaux. Elle a trop souffert de son double, triple, voire quadruple jeu en amour, pour savoir que cet homme est capable de tout pour sauvegarder ses intérêts.

Sa relation avec le dir cab lui a permis de fréquenter les plus hauts responsables de la mairie. Quand elle s'est décidée à le virer, il lui a permis de conserver son poste au sein du secrétariat. Pas question qu'elle aille ébruiter les rares secrets ou indiscrétions dont elle aurait pu avoir connaissance. Une façon pour les hauts responsables communaux de toujours avoir un œil sur elle et pour elle de continuer à toucher un salaire.

Dans le bureau de Midlak, Sorène Véri et le commissaire restent silencieux. Elle est intimidée. Par les lieux d'abord, mais aussi par le commissaire. Elle ne se l'était pas imaginé. Un flic, c'est un flic. Un homme porteur d'un uniforme, représentant la loi. Air sévère et code pénal sous le bras. Elle n'avait pas pensé que derrière le grade ou la fonction puisse se trouver un homme. Avec ses doutes et ses charmes.

Midlak finit par briser la glace. Il désigne son bureau.

— Impressionnant, non ? Je crois que j'ai le plus beau bureau des chefs de service de l'administration du département. Le préfet lui-même me l'envie.

Sorène hoche la tête. Elle est encore un peu déstabilisée. Stanislas lui montre un des fauteuils devant son bureau.

— Asseyez-vous, je vous en prie. Mettez-vous à l'aise.

Lui-même s'installe dans son fauteuil de banquier, prend son temps, relit quelques notes. Regarde son interlocutrice, lui sourit, presque bêtement. Sa beauté l'a saisi. Il sait exactement ce qu'il a à lui demander, mais ne sait pas par quoi commencer. Sorène tousse discrètement. Elle ne sait pas quoi dire. Mais se sent bien. Cet homme lui plaît. Elle décide de prendre les devants.

— Je peux savoir la raison de ma convocation, monsieur le commissaire ?

— Bien sûr. Excusez-moi.

Il sent qu'il ne doit pas y aller par quatre chemins. Il lui fait une présentation générale du dossier, sans entrer dans les détails. Les on-dit, les rumeurs de corruption, les dénonciations anonymes sur la ville de Sainte-Jeanne, ses élus et ses cadres administratifs.

— Vous-même, je crois que vous avez vécu un ou deux ans avec le directeur de cabinet du maire, M. Marc Kavedjian ?

— Trois ans, pour être exacte, monsieur le commissaire. Trois ans de trop.

La franchise de cette femme surprend Stanislas, mais lui plaît.

— De trop ? Pourquoi ?

— Parce qu'il m'a tout fait, monsieur le commissaire. Il m'a rendue très heureuse, avant de me rendre très malheureuse. Et la seconde partie a été beaucoup plus longue que la première. Le tout en me prenant pour une conne. Une grosse conne.

Midlak sourit. Il sait qu'il va bien s'entendre avec cette femme.

L'entretien s'éternise. Ni elle, ni Midlak ne s'en plaignent. La lumière est tombée et le commissaire a allumé les lampes d'appoint de son bureau. Très vite, la discussion a pris un rythme de croisière. L'ambiance aide aux confidences.

Déjà une heure trente qu'ils échangent. Stanislas n'a pris aucune note écrite. Juste poser des questions précises et écouter les réponses précieuses de Sorène. Elle ne cherche pas à cacher des choses au policier et répond avec une franchise déconcertante à toutes les interrogations, comme si elle cherchait à solder définitivement sa relation avec Marc Kavedjian.

Rapidement, Stanislas apprend que le couple a acheté un appartement, un petit F2 de 85000 euros, dans une résidence de standing à Sainte-Jeanne dont la promotion était assurée par Immo Kayser. Ils n'ont jamais habité cet appartement. Le seul objectif était de faire un placement financier et de le revendre rapidement avec une plus-value. But complètement assumé par Marc Kavedjian. Ils ont même tous les deux créé une SCI pour ça. Sorène se marre.

— Sa seule preuve d'amour. Nos initiales mélangées dans une SCI commune. La SCI MSKV. Marc et Sorène Kavedjian Véri. Très chic, non ?

Stanislas ne répond pas. Se contente de sourire. Sorène continue :

— Ce qui a été moins élégant, c'est quand j'ai découvert qu'il se tapait la responsable locale de l'agence Immo Kayser, Bernadette Loufois.

Sorène poursuit ses explications. Marc Kavedjian travaille comme directeur de cabinet du maire. Il gère son planning et assiste parfois à certains rendez-vous. Il sait quand sont lancés des projets immobiliers et ce que la mairie va mettre en place pour aider à leur développement sur le court, mais aussi le moyen et le long terme.

Charles-François Kayser s'est présenté plusieurs fois en mairie avec sa responsable locale. Ni moche, ni belle. Gentille. Très même. Commerciale surtout. Et pas insensible aux charmes et fonctions du bellâtre Marc Kavedjian. Celui qui ouvre les portes du bureau du premier élu de la commune

Elle lui a proposé à la vente cet appartement. Acheté sur plan, sans risque de perte, potentiel énorme à la revente, avec plus-value dans les deux ans. Pas de souci pour obtenir le crédit, avec ses relations d'homme de confiance du maire et le premier adjoint François Gabelle, banquier de son état. Petits arrangements naturels entre amis.

— Donc Marc Kavedjian, directeur de cabinet du maire, votre concubin, crée une SCI avec vous, derrière laquelle il se cache, pour acheter à bas prix un appartement dans une promotion prestige proposée par Immo Kayser, en draguant ouvertement la responsable d'agence Bernadette Loufois, dans le but de revendre cet appartement deux ans plus tard avec une belle plus-value.

— Oui, acheté 85 000 euros, revendu deux ans plus tard 125 000 euros. Sans difficulté. Sauf une seule. La revente a eu lieu au moment où je l'ai envoyé bouler, pour lui dire que c'était fini. Et vous savez quelle était sa plus grande crainte à l'époque ? Que je lui réclame ma part sur la plus-value.

Stanislas est étonné. Sorène poursuit :

— Ben oui, pas plus inquiet que ça pour la fin de notre histoire. La seule chose qu'il craignait, c'était que je réclame ma part et que je le dénonce. Mais moi, je voulais juste plus entendre parler de cet enfoiré. Vous vous rendez compte qu'il a même accompagné Loufois au Luxembourg. Le parfait petit couple. Et vous savez pourquoi ? Soi-disant qu'il était en mission pour le maire. Il devait aller récupérer une voiture achetée par Delacour auprès de Car Kayser.

Un détail que Stanislas n'avait pas encore découvert sur les circonstances d'achat et de rapatriement de la BMW neuve du maire.

— Un mec qui préfère le pognon à l'amour, je veux plus en entendre parler. Surtout pas partager de l'argent qu'il a eu en magouillant avec sa garce.

Le silence s'installe. Stanislas aimerait bien que cet instant se prolonge. Il ne doit pas se laisser dépasser par les événements et le charme agaçant de son interlocutrice. Sorène a dû penser la même chose.

— Vous savez, commissaire, à propos de bavards et d'hypocrites, j'ai été servie avec Marc Kavedjian. Tout, tout le temps, était prétexte à faire de l'argent.

Elle regarde le policier droit dans les yeux. Stanislas ne détourne pas son regard.

— J'ai peut-être tort, mais j'ai l'impression que je peux vous faire confiance.

— Essayez toujours, vous verrez bien.

Cette réponse plaît à Sorène, elle jette un œil à sa montre, prend un air désolé.

— Faut que j'y aille. Quand, à la mairie, ils ont appris que vous m'aviez convoquée, ils m'ont demandé de leur rendre compte de notre entretien.

— Comment ça ?

— Marc Kavedjian a toujours la clef de ma boîte aux lettres. C'est lui qui a récupéré ma convocation. Il me l'a jetée dans mon bureau, en me demandant pourquoi vous vouliez me voir. J'ai été la première surprise. Après, le maire m'a ordonné de passer le voir. Ils m'ont recommandé d'être très vigilante sur les questions que vous alliez me poser et venir leur raconter après notre entretien. Et là, ils doivent être comme des fous, super inquiets. Faut vraiment que j'y aille.

Elle s'arrête, fixe le commissaire.

— Si vous pouviez juste me dire ce que je peux leur raconter.

Stanislas est pris de court. Il ne s'attendait pas à une telle requête, et encore moins à l'attitude des responsables communaux. S'ils sont inquiets pour l'audition d'un témoin, loin d'être capital pour l'enquête, c'est qu'ils ont forcément beaucoup de choses à se reprocher.

Il observe la jeune femme en face de lui. Réfléchit. Le silence se fait pesant. Sorène sent bien que le commissaire la dévisage. Elle finit presque par en être gênée.

— Dites-leur la vérité. Parlez-leur de tout ce qu'on vient de dire. Ne cachez rien. Et surtout dites-leur bien qu'on ne lâchera rien. Qu'on est du genre têtu, tendance borné.

Et dans un sourire, en lui tendant sa carte de visite :

— Et tenez-moi au courant de leur réaction. N'hésitez pas.

40

Calfeutré au fond de sa voiture rue Meynaudier, Stanislas est perdu dans ses pensées. Depuis qu'il a vu Sorène Véri chevaucher son vélo, il laisse vagabonder son imagination. Il aimerait connaître encore mieux cette femme.

Il a vite compris qu'elle ne sait rien des activités de Kavedjian. À part ce qui la concerne. Et encore, ce qu'il a bien voulu lui en dire, et comme cet homme est capable d'avoir autant de versions que d'interlocuteurs, syndromes du menteur pathologique, Sorène ne pouvait rien savoir des exactions éventuelles commises par les uns ou les autres.

Il se fait la remarque qu'il ne l'a pas revue depuis sa convocation dans les locaux de la PJ. Étrange de la croiser aujourd'hui dans ces circonstances. Il repense à cette citation de Paul Éluard : « Il n'y a pas de hasard, il n'y a que des rendez-vous. » Il se secoue, tente de se persuader que cette surveillance tombe à pic. Si elle dure, il pourra vérifier l'exactitude des propos qu'elle lui a tenus lors de son entretien à la PJ et de ceux qu'elle lui a rapportés après son retour à la mairie.

C'est la seule fois où ils se sont reparlé. Comme il le lui avait demandé, Sorène l'avait contacté par téléphone pour le tenir au courant de son compte rendu aux autorités municipales de sa convocation devant les policiers. Scène qu'elle lui a décrite avec tout l'humour et la causticité dont elle est capable.

Sorte de petit tribunal pour employés fautifs, elle s'est retrouvée assise face au maire et ses deux assesseurs, sbires fidèles et inféodés, Lamaury, le DGS, et Kavedjian, le dir cab. Tous trois l'attendaient dans le bureau du premier édile. Le monarque local assis confortablement dans son fauteuil Louis XIII, caressant avec volupté le sein de la statue de Devinsky se trouvant derrière lui, l'écoutait sans lui porter attention. Ne disait rien, ou presque. Silencieux, autant par mépris que par suffisance, sûr de lui et de ses relations, qui empêcheront flics ou petits juges de s'en prendre à sa position locale.

Lamaury, à sa droite, était volubile, autant par nature que par inquiétude. Il lui posait plein de questions, souvent très techniques, auxquelles elle ne comprenait rien. Provoquant un haussement d'épaules dédaigneux du maire, relayé dans un mimétisme parfait par Marc Kavedjian, qui se sentait obligé dans cet interrogatoire inattendu de prendre le rôle du méchant, agressif par habitude, mauvais par volonté.

Sorène avait insisté sur plusieurs points. La suffisance du maire, qui ne paraissait pas croire à la réalité de l'enquête menée par les flics, l'attitude très angoissée de Lamaury, qui semblait se méfier de la capacité d'enquête des policiers, et Marc Kavedjian, inquiet avec Lamaury et dilettante avec le maire.

— Je ne vais pas vous mentir, monsieur le commissaire. À part Lamaury, vous n'avez pas l'air de les inquiéter.

En se souvenant de cette discussion, Stanislas sourit. Ça l'arrange que les élus ou administratifs de Sainte-Jeanne doutent de la réalité de l'enquête en cours sur leur commune. Ce qui l'a étonné, c'est la présence d'un autre personnage que Sorène lui a révélé.

Cet aréopage déjà hétéroclite était composé d'un quatrième homme. Plus discret, plus petit, plus chauve et barbu. Il ne se tenait pas assis à côté des autres, mais était resté debout, légèrement en retrait. Dans l'émotion du moment, la jeune femme n'avait pas fait attention à lui. Ce n'est qu'en quittant les lieux qu'elle a constaté que le directeur de l'urbanisme de la mairie, Roger Fantacci, n'avait pas perdu une miette de ce qui venait de se dire.

Tout à ses réflexions, Stanislas n'a pas remarqué l'homme qui vient de sonner à la porte de Sorène Véri. Et qui se fait recevoir vertement. L'individu est grand, barbe naissante de deux jours, attitude de play-boy. Il croit reconnaître Marc Kavedjian, vérifie dans ses fiches communales et n'a plus de doute, quand il entend Sorène mettre à la porte le directeur de cabinet de Sainte-Jeanne.

— T'as rien à foutre, là, Marc, tu dégages. Si tu m'emmerdes, j'appelle la PJ.

Stanislas est surpris par les propos de la jeune femme, mais plutôt satisfait de voir qu'à ce moment-là elle pense à faire appel à ses services plutôt qu'à ceux des gendarmes ou même de la police municipale.

En spectateur privilégié, le commissaire continue de suivre la scène qui se déroule sous ses yeux. Les propos de Sorène Véri semblent avoir l'effet escompté sur Marc Kavedjian. Il ne cherche plus à entrer chez elle, mais lui tend un courrier. La jeune femme est hésitante, puis de guerre lasse finit par saisir la lettre.

— Tu me promets, tu la lis, hein ?

Elle ne lui répond pas, lui tourne le dos. Rentre chez elle et claque la porte. Marc Kavedjian s'en va, dépité. Stanislas s'enfonce un peu plus dans son fauteuil et admire le comportement de Sorène.

— Stan à tous. Vous avez pas vu le dir cab de la mairie sortir de la mairie, y a cinq minutes environ ?

Paulo réplique :

— Un hidalgo mal rasé ? La quarantaine environ, assez grand ?

— C'est ça.

— Bien sûr, mais c'est pas lui, notre cible. On attend un certain Deauzelle, employé de mairie...

Paulo n'a même pas le temps de prendre une pause.

— Et tu tombes bien, il sort. Individu type européen, cinquante ans environ, taille moyenne, porteur d'un pantalon bleu et d'une veste marron.

Paulo continue d'annoncer à la radio les faits et gestes de l'homme à tout faire de la mairie.

— Il monte dans une fourgonnette blanche. Une trois portes. Immatriculée BG-678-DZ. Attention, ça part.

Stanislas se réjouit. Enfin, ça bouge. L'inaction lui pesait. À trop penser si près du domicile de Sorène

Véri, il commençait à avoir de drôles d'idées. Et d'envies.

Il ne faut pas longtemps à Deauzelle pour se rendre dans la rue du maire, sonner au majestueux portail et se faire ouvrir les deux grands battants. Il faut encore moins longtemps aux quatre policiers pour se retrouver devant ce domicile, obligeant Stanislas à redistribuer les rôles.

— Paulo, avec la bécane, tu te places au bout de la rue. Olivier, avec le soum, c'est toi qui vas au contact. Au plus près. Tu shootes toutes les photos que tu peux. David, tu restes à l'entrée de la rue. Je reste en retrait.

Il n'attend pas longtemps avant d'avoir le premier retour d'Olivier Mérou.

— D'Olivier à tous. Ça bouge. Deauzelle a ouvert les portes arrière du Berlingo. Un homme, soixante/soixante-cinq ans avec lui.

David intervient.

— Il est barbu ? Assez grand ? Fière allure ?

— Affirmatif.

Le capitaine confirme.

— C'est le maire.

Olivier enchaîne :

— Les deux hommes chargent des trucs dans la fourgonnette. J'vois pas trop, c'est recouvert par des couvertures. Mais on dirait des cadres.

— Tu prends tout ce beau monde en photo.

Stanislas :

— En droit, ça s'appelle dissimulation de preuves.

— Le tout, c'est de savoir ce qu'il va en faire de ses merdes, maintenant, conclut Paulo.

Le chargement de la fourgonnette dure une bonne demi-heure. Plusieurs allers-retours entre la maison du premier édile et la voiture sont nécessaires aux deux hommes pour charger le Berlingo. À plusieurs reprises, une femme, rapidement identifiée par les policiers comme étant Jeanne Delacour, l'épouse du maire, s'assure qu'ils agencent correctement dans l'habitacle des objets recouverts par des couvertures et, précautionneuse, les aide même à en transporter certains. Elle n'échappe pas à l'œil photographique gourmand d'Olivier Mérou.

— À tous d'Olivier. Ça sort. Le Berlingo quitte le « dom » du maire. Et ils sont trois à bord. Madame les accompagne.

Paulo a déjà remis son casque, jeté sa quatrième cigarette et fait redémarrer la moto. Prêt à reprendre la filoche. Pas question de la perdre.

41

Le bureau de Midlak est tout éclairé. Le commissaire a même installé des spots. Une façon comme une autre de ne rien laisser dans l'ombre. Pas une étagère, une chaise ou une table qui ne soient recouvertes de documents relatifs à l'affaire « Delacour-Sainte-Jeanne ». Il y en a partout. Des procès-verbaux, des annexes, des scellés, des photos ; *a priori* un bordel sans nom, *a posteriori* une nécessité. Pour mieux classer.

Il est largement temps d'en faire une synthèse, de la transmettre au procureur et de passer à l'acte II : les interpellations. Rentrer dans le dur, enfin. Moment délicat où rien ne doit être laissé au hasard, temps nécessaire pour mieux définir ce qui est reproché aux uns et aux autres. Établir les équipes d'arrestation et être confronté aux personnes sur lesquelles ses hommes et lui travaillent depuis plus de six mois.

Avant d'arriver au bureau, quand il a déposé ses enfants à l'école, Léa comme Dimitri ont bien senti que leur père, présent physiquement, était absent psychologiquement. Comme depuis longtemps.

Comme depuis le début de cette enquête où le dégoût des découvertes des policiers a vite pris le dessus sur l'excitation de leur recherche. Comme sur la protection du bonheur familial, oubliée sans autre forme de préavis, pris par la nécessité d'aller au bout de cette enquête.

Car pour l'instant, il est loin de ses problèmes personnels. Paulo Monra, Olivier Mérou et David Vallespir sont avec lui. Une tasse de café à la main, ou le bras tendu tenant une cigarette de l'autre côté de la fenêtre, les quatre flics font le point et répertorient tous les actes effectués.

Ils sont silencieux. Relisent tel document, le lient avec un autre. S'échangent les pièces, les numérotent. Naturellement la liste de leurs futurs gardés à vue se dessine devant eux. Grâce à ce qu'ils ont pu établir formellement : les chèques de Mme Paisange et ses arrêtés de lotir, la facture Car Kayser de la nouvelle voiture du maire et les documents d'avis de destruction de l'ancienne, les livres de comptes de la mairie et ses lignes budgétaires « connexes à l'ameublement », le rapport de défense fiscale des époux Delacour et les publications des bans du mariage de l'inspecteur des impôts Étienne Maldon, les marchés publics obtenus par E2S, les documents de la SCI MSKV et les actes d'achat et de vente de l'appartement de l'ex-couple Kavedjian-Véri, les délibérations municipales et les dépenses effectuées pour l'achat d'œuvres d'art, les procès-verbaux et photos de surveillance de déménagement de tableaux et statues du domicile du maire.

Paulo regarde l'ensemble.

— C'est pas la division d'honneur, ça ! C'est la Champions League de la saloperie.

Poisson hoche la tête.

— Sans parler de tout ce qu'on sait, et qu'on ne peut pas dire.

Mérou fait référence a ce qu'ils ont appris au cours de leur enquête, et qu'ils n'ont pas eu le temps, les moyens ou l'envie d'établir en procédure. Ce qui les aurait conduits à compliquer et alourdir le dossier. Le billet de 10 euros donné pour favoriser un emplacement au marché, celui de 50 pour faire accélérer son dossier d'urbanisme, la gratuité d'une baguette de pain ou d'une escalope de veau parce que, en tant qu'artisan communal, il est toujours bon de plaire aux puissants locaux, et on ne sait jamais, « on a toujours quelque chose à demander à son élu », des invitations dans les restaurants de luxe du département par l'entrepreneur intéressé par des projets à réaliser dans la commune.

Stanislas Midlak sourit jaune.

— D'accord avec vous, c'est dommage. Mais on n'aurait jamais eu assez de temps pour tout traiter.

David Vallespir effeuille la procédure qui s'épaissit.

— Pourtant, y aurait de quoi faire encore...

En enquêtant sur ce dossier, les policiers ont pris conscience que, aussi rigoureuse et précise soit leur enquête, elle ne sera jamais que le reflet de dix pour cent de la réalité corruptive, prégnante à Sainte-Jeanne. Ils ne pensaient pas que cette affaire les amènerait à tirer cette conclusion désespérante : tel un cancer incurable, la corruption se propage de la tête à la base.

Cette gangrène touche toutes les strates de la mairie, banalisée, acceptée comme une habitude qu'on n'arrive même plus à décrire comme mauvaise, dans une multitude d'actes quotidiens aussi insignifiants que pathétiques.

Un geste simple, courant, familier. Une corruption ordinaire.

Paulo est aussi dégoûté que fatigué.

— On les serre quand, les champions du monde ?

Tout trier et mettre en page leur a pris quatre heures. Stanislas leur propose de déjeuner ensemble. Il a rendez-vous en début d'après-midi avec le proc adjoint pour lui présenter la totalité de leur œuvre. Et décider de la date des interpellations. Ce n'est plus qu'une question de jours. Le commissaire n'est pas inquiet. Il sait que tous les policiers de la BRB voudront y être. Et il y en aura pour tout le monde, les arrestations vont se faire en plusieurs vagues.

Le proc adjoint Olivier Demaudo a eu vent de leur déjeuner. Il n'a pas eu besoin de les chercher. Il se doutait qu'il les trouverait à leur cantine habituelle, le restaurant de Brogny où ils aiment se rendre avant de passer à l'action. Ou juste après. Déguster une entrecôte-frites en plein cœur de la matinée reste une tradition policière, permettant d'assurer la cohésion entre les flics et de maintenir la convivialité, malgré la dureté et la violence de leur métier.

Au lieu d'attendre que le chef de la PJ vienne à lui, il a préféré le rejoindre au restaurant. Une façon de montrer que, au-delà de leurs différences, il est à l'écoute. Il sait aussi que la parole sera plus libérée dans cet endroit convivial que dans son bureau austère du palais de justice. Les flics apprécient ce moment, et la démarche du proc leur plaît. Avant de s'asseoir au milieu d'eux, il a le réflexe protecteur d'enlever sa cravate. Il n'est pas très loin de Paulo, et la rapidité d'action du major pour les découper lui en a déjà coûté deux.

En dégustant sa viande et son verre de côtes-du-rhône, Demaudo écoute la synthèse du dossier que lui présente Stanislas Midlak. David Vallespir précise certains points que Paulo commente. À sa façon. Si le proc sourit aux injonctions du major, il n'en reste pas moins attentif aux faits que lui présente le chef de la PJ. Il reconnaît l'énormité de tout ce qu'ils ont découvert et pense qu'il est temps d'intervenir. D'autant que cette enquête n'est plus un secret pour personne et qu'il ne faudrait pas que des éléments de preuve disparaissent.

À ce stade de leurs investigations, il donne son accord pour les interpellations.

— Le plus tôt sera le mieux. D'autant qu'après vous allez devoir enchaîner.

— OK, on forme les équipes, et lundi matin, 6 heures, on tape.

Le procureur souhaite que le chef de la PJ s'occupe lui-même du maire. Avec le capitaine David Vallespir, ils prendront en charge le couple à la tête de Sainte-Jeanne. Le major Paulo Monra est désigné pour aller chercher Sophie Paisange, et le brigadier-chef Olivier Mérou l'électricien Sébastien Sanchez.

Le reste du repas se passe dans une ambiance détendue. Le procureur en profite pour rappeler à

Midlak qu'après cette affaire il faudra également prévoir les interpellations des braqueurs des dabistes. Le commissaire n'a pas oublié, mais pour l'instant il est déjà dans l'excitation des arrestations à venir dans le dossier Delacour. Il pressent que le combat avec le maire ne sera pas facile.

Tous ont conscience que la mise en garde à vue d'une des personnalités politiques les plus en vue du département va émettre une terrible onde de choc. Ils se préparent à prendre la pression de toutes parts. Ils savent que cela ne sert à rien de l'anticiper, elle n'est jamais ce qu'ils imaginent. Il sera temps, quand elle sera là, de faire avec.

42

Toute la BRB est sur le pied de guerre. Le briefing matinal à l'antenne de la police judiciaire se fait dans le bureau de Midlak. Il a eu le temps de le ranger pendant le week-end.

Cécile n'a pas compris pourquoi il s'absentait encore du domicile familial un samedi et un dimanche. Aucun flagrant délit, pas d'individus interpellés, pas de filatures en cours. Aucune raison professionnelle de travailler au bureau. Elle lui en a fait la remarque. Sa réponse a été évasive. Besoin de finir le classement de ces procédures compliquées, bien avoir tous les éléments en tête, ne rien laisser au hasard. Cécile l'a regardé. Sans colère, mais remplie d'une immense tristesse.

— C'est nous que tu laisses... Mais ce n'est peut-être pas un hasard ?

Il n'a pas cherché à savoir ce qu'elle cherchait à souligner par ses propos.

Les visages graves mais déterminés, tous les policiers sont attentifs. Stanislas Midlak précise les objectifs, les équipes d'interpellation, et donne le top départ. L'opération Sainte-Jeanne est lancée.

Leur objectif de ce matin bénéficie de conditions de vie plutôt agréables. Quand ils frappent à leur porte, les époux Paisange pensent à une mauvaise blague. Leurs deux garçons turbulents et malicieux ont toujours eu un sens aigu de la fête et du canular loufoque. Leurs études de médecine ne les ont pas incités à se calmer. Ils seraient bien capables de monter une fausse interpellation par des flics bourrus plus vrais que nature, pour rajouter de la légende à leurs souvenirs d'étudiants.

Il a fallu que Paulo insiste et accepte qu'ils scrutent de près sa carte de police afin d'en vérifier l'authenticité, mais aussi qu'il hausse le ton et change de vocabulaire pour qu'ils réalisent la véracité de la présence policière, un lundi matin à 6 heures, et y effectuer une perquisition dans les règles de l'art et le respect des heures légales.

Quand Paulo annonce à Sophie Paisange qu'elle est placée en garde à vue dans le cadre d'une vaste affaire de corruption, de trafic d'influence et d'abus de biens publics, elle en comprend tout de suite les raisons et en accepte l'augure. Son mari Bernard, pharmacien de son état, par ignorance comme par soutien conjugal, tente de se mettre en colère pour dénoncer des méthodes policières plus douteuses que les canulars de mauvais goût de ses fils. D'autant que Sophie Paisange ne fait pas vraiment preuve de diplomatie amoureuse pour qu'il entende raison.

— Laisse, Bernard. Ces messieurs ne font que leur travail. Ça devait arriver, tu sais. Les mauvaises habitudes du maire de Sainte-Jeanne...

— Quelles habitudes ?

Sophie Paisange hausse les épaules.

— Il faut bien qu'à un moment donné, la vérité éclate.

— Mais enfin, Sophie, de quoi tu parles ? Quelle vérité ?

Elle ne peut pas répondre. Elle est déjà perdue dans ses pensées. Pourtant, elle apparaît plus soulagée qu'abattue de la présence des policiers. Comme si, enfin, le fait de pouvoir raconter aux forces de l'ordre ce qu'elle a été obligée de faire afin d'obtenir des permis de lotir allait la libérer d'un poids devenu trop pesant. Elle se doute que les conséquences pour sa société, et par là même pour sa vie de famille, risquent d'être compliquées. Mais pour l'instant elle se refuse à y penser et réfléchit juste à la meilleure façon de se préparer aux heures de garde à vue qui s'annoncent.

Elle a pris sa décision depuis longtemps. Si elle devait être interrogée par les flics ou les juges, elle dirait toute la vérité, sa vérité, et la façon éhontée dont le maire Delacour s'était servi de son pouvoir pour la forcer à émettre des chèques sans mention de la date, du lieu et du bénéficiaire pour que sa société puisse obtenir des arrêtés de lotir délivrés par la mairie. Ce moment est venu, il n'est pas question qu'elle flanche, mais bien temps au contraire qu'elle lâche tout ce qu'elle a sur le cœur et en mémoire.

Son mari essaye encore de la faire parler, il la supplie, la brusque presque. Mais elle est déjà rentrée dans sa bulle protectrice. Paulo s'amuse du contraste entre les attitudes agitées du mari inquiet et celles, précises, de sa femme, silencieuse.

— Fous-lui la paix à ta greluche. Y a rien de sexuel entre le maire et elle. C'est juste une histoire de pognon échangé contre des permis de construire. Si elle s'explique bien, elle ne devrait pas en avoir pour longtemps. Et t'inquiète, ce soir comme d'hab, elle partagera ton plumard.

La frénésie de Bernard Paisange s'arrête net. Interloqué, il regarde Paulo. Il ne sait pas ce qui le gêne le plus : les propos argotiques du policier ou ce qu'il commence à en décrypter. Il choisit la deuxième solution. Finalement, peu importe le ton du flic, ses deux fils étudiants en médecine sont capables de pire, ce qui compte immédiatement, c'est de savoir ce que sa femme a fait. Pourquoi ? Et à hauteur de quel montant ?

La Porsche 911 est stationnée devant la porte du garage. Sa couleur étonne les flics. Vert pomme.

— Un goût de chiottes, l'électricien, dit Olivier Mérou.

Sébastien Sanchez habite une petite maison sans charme de la commune, entourée d'un petit jardin sans âme, dans lequel une balançoire essaye d'égayer les lieux. Sans réussite.

La porte d'entrée s'ouvre avant qu'Olivier ait le temps de toquer. Sébastien Sanchez, petit homme de trente-cinq ans, barbe rasée de près, cheveux courts bien peignés, en opposition de look avec son bermuda un peu trop long et un T-shirt noir affichant une tête de mort, sort de chez lui et referme délicatement la porte. Il se retrouve le nez collé aux brassards orange des trois policiers. Il a du mal à les regarder dans les yeux et commence par leur demander de reculer, afin de ne pas faire trop de bruit, sa femme et ses deux enfants en bas âge dorment encore à cette heure matinale.

— J'vous attendais. Je savais que vous alliez venir, j'ai tout préparé. C'est pas la peine de fouiller chez moi. Si tout ça pouvait rester discret...

Les flics se marrent, encore un client qui a vu trop de films policiers. Comment cet homme ose-t-il penser qu'ils vont s'arrêter à ses déclarations et ne pas fouiller quand même toute la maison ?

— Venez voir, j'ai tout monté au grenier. C'est par le garage.

Olivier consulte ses deux collègues, dont Valérie de la Crime, qui a accepté de faire une pige pour la BRB, ce qui réjouit Poisson. Ils sont aussi surpris que lui. Mais puisque l'électricien insiste, ils acceptent de le suivre. Il sera temps après de poursuivre leur perquisition. Principe policier : ne jamais stopper la spontanéité de parole, Dieu seul sait ce qu'elle peut révéler.

Mérou tente quand même de lui annoncer qu'il est placé en garde à vue dans le cadre d'une information judiciaire couvrant des faits de...

— Je sais, je sais, vous inquiétez pas, je veux juste me débarrasser de cette histoire.

Les trois flics suivent l'homme qui ouvre la porte du garage, soulève une trappe du plafond et en fait descendre une échelle.

— Voilà, ils sont en haut.

Olivier regarde le trou du plafond du garage et se tourne vers l'homme.

— Ils... quoi ?

— Ben, les tableaux !

— Quels tableaux ?

— Ceux que le maire m'a amenés. Y a quinze jours environ.

Olivier Mérou sent l'excitation qui monte. Il désigne l'échelle à l'électricien.

— Après vous.

— Le maire me les a apportés, y a quinze jours ou trois semaines. Il m'a prévenu que vous risqueriez de passer et m'a demandé de vous dire que j'avais acheté ces tableaux pour moi. Ou pour ma société, j'sais plus bien. Mais en fait, c'est lui qui les a achetés. Pour lui. Il les a achetés avec les chèques de ma société. Depuis deux ans, E2S a obtenu les marchés publics d'électricité de la ville, en contrepartie il m'a demandé que ma boîte participe au financement du futur musée de la ville. Le maire, ce n'est pas un homme à qui on dit non. Surtout quand il fait comprendre que c'est grâce à lui que E2S a obtenu tous les marchés publics.

Olivier sent que c'est le moment. L'électricien est en veine de confidences, il pousse l'avantage.

— Et il faisait comment dans la pratique ?

— Une fois que le conseil municipal m'avait attribué un marché, il passait au bureau dans la semaine qui suivait. Il ne rentrait jamais, il me demandait de le rejoindre dans la rue. Lui restait dans la voiture, il baissait la vitre et me disait...

— Il ne vous faisait pas monter dans sa bagnole ?

— Non, non, il me laissait à l'extérieur, lui dedans, et il me demandait si j'étais content pour le marché. Forcément, que je lui répondais. Avec tous ses contrats, en deux ans, ma boîte a eu un chiffre d'affaires exponentiel. Il me disait que la ville était de plus en plus belle, avec toutes ses lumières, ses éclairages de ronds-points, les illuminations pour Noël, et qu'elle serait encore plus belle quand il y aurait le musée. Une œuvre gigantesque, qui allait être le plus beau lieu d'exposition de toute la région, qu'il faudra l'éclairer, à la fois les salles intérieures pour mettre en valeur les œuvres, mais aussi l'extérieur pour embellir les murs, et que forcément il pensait à ma société. Le pire, c'est que je le savais. Mais j'avais dit oui une fois, j'étais coincé. C'est le moment qu'il choisissait pour me tendre un bordereau d'adjudication...

— Un... quoi ?

— Une facture. Une facture d'une maison de vente aux enchères. Le lendemain du conseil municipal validant le choix de ma société pour le marché public, il passait des enchères téléphoniques pour l'achat de tableaux, et sans autre explication, me demandait de les payer. Un coup 45 000 euros, un coup 90 000 euros.

— Il l'a fait souvent ?

— E2S a obtenu six marchés en deux ans...

Il désigne les tableaux posés sur les poutres de son grenier.

— *J'ai six tableaux.*

Les trois flics se regardent. Sans avoir commencé l'interrogatoire officiel de la garde à vue, ils ont déjà une partie des aveux qu'ils étaient venus chercher. Olivier Mérou prend la suite.

— C'est vous qui alliez les récupérer, ces tableaux ?

— Non. Je les ai même jamais vus avant y a quinze jours, quand le maire me les a apportés.

Il montre son T-shirt supportant la tête de mort.

— Moi, j'suis rockeur, pas peintre. J'y connais rien en tableaux. J'sais même pas qui c'est, Weber. Je lui ai juste fait les chèques et me suis occupé des marchés publics obtenus par ma société.

Poisson réfléchit, il pourrait s'arrêter là et poursuivre cet interrogatoire ultérieurement. Mais Sébastien Sanchez se sent bien, le policier ne voudrait pas qu'un grain de sable vienne enrayer cette belle mécanique d'explications. D'ailleurs, il n'a même pas besoin de poser une question, Sanchez continue de lui-même :

— Y a quinze jours, un soir tard, vers 21 h 30, le maire est venu me voir. J'étais surpris, j'étais en famille, y avait France-Allemagne à la télé. Déjà que j'étais énervé, les Allemands venaient de mettre le premier but, alors quand j'ai entendu sonner, j'étais de mauvais poil.

— Et il voulait quoi ?

— D'abord j'étais étonné que ce soit lui, d'habitude il descend jamais de sa voiture. Mais ce soir-là, y avait quelqu'un d'autre dans sa bagnole : sa femme. Je l'ai bien reconnue, même si elle a pas fait l'effort de venir me voir. Elle se l'est toujours un peu pétée, la mère Delacour.

Les policiers sourient. Ce n'est pas la première fois qu'on leur décrit de cette façon la femme du maire.

— Et là, le maire m'explique qu'il doit me rendre les tableaux que ma société a achetés pour la mairie. Il faisait genre calme, mais on le sentait stressé. Y avait de la peur dans sa voix. Au début je refuse. Pas question, je lui dis, c'est pour le musée de la mairie, comme vous me l'avez demandé. Il m'a même souri à ce moment-là, puis il a insisté, prétextant qu'il était au courant qu'il y avait une enquête de police...

— Il vous a vraiment dit ça? Il savait qu'il y avait une enquête?

— Bien sûr, et il m'a même précisé qu'on n'avait rien fait d'illégal, mais que connaissant les flics il avait peur qu'ils inventent n'importe quoi, alors il préférait me rendre les tableaux. Moi, je voulais toujours pas, mais il insistait. Il a même fini par me tendre un document juridique, sur lequel il était écrit que j'étais « acquéreur-prêteur » pour la mairie.

Mérou ne comprend pas. Il se fait répéter :

— Que vous étiez quoi?

— « Acquéreur-prêteur », c'est ce qui est marqué sur le document qu'il m'a donné.

— Qu'est-ce que ça veut dire?

— Selon lui, c'est un contrat légal, rendant ma société acquéreuse de tableaux mais qu'en même temps elle acceptait de les prêter à la mairie. Un truc pour justifier qu'il les garde en mairie, quoi.

Mérou se tourne vers Valérie.

— À la Crime, t'as déjà entendu parler de ça, toi, le contrat d'acquéreur-prêteur?

Valérie est encore plus étonnée que lui à l'énoncé de ce terme. Mérou reprend sa conversation avec l'électricien.

— Il vous a pas un peu embrouillé, le maire?

— Peut-être, mais c'est parce qu'il m'a remis ce document pour les six tableaux que j'ai accepté de les reprendre. En me demandant de vous dire que j'étais volontaire pour tout. J'me doutais qu'il se foutait de moi. Alors je préfère tout vous raconter.

Poisson regarde les six œuvres d'art entassées dans le grenier de Sébastien Sanchez.

— Et je crois que vous avez bien fait, monsieur Sanchez. Vous savez ce que dit le proverbe ? Bien mal acquis...

Tout a été dit. Ce n'est pas la peine d'attendre plus longtemps sous les combles, où la position debout convient à la taille de l'électricien, mais devient douloureuse pour les flics. En plus Sanchez, après avoir été si bavard, s'est tu. Comme s'il avait vidé tout son sac et prenait le temps de méditer le proverbe du policier. Pas la peine dans l'immédiat de chercher d'autres choses ou d'insister sur des détails. La garde à vue ne fait que commencer.

Une sorte de confiance s'est installée. Grand seigneur, Olivier Mérou n'accompagne pas Sanchez récupérer les documents-contrats acquéreur-prêteur que lui a remis le maire. Pas la peine de chambouler l'atmosphère familiale en réveillant femme et enfants avec la présence matinale de policiers furetant dans tous les coins.

Il appelle Stanislas Midlak. En quelques mots il lui résume l'interpellation de l'électricien et leurs découvertes.

Dans son bureau, le commissaire regarde avec étonnement le maire. Et s'interroge. Jusqu'où cet homme est-il allé pour satisfaire son prétendu goût de l'art ? Et pourquoi ?

43

Sophie Paisange est aussi droite qu'élégante. Assise derrière le bureau de Paulo, les mains sur ses cuisses, les pieds dans des escarpins noirs posés au sol dans un parallélisme parfait. Elle regarde droit devant elle, l'air ailleurs. Elle ne voit rien d'autre que ses douloureux souvenirs. Elle ne les avait pas enfouis au fond de sa mémoire, elle savait qu'un jour elle devrait les raconter. Elle se reproche juste de ne pas avoir eu le courage de le faire plus tôt.

Il aurait été tellement plus confortable de fréquenter ces lieux dans d'autres conditions, être dans la position de la victime, obligée par un élu de payer un droit d'entrée sur la commune pour y effectuer des réalisations immobilières, que d'être dans celle de la mise en cause que personne n'a forcée pour payer son obole au maire et s'assurer de la construction de la résidence Innocenzi.

C'est elle qui avait eu cette idée, une résidence portant le nom de sa grand-mère maternelle d'origine corse. Aujourd'hui, elle en aurait pleuré de ce choix. Et de ces chèques de 20000 et 30000 euros qu'elle avait remis au maire sans mention de l'ordre et de la date pour s'assurer de la sortie de terre de cette résidence de merde qu'elle aurait mieux fait d'appeler Vade Retro Satanas.

Plus qu'une saloperie personnelle, une trahison familiale

Elle ne cherche pas à nier. Elle ne cherche pas non plus à minimiser sa responsabilité. Elle veut juste rétablir la vérité factuelle, dans toute sa psychologie dramatique. Elle ne veut pas être considérée comme étant dans l'action de la corruption, mais bien dans la passivité de l'obligation.

— Oui, mais vous les avez émis, ces chèques ?!

— À sa demande.

— Et vous les avez signés dans l'attente que Delacour vous remette les arrêtés de lotir et construire ?

— Oui !

— Juridiquement : de la corruption active.

— Il ne m'a pas laissé le choix : c'était soit les chèques, soit le refus de signature. Donc l'arrêt de tout ce que j'avais mis en marche pour la réalisation de cette résidence, la fin de ma société. En jouant la montre et en refusant de délivrer les arrêtés, il la mettait en péril. Et il le savait. Monsieur le maire Delacour, il me connaît depuis presque vingt ans. Il a été mon chirurgien à une époque. Il connaît tout de moi. Mon mariage avec Bernard, mes désirs personnels de réussite : ma façon d'être féministe. Il savait l'importance de cette résidence portant le nom de ma grand-mère. Il a joué sur toutes les cordes, même les plus sensibles, pour que je lui fasse ces chèques.

— Il vous a dit pourquoi il les voulait ?

— Pour participer à l'édification culturelle des habitants de Sainte-Jeanne, comme il disait. Il n'était pas question que ce soit pour lui. Toujours pour les autres, le sens commun avant tout. Jamais pour assouvir ses désirs personnels.

— Un chèque, à la limite... mais franchement le second, celui qui vous oblige à prendre un prêt, pourquoi ?

— L'engrenage, monsieur. L'engrenage. Comment refuser au maire le second, alors que je lui avais déjà fait le premier et obtenu un arrêté de lotir ?

44

David Vallespir est surpris. Depuis qu'il est flic, c'est la première fois qu'il est confronté à ce genre d'attitude. Il faut dire que la personne gardée à vue devant lui en impose. Par sa prestance comme par sa fonction. Même si cette dernière reste très indéfinie, relève plus du bon sens pratique que d'un article précis dans le code électoral à la rubrique : rôle des conjoints d'élus. Si la question du statut de Première dame se pose au plus haut niveau de l'État, elle est prégnante aussi au sein des communes. Et madame la femme du maire de Sainte-Jeanne n'échappe pas à la règle.

Elle n'est ni adjointe, ni élue, ni employée municipale. Elle n'est rien d'autre que l'épouse de Robert Delacour. Et pourtant elle est toujours là. Certains habitants, par méconnaissance électorale ou par souci de complaisance, n'hésitent d'ailleurs pas à l'appeler « Madame la maire ».

Outre ce rôle imprécis, elle est aussi professeure honoraire d'histoire à l'université. Depuis qu'elle est à la retraite, elle aime continuer à imposer une image d'elle austère. Quand elle croise des personnes dont elle n'arrive pas à se souvenir du nom, elle leur demande sur un ton faussement dégagé :

— Vous ne suiviez pas mes cours à la faculté? Quelle année universitaire?

Dans le bureau du capitaine Vallespir, elle n'a pas le choix. Obligée de s'asseoir sur l'une des deux chaises réservées aux clients habituels du chef de la BRB. Elle prend soin de les épousseter toutes les deux, avec un petit mouchoir qu'elle glisse après usage dans sa manche de gilet gris, dans une attitude ostentatoire de dégoût. Regarde d'un air professoral le décor, où trônent des photos des nombreux voyages qu'il a effectués, ainsi qu'une grande carte du monde, où il a indiqué avec des punaises les différents pays qu'il a visités.

Elle hoche la tête d'un air rassuré. Le flic qui l'interroge semble suffisamment cultivé pour ne pas s'être contenté d'aller en Espagne ou en Angleterre, mais a osé partir à la découverte de l'Amérique du Sud, de la Nouvelle-Zélande, voire de la Bosnie-Herzégovine ou de la Slovénie. Un homme de goût certainement, malgré ses rangers improbables, sa vieille veste en jean et cette chemise canadienne aux couleurs entremêlées du plus mauvais effet. Elle sort alors de son sac à main un petit carnet à spirale et un crayon à papier. Prête à noter ce qui pourra être demandé, dit ou commenté.

Vallespir ne peut pas s'empêcher de penser que sa gardée à vue du jour en jette. Passer d'un braqueur multirécidiviste au casier aussi chargé qu'un rugbyman un soir de troisième mi-temps arrosée à une professeure d'université à la retraite n'est pas dans ses compétences habituelles. Il se prête pourtant volontiers au jeu.

Il va poser la première question, mais est pris de court par celle de Mme Delacour.

— En Slovénie, vous avez visité Ljubljana ? Magnifique, non ?

Vallespir ne veut pas que son interrogatoire lui échappe. Il acquiesce et veut enchaîner. Mais de nouveau elle le coupe.

— J'ai l'impression de vous connaître. Vous n'auriez pas suivi mes cours à la faculté ? Quelle année universitaire ?

Le ton est donné. David, même s'il n'est pas un habitué des ronds de jambe et autres hypocrisies sociales, a suffisamment d'expérience et de savoir-faire pour ne pas tomber dans le piège. Après les relevés indispensables sur l'état civil de la gardée à vue qu'il entend, il entre tout de suite dans le vif du sujet.

— Avez-vous avec votre mari fait un voyage à Landerneau, en taxi affrété par la mairie, pour aller récupérer une œuvre d'art ?

Jeanne Delacour est surprise. Avec Landerneau, il est quand même très loin de Ljubljana. Elle hésite. David entre dans la faille.

— Vous êtes professeure d'histoire-géographie, je ne vous ferai pas l'injure de vous dire où se situe Landerneau.

Le regard que lui lance la femme du maire est glaçant.

— Vous voulez que je répète la question ?

Mme Delacour n'a pas d'autre solution que de répondre. Elle n'est plus en amphithéâtre, cherchant à impressionner une nuée d'étudiants, ou dans la cour de l'hôtel de ville, assurant de sa présence son mari au cours d'une cérémonie commémorative, elle est toute seule, sur sa chaise de gardée à vue.

— Oui.

— Oui, quoi ?

— Oui, un week-end mon mari m'a proposé de l'accompagner à Landerneau. À la salle des ventes des Trois Clochers. Il devait récupérer une peinture d'Eugène Lamuler, *Le Cygne du lac.* Nous y sommes allés effectivement en taxi. Et revenus en taxi. Voilà. Vous êtes content ?

David sourit. Il se fout d'être content ou pas. Il veut la vérité, c'est tout. Même si dans l'immédiat, il n'est pas peu fier d'avoir marqué un point. D'autant que cette réponse *a priori* anodine lui ouvre une succession de questions qui, telle une série d'uppercuts, vient frapper de plein fouet Jeanne Delacour. Elle n'avait pas réalisé que son affirmation allait en engendrer autant. Mais Vallespir est pointilleux. Et a le sens du détail et le souci de la précision.

— Très bien. Alors... avec qui y êtes-vous allée ? Qui a réglé la course du taxi ? Qui a payé l'œuvre de Lamuler ? Où se trouve aujourd'hui cette œuvre ? Et puis aussi, tenez, pendant qu'on y est, connaissez-vous la distance qu'il y a entre Sainte-Jeanne et Landerneau ? Où avez-vous dormi à Landerneau ? Qui a réglé la note d'hôtel ? Ainsi que celle du chauffeur du taxi ?

Jeanne Delacour a compris. Elle est piégée. Elle tente bien de minimiser son rôle ainsi que celui de son mari, mais elle sent intuitivemment que cette position va être difficile à tenir.

— Je pense que les frais ont été pris en charge par mon mari, je ne vérifie pas ses comptes. Il a le bon goût de ne pas régler les achats devant moi. Nous y sommes allés ensemble. L'œuvre *Le Cygne du lac* se trouve chez nous, dans notre salon... mais c'est provisoire. Ce tableau doit être exposé au musée que va faire construire mon mari pour la commune. Et d'ailleurs, je pense que cette œuvre a été payée par la commune de Sainte-Jeanne.

— Et vous avez dormi où à Landerneau ?

— L'hôtel de la Paix, je crois.

David lit une facture qu'il lui montre de l'autre côté du bureau.

— Effectivement. Hôtel de la Paix, 4 étoiles, bord de mer. Une nuitée pour deux personnes, avec dîner et déjeuner, pour un total de 1 453 euros.

— Vous voyez, je ne vous mens pas.

David insiste pour qu'elle prenne la note entre ses mains.

— Qu'est-ce qui est noté au bas ?

Jeanne Delacour chausse ses lunettes. Elle lit. Comprend. Hésite. Vallespir insiste.

— Alors ?

— Facture acquittée.

— Facture acquittée par ?

— Mairie de Sainte-Jeanne.

— Vous m'avez donc menti. Ce n'est pas votre mari qui a réglé l'hôtel, c'est la mairie. C'est d'ailleurs la mairie qui a tout réglé, le taxi, le restaurant, l'hôtel et même le tableau de Lamuler. Qui par ailleurs est encore chez vous. Parce que le musée de la commune n'existe pas.

Il prend son temps et regarde droit dans les yeux la gardée à vue.

— Et ça ne vous dérange pas de vivre aux frais du contribuable, madame Delacour ?

— Avec tout le mal que mon mari se donne pour cette commune, ils lui doivent bien ça, les contribuables !

45

Huit heures se sont écoulées depuis le début de la garde à vue de Robert Delacour. Les premières passes d'armes oratoires du début de l'interrogatoire avec le commissaire semblent loin. L'édile commence à fatiguer. Au début, il ne savait pas trop à quoi s'attendre. Il se doutait que le duel ne serait pas facile, mais pensait que son âge, sa fonction et ses relations le mettraient à distance des flics. Une arrogance triomphante loin de la réalité de l'instant. Il comprend que la partie n'est pas gagnée. Il commence surtout à voir que les flics ne lâcheront rien. Et que leur enquête semble plus approfondie qu'il ne l'imaginait. Leurs questions sont précises et il lui est difficile de se cacher derrière des propos généraux, tendance langue de bois. Il n'est pas en meeting ou en conseil municipal. Il n'est pas le maître du jeu, ni celui des horloges. Les flics gèrent son temps, de parole et d'action. Et il n'en est qu'au début de la durée de sa garde à vue. Il souffle. Midlak le regarde.

— Quelque chose ne va pas, monsieur le maire ?

— Vous pensez qu'on en a encore pour longtemps ?

— Vous ne répondez pas à la question, monsieur le maire. Quelque chose ne va pas?

Typiquement le genre d'attitude qui agace l'édile. Lui, si habitué à ne pas être coupé et à obtenir des réponses, se retrouve confronté à ce qu'il renvoie habituellement. Et ce flic ne lâche rien. Bien obligé de lui répondre.

— Non, non, tout va bien. Je m'inquiétais juste de savoir pour combien de temps vous pensiez encore avoir besoin de moi. J'ai des activités à l'extérieur. Des rendez-vous à honorer. Je n'ai pas mon agenda, mais il semble même que je devais déjeuner avec le préfet à midi.

Stanislas sourit. Décidément, le maire tente tout.

— Ne vous inquiétez pas pour lui monsieur le préfet. Il a été prévenu de votre empêchement.

Stanislas ne rajoute rien. Il laisse le maire mijoter avec cette réponse. Dont il comprend assez vite le sens. Ses soutiens et amis politiques ne se sont pas manifestés. Contrairement à leurs déclarations, ils n'ont rien fait pour empêcher les investigations en cours. Il en déduit que l'amitié en politique s'arrête aux frontières de la garde à vue.

Le policier se lève. Récupère son arme, son brassard, ses clefs de voiture, et invite le maire à le suivre.

— Et on peut savoir, pour aller où, monsieur le commissaire?

— À la mairie. En perquisition.

Le maire consulte une nouvelle fois l'heure. Il est 14 h 15. Il savait depuis longtemps que son déjeuner avec le préfet était raté, mais ne se doutait pas que son après-midi commencerait par une humiliation publique. Il en veut au commissaire. Il ne peut pas ignorer que, le lundi, c'est jour de forte affluence. Administrés, élus et agents municipaux sont tous présents. Si tant est que sa garde à vue avait un caractère confidentiel, il a compris qu'à compter de la perquisition à la mairie elle ne va plus le rester. Il blêmit.

L'arrivée du maire et des policiers donne un immense coup de froid au «palais» de ville. L'interpellation du maire a circulé dans tout le village. En urgence, directeurs des services, élus, agents communaux, même ceux en repos, sont revenus sur leur lieu de travail, pour savoir ce qui se passe. Une façon aussi de compter les présents, pour imaginer parmi les absents ceux faisant partie du car de ramassage de la police. La rumeur a annoncé d'autres interpellations, dans ce que certains appellent déjà l'affaire Delacour.

Les deux véhicules banalisés se garent sans hésiter sur l'emplacement portant la jolie calligraphie «Réservé à monsieur le maire».

Delacour tient à montrer qu'il reste le prince sur ses terres. Il se redresse. Tire sur son manteau, se redonne une contenance. En sortant de la voiture, il est comme ébloui et porte les mains à ses yeux. C'est à ce moment qu'il voit trois agents techniques. Il se redresse un peu plus et avance à grands pas vers eux. Le commissaire le retient.

— Monsieur le maire, vous êtes en garde à vue. Vous ne pouvez parler avec personne.

Le maire est étonné. Et agacé.

— Je ne voulais pas leur parler, juste les saluer.

Stanislas ne répond rien. Le maire salue de loin les trois agents, qui ne savent pas trop quoi faire. Du même pas, Paulo et David entourent Robert Delacour, pendant que le commissaire ouvre la marche et que deux autres policiers en civil la ferment. Le petit groupe progresse ainsi sur la place de la mairie, et arrive devant la porte d'entrée. Ils pénètrent dans le hall d'accueil.

La ruche du matin se fait instantanément cloître de monastère. Le silence tombe. Implacable.

Au milieu du hall il y a un grand comptoir. Deux secrétaires l'occupent et trient les appels et le public. De chaque côté, des escaliers en colimaçon desservant une plate-forme de huit mètres carrés où ils se rejoignent, avant de repartir pour accéder à l'étage. L'ensemble est moderne et stylisé. Au premier étage, se trouvent l'état-major de la mairie, le cabinet du maire, son secrétariat personnel, le bureau de son directeur de cabinet, celui du directeur général des services et de son adjoint.

Le commissaire se présente à l'accueil. Il se contente de quelques mots à l'attention des deux secrétaires présentes. Qui ne l'écoutent pas. Trop étonnées de voir leur maire entouré de cette façon. Elles ne savent pas trop quoi faire. Hésitent. Se regardent. L'une d'elles tente un timide « Bonjour, monsieur le maire », sa voisine préfère plonger la tête dans le classeur téléphonique de la mairie. Stanislas explique que, dans le cadre de leur enquête, il doit procéder à la perquisition de la mairie, et notamment du bureau du maire. Il ne s'étend pas plus et monte les escaliers. À mi-hauteur, il fait une pause et jette un coup d'œil sur l'intérieur la mairie.

En d'autres circonstances, il aurait apprécié l'effet architectural. La plate-forme couvre à mi-hauteur la moitié du hall d'accueil. Elle s'ouvre sur le vide sur sa longueur, une longe métallique sert de rambarde. Stanislas sourit, on dirait une sorte de piédestal entre le commun du public et l'étage des élus. De l'autre côté, elle s'appuie sur un mur porteur. Où est posé le traditionnel tableau chronologique des maires. De grande taille, en marbre, les noms des premiers magistrats s'étant succédé à la tête de la commune y sont gravés, avec pour chacun les dates pendant lesquelles il a exercé la mandature suprême locale.

Mais le temps n'est pas à la contemplation. Ils entrent sans frapper. Un homme entre deux âges en costume gris élimé est assis derrière le bureau. Il consulte, l'air grave, différents dossiers. L'arrivée des policiers et du maire le surprend. Elle provoque son éjection du fauteuil où il est assis. Grand, mince presque maigre, légèrement voûté, il se met à danser sur place d'un pied sur l'autre, pendant que Delacour le fixe avec des yeux sévères. Où Midlak croit même voir un peu de mépris. Pour mettre fin à la gêne ambiante, l'homme tend la main en direction du groupe des policiers.

— Messieurs, bonjour, François Gabelle. Premier adjoint.

Par obligation polie plus que par volonté courtoise, les policiers lui serrent la main. Gabelle tente des explications.

— Je vous prie de m'excuser, messieurs. Je ne vous attendais pas. Quand j'ai appris pour monsieur le maire… j'ai voulu récupérer des dossiers urgents à traiter. Je me doutais qu'ils devaient se trouver sur son bureau.

En même temps qu'il parle, il tend négligemment ses doigts au maire, sans le regarder. Delacour les saisit et les presse plus qu'il ne les serre, comme s'il voulait obliger son désormais ex-premier adjoint à ne pas l'ignorer. Mais Gabelle semble ne rien ressentir. Il continue de dodeliner. Et s'apprête à quitter les lieux, toujours sans un regard pour Delacour, juste avant que Midlak ne l'informe de la suite des événements.

— Monsieur Gabelle, il faudra rester disponible dans la journée. On va être obligé de vous entendre. On vous recontactera pour vous donner rendez-vous.

C'est au tour du visage du premier adjoint de blêmir. Il va pour poser une question, s'abstient et quitte les lieux après avoir acquiescé aux propos du commissaire. Les policiers le suivent des yeux, un peu étonnés.

— La place n'est pas encore froide qu'elle est déjà occupée, lance Paulo.

David enchaîne.

— Principe de réalité politique : être Iznogoud à la place d'Iznogoud.

— En tout cas il préfère ma place derrière mon bureau qu'entre vous, messieurs. C'est un peu le problème de Gabelle : son courage politique s'arrête là où commencent les vraies emmerdes.

La perquisition peut enfin débuter. Stanislas propose au maire de s'asseoir sur son fauteuil, le temps de la fouille, il refuse. Il préfère rester debout. Les policiers savent ce qu'ils ont à faire, et n'hésitent pas.

Le bureau de l'édile est une salle de musée; une dizaine de toiles de maître sont encadrées et exposées au mur; derrière le fauteuil est étendue une immense tapisserie signée Saint Roland, à côté de laquelle est posée une statue presque grandeur nature représentant une femme, aux seins nus et au visage angélique.

Stanislas lit sur le socle qu'il s'agit de la statue : *La Femme*, de Devinsky. Il note les formes délicates de cette œuvre, le geste gracile, et apprécie la finesse des traits comme la sensualité du matériau. Il remarque d'ailleurs que le maire ne cesse de la fixer. Il se demande en fait si l'édile n'a pas voulu rester debout, juste pour pouvoir admirer une fois encore ce corps féminin, si parfait.

Sa réflexion artistique s'arrête vite, David et Paulo démontent les tableaux accrochés aux murs et les identifient. Ils vérifient dans leur listing, et font signe à Stanislas. Toutes ces œuvres proviennent de ventes aux enchères réglées par les virements de fonds de la commune. Midlak se tourne vers Delacour.

— Monsieur le maire, pourquoi ces tableaux se trouvent-ils dans votre bureau ?

— Ils ont été achetés avec les fonds de la commune et sont exposés dans un local communal. Rien n'interdit cela.

— Ce n'est pas comme si c'était un local communal ouvert à tous, monsieur Delacour. C'est votre bureau. Celui du maire de la commune. J'imagine qu'avant d'y entrer chacun doit demander un rendez-vous. L'entrée dans ses murs est restrictive. Vous faites donc un usage privé de biens achetés publiquement.

— Toutes ces œuvres sont prévues pour être exposées dans le musée de la commune. Elles sont publiques.

— L'hypothétique musée...

— Pardon ?

— Pour l'instant, il n'existe pas, ce musée, monsieur le maire. C'est juste un vague projet. Une promesse orale. Rien de concret. Pas la moindre délibération municipale à ce sujet, pas le début de commencement d'un écrit, pas de recherche de locaux à aménager. Un musée donc totalement hypothétique qui n'était même pas évoqué dans le programme de votre campagne électorale. Ainsi, ses œuvres ne sont bien là que pour votre usage personnel, comme d'ailleurs, celles exposées chez vous.

— Bien sûr que ce musée est prévu. J'ai déjà réfléchi et sollicité un architecte pour lui faire part de mon souhait. Vous pourrez vérifier auprès de lui. Un grand musée, ouvert à tous, avec plusieurs ailes. Une consacrée aux peintres, une autre aux sculpteurs. Les deux reliées par une arche de verre, où la lumière aurait pu inonder les œuvres exposées, pour encore mieux les mettre en valeur. Je voudrais quelque chose d'interactif, pour que le visiteur ne reste pas inerte devant une œuvre, mais comprenne qu'elle est vivante et provoque des émotions.

— Je m'en fous, Delacour. Pour l'instant, ce musée n'existe pas. Et jusqu'à preuve du contraire, il n'en a même jamais été question. Ce qui n'empêche pas des œuvres achetées avec des fonds publics d'être exposées dans votre bureau. On les saisit.

C'est l'ordre qu'attendaient Paulo et David. Ils entassent avec précaution les tableaux sur la table centrale de réunion. Ils prennent soin de les lister et de préciser l'endroit où chacun d'eux a été trouvé. Ils en notent déjà quinze, dont sept signés Hubert Weber. Ils poursuivent la fouille méthodique des lieux.

Sur tout le tour des murs de la pièce il y a une sorte de buffet de 60 centimètres de hauteur. Il sert à la fois de banc pour s'asseoir, mais également de coffre à rangement. Quand Paulo soulève la première partie, son regard est attiré par des cartons de dossiers administratifs plus jetés que posés, faisant un tas difforme. Sous ces dossiers il aperçoit une couverture, grise et fatiguée, dont la présence à cet endroit paraît incongrue. Il débarrasse les documents administratifs, avant de soulever un bout du vieux morceau de laine. Il se redresse immédiatement.

— Chef, je crois qu'on a un truc, là.

Stanislas approche. À son tour il se penche pour mieux voir. Il est à peine surpris quand il découvre que le vieux plaid gris recouvre deux statues et trois tableaux. Délicatement, Paulo sort une des deux sculptures, représentant une femme aux seins nus et au visage angélique. Il l'exhibe au bout de son bras, la tenant par la taille. Tout en désignant *La Femme* de Devinsky, il demande au maire :

— C'est la petite sœur ?

Imperceptiblement, le maire vacille. Stanislas hésite, il ne sait pas si ce sont les gros doigts de Paulo enserrant l'œuvre d'art qui provoque cet état chez Delacour, ou si c'est la découverte de cette cachette. Pourtant, Delacour arrive à répondre.

— C'est le premier modèle. L'original. Devinsky voulait s'assurer des bonnes proportions avant de la réaliser en taille réelle.

— Un peu comme la statue de la Liberté en fait ?

— Un peu, oui. Devinsky s'est servi de la méthode mise au point par Bartholdi pour réaliser une œuvre parfaite, aux dimensions idéales.

Stanislas à cet instant, en profite :

— Et ça vaut dans les combien, ce modèle original ?

— 70 000 ou 80 000 euros, environ.

— 80 000 euros, ah oui, quand même... Et sinon la couverture autour d'elle, c'est parce que vous aviez peur qu'elle ait froid ?

— Non, non, ça, c'était pour le transport, uniquement pour la protéger.

— Mais pour la transporter d'où à où, monsieur le maire ?

— Eh bien, des... des... des archives de la commune à mon bureau.

— Et pourquoi ce transport des archives de la commune à votre bureau ? C'est quoi, l'utilité ?

— Qu'elle ne soit pas stockée inutilement dans un endroit où personne ne la voit, et la mettre à disposition de tout le monde.

— Aux yeux de tout le monde ? Dans votre bureau ? Sous une couverture ? Au fond d'un coffre à rangement ? Vous vous foutez de la gueule de qui, monsieur le maire ?

Les yeux de Delacour lancent des couteaux au commissaire. Il n'a pas l'habitude qu'on le prenne en défaut, et encore moins qu'on lui parle sur ce ton.

— Hein, vous vous foutez de qui, Delacour? Ça tient pas une minute, votre histoire! Allez-y, expliquez-moi, qu'est-ce qu'elle foutait, cette œuvre d'art aux archives, avant qu'elle n'atterrisse au fond d'un placard de votre bureau? Elle attendait la construction de votre hypothétique musée? Et pourquoi l'avoir cachée sous cette couverture? Avec des dossiers par-dessus? Alors c'est quoi votre explication cette fois, Delacour? Vous aviez peur que votre premier adjoint la trouve et l'expose dans son bureau plutôt que le vôtre?

Le maire ne tient plus debout, ses jambes flageolent. Il commence à transpirer. Il s'est enferré tout seul et, comme issue immédiate, il ne voit que le silence. De toute façon, Stanislas ne lui laisse pas beaucoup la possibilité de répondre.

— Vous voulez que je vous dise, monsieur le maire? Ce n'est pas uniquement de nos gueules à nous les flics que vous vous foutez, c'est de celles de tous vos administrés. La vérité, c'est que la statue modèle réduit de Devinsky, elle n'a jamais été aux archives de votre commune... Elle était chez vous, dans votre bureau ou votre chambre à coucher. C'est votre modèle, votre muse. Vous êtes addict à cette statue. Vous avez besoin de la voir, de la sentir, de la toucher, même, j'imagine. Alors, quand vous avez appris qu'une enquête était en cours sur votre commune et vos pratiques...

Stanislas prend une pause avant de poursuivre :

— Car vous le saviez, n'est-ce pas, monsieur le maire, qu'une enquête était en cours?

Les dénégations du maire sont déjà moins virulentes.

— Alors, quand vous avez appris qu'une enquête était en cours, l'estomac en vrac, le cœur en miettes, vous vous êtes décidé à transporter cette statue, et les autres œuvres qui étaient sous cette couverture, de chez vous à votre bureau. Vous vous êtes dit qu'en cas de perquisition, il valait mieux qu'elles soient trouvées à la mairie plutôt qu'à votre domicile. Je pense même que ce transport a dû avoir lieu il y a quelques jours. Et peut-être même qu'on pourrait avoir des photos de ce dernier, n'est-ce pas, David ?

Depuis le début de la diatribe de leur chef, les policiers se sont tus, et l'écoutent. Ils partagent son point de vue. À l'énoncé de son prénom, David ne dit rien, mais acquiesce fortement de la tête.

— Et je peux même vous dire que ce transport, vous l'avez fait avec votre femme, monsieur le maire, et votre agent technique, M. René Deauzelle. Votre homme de confiance. Celui qui allait chercher les œuvres que vous aviez achetées aux enchères avec l'argent de la commune et qui vous les livrait chez vous. Forcément chez vous, le musée n'est pas encore construit. Fallait bien les stocker quelque part, ces œuvres d'art, achetées une fortune avec l'argent de la mairie. Les stocker et les exposer chez vous, monsieur le maire. À des fins personnelles. Ça s'appelle de l'abus de biens publics en droit pénal. Elle est là, la réalité, monsieur le maire. Elle est là et pas aux archives de la mairie.

Stanislas s'assoit à côté du maire. Il pose une main sur la jambe de Delacour. Ce dernier sursaute, surpris de cette familiarité. Dans un sourire amer, le commissaire finit par lâcher :

— On a les photos de votre déménagement nocturne. Malgré la nuit, la couverture grise est bien visible.

Incrédule, Delacour fixe Midlak. Qui soutient son regard. L'édile détourne les yeux. David et Paulo terminent de lister toutes les œuvres découvertes dans la couverture élimée. Les deux statues sont des œuvres de Devinsky, les trois tableaux sont d'Henri Weber. Le capitaine Vallespir vérifie sur ses documents. Ces cinq œuvres ont toutes été achetées aux enchères par Delacour, officiant ès qualités maire de Sainte-Jeanne, et réglées sur mandats de la commune. Une fois encore, le flic pose sa main sur la jambe de Delacour et se tourne vers lui :

— Devinsky, Weber. Des artistes majeurs. Vos préférés. Je crains qu'ils ne soient à l'origine de votre perte. On est mal, là, monsieur le maire. On est mal.

46

Le maire a mal supporté sa nuit en garde à vue. Allongé sur un banc de ciment, à peine protégé par un matelas de mousse, une couverture râpeuse posée sur lui, il n'a pas dormi.

Avant son arrestation, il pensait que son statut d'élu le protégerait : arrogance aveugle. Après cette nuit d'enfermement et de réflexion, il commence à ouvrir les yeux sur cette position de représentant du peuple, qui l'oblige à répondre de ses actes : humilité clairvoyante. Tardive.

Au début de sa garde à vue, tout l'a surpris. La fouille à corps, la cellule, les geôliers, la nourriture. Au fur et mesure de son déroulé, c'est surtout son incapacité à gérer le temps qui l'a dérangé. Si habitué à avoir sa vie réglée, presque minute par minute, son temps se retrouvait soumis à la gestion d'autres personnes, sur lesquelles il ne pouvait exercer son autorité.

Si rompu à être obéi, entendu et admiré, ses paroles se retrouvaient consignées sur des écrits, pour lesquels ils n'obtenaient aucun applaudissement, mais des regards critiques, des remises en cause et des questionnements.

Depuis maintenant plus de vingt-quatre heures, il est privé de liberté. Et il comprend que cet état risque de durer. Quand le commissaire vient le chercher pour reprendre les interrogatoires, il prend conscience que les flics ne lui épargneront rien.

Que son destin lui échappe.

Et que cette deuxième journée de garde à vue risque d'être encore plus douloureuse que la première.

Lorsque le commissaire le fait entrer dans son bureau, il est étonné de voir un plateau-repas avec du café et des croissants posé sur la table de réunion. Le commissaire lui a déjà laissé du temps, en sortant de la cellule, pour faire un brin de toilette. Il lui propose maintenant de partager avec lui un petit déjeuner.

— Ça reste frugal, mais c'est toujours mieux que rien.

Il s'assoit, prend la tasse de café, la porte à ses lèvres, et laisse descendre le goût chaud et âpre dans son corps. Immédiatement, il recouvre de la vigueur. Il prend son temps pour déguster un croissant. Regarde le commissaire, qui ne mange rien.

— Et vous, commissaire ?

— Pas très faim, merci. Mais vous faites plaisir à voir, monsieur le maire.

Le maire laisse un sourire timide s'afficher sur ses lèvres. Il dit :

— En même temps, vos locaux : c'est pas le Carlton.

— Je vous laisse terminer, monsieur Delacour, et après on attaque. On a encore pas mal de choses à voir ensemble.

— Et ma femme, commissaire ?

— Elle va bien. Enfin, aussi bien qu'on peut aller dans ces conditions. Comme vous, elle n'a pas particulièrement apprécié la chambre mise à sa disposition cette nuit, mais comme vous aussi, elle a droit à un régime de faveur au petit déjeuner.

— Ça ne changera certainement rien à la suite. Mais merci. Commissaire.

Le maire garde un morceau de croissant dans la main et une tasse dans l'autre. Il se lève pour changer de position et s'installe dans un fauteuil face au bureau du commissaire. Le moment de convivialité est terminé, le duel reprend. Mais à la différence de la veille, les belligérants se connaissent. En vingt-quatre heures, autant l'un que l'autre a pu découvrir comment son adversaire fonctionne. La discussion est plus fluide. La politesse et les enjeux ont été posés. Mais, pour Midlak, les réponses de l'élu à ses questions sont toujours aussi alambiquées pour ne pas dire ridicules.

Sur sa fiche bristol, le policier a indiqué les différents points sur lesquels il souhaite interroger le maire. Il commence par les nombreux dépôts en espèces effectués sur son compte. Et celui de sa femme. Delacour avait oublié ces détails. Le commissaire lui rappelle.

— Des détails répétés cinquante-six fois entre le 01/01/2006 et le 04/11/2008 représentant 282 000 euros. Ça paraît difficile à oublier.

— J'ai déjà répondu à cette question, il y a plus d'un an au capitaine... Lavoisière, je crois ?

— Et alors ? Parce que vous avez répondu d'énormes conneries la première fois, vous voulez les maintenir une seconde ?

— Appelez ça comme vous voulez, commissaire. Mais je maintiens ma première version.

— La cagnotte ?

— Exactement, une cagnotte. Une tontine, un bas de laine. Appelez ça comme vous voulez, je vous dis.

Le commissaire a décidé de noter tout ce que dit le maire. Il ne se prive pas. Pourtant la bêtise comme le mensonge l'énervent. Il fait remarquer au maire qu'il est trop intelligent pour ne pas comprendre que ce genre de réponse ne tiendra pas deux minutes devant un tribunal et qu'au lieu de l'aider elles ne serviront qu'à renforcer le sentiment qu'il se fout de la gueule du monde et qu'il ment ouvertement, pour camoufler une vérité beaucoup plus pathétique. Mais tellement moins absurde.

Il lui tend la perche en lui posant des questions précises : pourquoi avoir effectué des versements réguliers ? Pourquoi tout le temps des sommes similaires ? Pourquoi sur trois comptes similaires ? Pourquoi ne pas avoir commencé tout de suite après le passage à l'euro ? Pourquoi avoir attendu 2006 ? Où sont les traces des changements de francs en euros d'un tel montant ?

Mais Delacour n'en démord pas. Il préfère reconnaître avoir cherché à dissimuler des revenus au fisc plutôt que d'expliquer d'où proviennent ces 282 000 euros répartis en cinquante-six dépôts différents en presque trois ans.

Midlak n'insiste pas. Quand un gardé à vue se noie, le policier a pour habitude de lui lancer des bouées de sauvetage. Si l'homme ne veut pas les saisir, cela relève de sa responsabilité.

Il se tourne vers lui.

— Pour l'instant, la priorité, c'est votre présentation, celle de votre femme et des deux entrepreneurs.

Delacour lève la tête.

— Maintenant c'est les juges, c'est ça ?

— Oui, le procureur Louis-Denis Pernaudet et son adjoint Olivier Demaudo ont demandé votre présentation. Ils ont saisi un juge d'instruction, c'est le tour de permanence d'Éric Vallud, vous le connaissez ? C'est quelqu'un de discret. Mais qui a la réputation d'être juste.

— Pour un juge, être juste, c'est un minimum, non ?

— Je vais pas vous mentir, monsieur le maire. À mon avis, il va demander votre détention provisoire.

— Et ma femme ?

— Elle est moins impliquée que vous. Elle n'est pas élue, elle...

— C'est bon, n'en rajoutez pas, j'ai compris. Je verrai tout ça avec mon avocat.

Il regarde droit dans les yeux les deux policiers. Stanislas pense qu'il ne s'est pas trompé, la capacité de résilience chez cet homme est impressionnante. Le maire, sur un ton qui ne supporte pas la contradiction, leur intime plus qu'il ne leur demande :

— Vous pouvez me laisser seul.

Et finit par dire :

— S'il vous plaît ? Ne vous inquiétez pas, je suis un homme d'honneur, messieurs. Je ne vais pas en profiter pour me suicider. Juste me préparer à ce qui m'attend.

Stanislas fait signe à Paulo de rester devant le bureau et de jeter régulièrement un œil sur le maire. Après les presque quarante-huit heures qu'il vient de passer, les policiers peuvent lui accorder cette petite faveur. La procédure est prête, dans dix minutes, ils partent en convoi au palais.

Le cirque médiatique va commencer.

De l'ombre des cellules de garde à vue, le maire va repasser à la lumière des médias.

47

L'arrivée des époux Delacour et des deux entrepreneurs de Sainte-Jeanne au palais de justice a été beaucoup plus agitée que la sortie. Une horde de caméras et de micros attendait le maire et les policiers dès la sortie des locaux de la police judiciaire, qui les a suivis jusque devant le palais, où les voitures ont pu pénétrer dans un parking protégé.

La sortie s'est faite plus discrètement. La durée du premier interrogatoire devant le juge d'instruction, suivi du délibéré devant le juge des libertés et de la détention ont pris beaucoup de temps. Dès l'annonce de la décision de l'incarcération du maire, les journalistes ont été plus occupés à relayer l'information auprès de leur rédaction qu'à chercher à tout prix à avoir une image du maire entravé se rendant en prison.

Surtout, il se faisait tard, et Paulo, pour éloigner les derniers petits curieux, a utilisé une méthode de diversion. Il s'est proposé de s'occuper du transfert en détention d'un pauvre hère qui venait de se faire condamner à deux mois fermes par le tribunal pour avoir escroqué sa banque. L'avantage de l'escroc était sa tenue : loin des baskets, T-shirt sale et jean troué du délinquant d'habitude, l'arnaqueur portait costume et cravate similaires à ceux du maire. Paulo a recouvert d'une couverture la tête du faux banquier, fait ouvrir la porte du parking sécurisé, s'est bien fait reconnaître des reporters présents, et a pris la direction de la prison.

Il n'en fallait pas plus pour appâter les derniers journalistes présents, avides de sensations et d'images, mêmes floues, d'une couverture sur une tête dans une voiture de police.

Technique qui permet à David et Stanislas d'accompagner discrètement le maire à la maison d'arrêt de Bayonne. Loin de tout projecteur.

La tension est palpable dans la voiture. Les deux flics ne disent rien. Le maire s'est muré dans un silence total. Sa tête est posée contre la vitre, ses yeux suivent tous les mouvements de la rue. Il ne cherche même pas à se cacher. Pas besoin de couverture sur la tête, de toute façon les journalistes ont les images qu'ils voulaient. Delacour se tourne vers David, assis à ses côtés. Il désigne la poignée de sa fenêtre.

— Je peux ?

David ne s'y oppose pas. Le maire descend la vitre et respire à pleins poumons. Le vent s'est levé. Delacour ferme les yeux, se remplit de tous ses effluves puis demande à Stanislas :

— Dites-moi, je ne vais quand même pas être mélangé à des gens ayant commis des meurtres ?

— Je ne pense pas. Il y a un quartier réservé aux personnalités.

— Je préfère.

David commence à sentir l'angoisse du maire.

— Ne vous inquiétez pas trop. Là, vous êtes juste en détention provisoire. C'est pas une condamnation définitive. Juste quelques mois.

Stanislas ajoute, pour le rassurer :

— Et le procureur a avisé personnellement la directrice de la maison d'arrêt. Vous allez être bien reçu.

— En prison ? Bien reçu ? Privé de liberté, sans télé, livres ou accès aux musées.

David s'exclame :

— Ah, la télé, si ! Et si tu raques, t'as même les chaînes porno.

Stanislas jette un regard noir dans le rétroviseur à son subordonné, lui reprochant sa mauvaise imitation de Paulo. Le maire s'interroge sur ses conditions de détention. Pas forcément le moment d'être graveleux. Tous préfèrent se taire. Le silence reprend ses droits, d'autant que la voiture arrive devant la maison d'arrêt. Stanislas abaisse le pare-soleil Police, descend, présente l'ordre d'incarcération au greffe. Remonte et engage le véhicule dans le sas d'accueil.

Dans l'habitacle, l'ambiance a changé. Les flics le sentent, le maire est en panique. Comme s'il venait de prendre conscience de la réalité prégnante de sa perte de liberté. Comme s'il comprenait qu'à partir de cet instant tous ces faits et gestes seront scrutés, étudiés et encadrés. Comme s'il assimilait qu'il ne pourra plus faire un pas, sans en rendre compte.

Comme s'il sentait imperceptiblement que sa vie venait de s'arrêter.

Stanislas et David poursuivent ensemble l'enregistrement administratif du maire. Même si les surveillants doivent savoir qui est le nouvel arrivant, ils ne lui font aucun passe-droit. Comme tout un chacun, il lui est demandé de poser ses affaires sur le bat-flanc, et ainsi que n'importe quel prisonnier, il lui est ordonné de patienter dans une cellule d'attente de un mètre cinquante sur un, avec comme seule commodité un petit banc en bois.

Delacour regarde de tous côtés, cherche du regard un visage ami. Les policiers ont beau lui sourire, eux-mêmes sont dérangés par la gêne qui l'habite, et qui les inquiète. Delacour avise la minuscule geôle d'attente dans laquelle le surveillant lui dit de pénétrer. Il se tourne, paniqué, vers Stanislas.

— Mais ce n'est pas ma cellule, quand même ! ?

— Non, c'est une cellule d'attente. Le temps de finir les papiers administratifs. Calmez-vous, monsieur le maire.

— Mais je suis très calme, qu'est-ce que vous croyez ?

— Monsieur le maire, vous êtes stressé. C'est normal, parfaitement normal. Dans votre situation, je pense qu'on le serait tous. Je veux juste m'assurer auprès de vous que tout va bien se passer. Que vous n'avez pas d'idées noires.

— Quel type d'idées noires ?

Stanislas hausse les épaules, comme si la réponse allait de soi. Le maire se raidit. Prend conscience qu'il y a encore du public. L'image, toujours soigner l'image. Il se redresse un peu plus, pose sa voix avec gravité :

— Des idées de suicide? Rassurez-vous, messieurs, j'ai trop d'orgueil pour fuir ainsi mes responsabilités. Je sortirai d'ici vivant, messieurs. Vivant et innocent.

Et sans attendre, Robert Delacour entre avec dignité dans sa minuscule cellule d'attente. D'un geste dérisoire, avec la manche de son manteau au col baissé, il nettoie le petit banc sur lequel il s'assoit. Il n'attend plus rien des policiers, ne les voit plus. S'est déjà enfermé dans sa solitude. Quand la porte de la cellule minimaliste se referme sur lui, à travers les barreaux, les policiers ne voient plus qu'un homme, fier, au regard fixe.

Mais vide, désespérément vide.

Le retour au service se fait dans un silence relatif. Les deux policiers sont perdus dans leurs pensées, rejouant la dernière scène qu'ils viennent de traverser. S'étonnant du comportement du maire, aussi vite abattu qu'il est capable de se redresser.

David allume la radio d'info continue où passe en boucle ce que les éditorialistes appellent déjà l'affaire Delacour. Insistant sur la mise en détention d'un maire en plein mandat. Le procureur Louis-Denis Pernaudet a donné une conférence de presse, se mettant en scène et insistant sur le caractère grave et répété des infractions commises par l'édile, entraînant dans son sillage son épouse, un employé fidèle de la mairie et deux entrepreneurs, qui eux échappent à la prison « compte tenu de leur collaboration active avec les services de police et de justice », mais mis en examen et placés sous contrôle judiciaire strict. Même des habitants de Sainte-Jeanne répondent déjà aux interviews des journalistes.

Stanislas coupe la radio. David s'en étonne.

— Qu'est-ce que tu fais ?

— Ça te fatigue pas, toi, d'entendre tout ça ?

Les deux hommes se taisent. Ce qu'ils entendent à la radio leur fait prendre conscience qu'ils viennent de vivre un moment important de leur vie de flic. Le silence s'installe à peine, quand il est troublé par la sonnerie du portable de Stanislas.

— Bonsoir, mademoiselle Véri, comment allez-vous ?

David observe son chef. Il est un peu surpris. Il ne s'attendait pas à ce que Stanislas reçoive à ce moment un appel de la jolie secrétaire de la mairie de Sainte-Jeanne.

— Oui, je vous le confirme. M. Delacour, vient d'être incarcéré à la maison d'arrêt de Bayonne. Je l'ai accompagné moi-même. Oui, oui, je suis d'accord avec vous, c'est énorme. Et rare en France. Mais comme ça, les choses devraient changer à Sainte-Jeanne. Je vous le souhaite en tout cas. Merci, mademoiselle. Et n'hésitez pas...

Stanislas raccroche. David le fixe.

— T'es sûr que c'est une bonne idée ?

— Quoi ?

— Te fous pas de ma gueule, Stan. Répondre à la plus jolie fille de la mairie, juste maintenant.

— Ça fait combien de temps qu'on se connaît, David, quinze, dix-huit ans ? Ça fait combien de temps qu'on arrête des voyous ? Depuis toujours... Est-ce que tu sais combien de fois Cécile m'a appelé pour me féliciter, ou juste me demander comment ça allait après une belle affaire ? Encore plus, quand elle est médiatique. Ça fait exactement quinze heures et trente-deux minutes qu'elle ne m'a pas donné de nouvelles.

— Et toi ? Tu l'as appelée quand la dernière fois, comme ça, pour rien... juste pour lui dire que tu pensais à elle ?

Stanislas regarde, étonné, son subordonné. Il n'avait jamais envisagé les choses sous cet angle. Pour autant il ne prend pas son téléphone pour appeler Cécile. Les chemins pris sont différents. L'envie a changé de camp.

48

La journée est chargée pour Stanislas et David. Ils ont rendez-vous avec le juge d'instruction Éric Vallud, chargé de l'information judiciaire du dossier Delacour. Nécessité de faire le point après la mise en examen et détention du maire, afin de poursuivre au plus vite les investigations. L'homme est affable et courtois. Grand, mince presque maigre et anguleux à cause d'une pratique intensive du marathon, il porte les cheveux courts par obligation plus que par choix, à quarante-deux ans il commence à les perdre, mais se rassure avec un petit bouc toujours très bien coupé. L'homme est réputé pour son pragmatisme mais aussi sa détermination, la longueur et la complexité d'une procédure ne lui font pas peur, bien en relation avec sa pratique sportive préférée.

Dans ce tribunal de grande instance qui ne compte pas beaucoup de magistrats chargés de l'instruction, les policiers de la PJ ont déjà eu à travailler avec lui, et jusqu'alors leurs relations se sont bien passées. Ils partagent le goût des procédures bien exécutées où tous les éléments, à charge comme à décharge, sont traités. D'entrée de jeu, le juge met à l'aise le commissaire et le capitaine.

— Vous m'avez gâté avec ce beau dossier. Ces beaux dossiers, même, devrais-je dire. On est partis pour des années de boulot, là.

Stanislas et David sourient. Le juge a déjà compris l'ampleur de la tâche. Ils savent qu'elle ne lui fait pas peur. Au contraire, ça l'excite presque.

— Et encore, monsieur le juge, on s'est attaché à démontrer l'essentiel. Si on attaque l'accessoire, vous et nous, on ne va plus faire que ça. Et on arrête de bosser sur les braquages et les meurtres. Votre hiérarchie et la nôtre ne vont pas forcément apprécier.

— Vous avez d'autres dossiers d'importance en cours?

Stanislas et David secouent les épaules. La réponse est évidente. Le juge les devance.

— Je sais, vous êtes à la PJ, tous vos dossiers sont d'importance. Mais encore?

— On a l'affaire des braqueurs de DAB. À cause de l'affaire Delacour, on l'a laissée un peu au repos ces derniers temps, mais il faut qu'on s'y remette.

— On n'avait pas des écoutes là-dessus?

David fait la moue.

— Bien sûr, mais c'est des pros, monsieur le juge. Ils bazardent leurs puces téléphoniques tous les quinze jours. On n'a pas eu le temps de faire les recoupements pour trouver leurs nouvelles.

Au tour du juge de faire un rictus.

— Mais déjà, on a l'adresse de leur planque, précise Stanislas. Un entrepôt de stockage de fruits et légumes dans la ZI des Mingues. On devrait pouvoir les faire bientôt.

Le juge opine de la tête. Il est bien placé pour comprendre l'importance des autres dossiers que les policiers traitent. Pour autant, ils doivent aussi avancer sur l'enquête concernant Delacour et la mairie de Sainte-Jeanne. Une affaire politico-financière, pas question d'attendre pour poursuivre. La presse et la chancellerie risquent de lui tomber dessus à bras raccourcis si d'autres investigations ne sont pas rapidement menées. Alors qu'il allait reprendre la parole, le téléphone portable du commissaire retentit. Stanislas le regarde, d'un air désolé. Le juge comprend et lui fait signe qu'il peut décrocher. Le policier s'éloigne et revient :

— C'était Valérie, de la Crime. Elle vient d'être contactée par sa tante. Qui habite à Cachin, la commune voisine de Sainte-Jeanne. En lisant la presse ce matin elle a compris que sa nièce avait travaillé sur l'affaire Delacour. Alors elle a tenu à lui faire part d'un fait bizarre. Elle habite en bordure d'une propriété qui vient d'être vendue récemment... à Jeanne et Robert Delacour.

— C'est tout ?

— Bien sûr que non. En apprenant que le maire et sa femme avaient détourné de nombreuses œuvres d'art qu'ils avaient cachées un peu partout...

Le juge, fidèle au code de procédure pénale, le reprend :

— Qu'ils sont suspectés d'avoir détourné... la présomption d'innocence, commissaire.

Le commissaire hausse les épaules.

— Elle s'est souvenue qu'un soir tard, il y a une quinzaine de jours, elle a entendu du bruit dans la propriété voisine. Elle a été étonnée, personne n'y habite encore. Elle s'est mise à sa fenêtre et a vu un couple décharger d'une voiture de la mairie de Sainte-Jeanne des objets protégés par des couvertures. Dans la lueur des phares, elle a formellement reconnu Robert Delacour.

— Quoi ? Mais il faut y aller immédiatement.

— La Crime est en route, monsieur le juge.

— C'est bon, vous les rappelez, vous leur dites qu'ils ont ma commission rogatoire et qu'ils peuvent procéder à tous actes utiles à la manifestation de la vérité.

Midlak sourit.

— Je ne doutais pas de votre réaction, monsieur le juge. Je leur ai déjà dit.

Valérie est partie bille en tête avec Olivier Mérou. Poisson est toujours aussi admiratif de cette jeune collègue qu'il trouve de plus en plus séduisante.

Les instructions du patron sont claires, foncer sur le terrain jouxtant celui de sa tante et prendre toutes mesures conservatoires sur les objets qu'ils pourraient découvrir. Elle aussi s'est prise au jeu de cette affaire politico-financière qui dépasse tout ce qu'elle aurait pu imaginer. Elle accélère. Quand ils arrivent sur place, la fameuse tante les attend sur le pas de la porte. Poisson est étonné de constater qu'il s'agit d'une femme à peine âgée d'une quarantaine d'années, au charme discret et sûr. Il regarde Valérie, et lui demande :

— C'est pas ta tante, c'est ta cousine ?

Valérie hausse les épaules.

— T'arrêtes jamais, toi ? Non, c'est bien ma tante Isabelle, la sœur cadette de ma mère. Elles ont juste quinze ans d'écart.

Isabelle Chaussoy conduit les deux policiers au fond de sa propriété. Au bout du chemin, elle désigne une grange de l'autre côté de la barrière.

— Là derrière, c'est le cabanon de leur propriété. On y accède depuis la route. Dans ce contrebas, caché derrière les arbres, personne ne peut le voir.

Mérou lui sourit.

— Sauf vous, bien sûr. Depuis votre maison.

Isabelle lui rend son sourire. Valérie enfile des gants de protection, escalade la barrière.

— Allez, on y va. Tu viens avec nous, Isa. On va avoir besoin d'un témoin.

Dans la grange, la surprise est totale. Un trou a été creusé à la va-vite. Un morceau de tissu sort de terre. Valérie prend des photos, pendant que Mérou dégage les gravats. Ils découvrent, enroulés dans des couvertures, deux statuettes et trois tableaux. Les deux policiers se marrent.

— Mais il en a semé partout, le maire ! dit Mérou.

— Tu crois qu'il en a caché ailleurs ?

— En tout cas ça mérite d'être vérifié. C'est le principe : diviser pour mieux disperser.

— Ou disperser pour mieux diviser. Ça marche dans les deux sens, croit bon d'ajouter Isabelle.

Poisson lui sourit de nouveau. Cette femme est en train de lui plaire. Et elle est quand même plus de son âge que sa nièce. Il se ressaisit et prend son portable pour rendre compte à Midlak.

Il s'éloigne de quelques mètres. Isabelle en profite, se rapproche de Valérie.

— Il est pas un peu bizarre, ton collègue ?

— Il est toujours comme ça. Grand séducteur devant l'Éternel. Mais il n'est pas méchant, c'est même plutôt un gentil garçon. Et en plus, c'est un bon flic.

Isabelle observe Poisson en train de téléphoner.

— C'est vrai qu'il est plutôt bel homme.

Valérie, étonnée, dévisage sa tante.

— Eh bien, si on m'avait dit...

Poisson revient vers elles.

— Le patron est ravi et le juge aussi. On protège tout, on fait venir l'Identité judiciaire et on entend ta tante sur les conditions dans lesquelles elle a découvert le manège des Delacour.

Les trois protagonistes se regardent. Moment de gêne. Qui va faire quoi ?

— Eh bien, le mieux, Poisson, c'est que, toi, tu entendes ma tante. C'est aussi bien que personne ne fasse le lien entre elle et moi.

Mérou et Isabelle n'en demandaient pas tant. Ils laissent Valérie devant le cabanon, pendant que le policier accompagne sa tante pour relever sa déposition. La policière de la Crime hoche la tête. Dans cette affaire, on va de surprise en surprise.

Dans le cabinet du juge, Midlak rend compte de l'appel d'Olivier Mérou.

Le magistrat intime aux policiers de poursuivre leurs investigations dans ce sens. Il y a urgence dans un premier temps à établir formellement toutes les œuvres d'art qui auraient pu être achetées par Robert Delacour, soit en qualité de maire de Sainte-Jeanne, soit en nom propre. Ensuite, il faut déterminer toutes les résidences, domiciles ou terrains dont le couple Delacour est propriétaire et y effectuer des perquisitions.

Le juge d'instruction réfléchit, tapote une nouvelle fois avec ses doigts le dossier Sainte-Jeanne. Récupère une note manuscrite.

— J'ai lu la procédure hier au soir. Pour chaque individu de la mairie, j'ai fait une petite fiche avec ce qu'on peut lui reprocher.

Stanislas et David sourient. Les vieilles méthodes ont encore de beaux jours devant elles. Le juge comprend.

— Vous aussi, c'est ça ? C'est très bien, comme ça, nous verrons si nous avons les mêmes objectifs.

Tous les trois listent alors le personnel de la mairie et se mettent d'accord pour procéder à des interpellations par vagues successives. En premier lieu, ils décident d'arrêter et de placer en garde à vue le directeur de cabinet Marc Kavedjian, puis l'adjoint chargé de l'urbanisme Paul Richard, suivront le directeur général des services Olivier Lamaury, celui de l'urbanisme Xavier Fantacci et enfin le promoteur luxembourgeois, Charles-François Kayser.

Le juge d'instruction tord un peu le nez.

— Pour lui, il va falloir y aller avec des pincettes. J'ai l'impression qu'il pourrait nous mettre des bâtons dans les roues. Et il doit connaître du monde.

Cela ne semble pas affecter Midlak.

— Il va surtout être difficile à loger. On sait qu'il fait beaucoup d'allers-retours avec le Luxembourg.

C'est autre chose qui le préoccupe.

— Monsieur le juge, ça ne nous regarde pas directement, mais qui préside aux destinées de la mairie de Sainte-Jeanne, maintenant que le maire est en prison ?

Le juge est perplexe. Lui aussi s'est posé la question. La détention de Delacour le rend physiquement empêché pour exercer ses fonctions, mais pour l'instant il n'a pas démissionné. Sa mise en détention n'entraîne pas de fait sa destitution. Stanislas ne peut pas s'empêcher de penser qu'un flic placé en détention serait immédiatement suspendu par sa hiérarchie. Déséquilibre des forces.

— Pour l'instant, j'imagine que la mairie va continuer de fonctionner comme ça, et que c'est le premier adjoint... François Gabelle, qui va prendre la direction de la commune.

Les deux policiers tombent des nues. Ils lui font part de leur surprise, d'autant qu'ils ont commencé à trouver des éléments le mettant en cause. Notamment le fait qu'il était banquier personnel du maire et qu'il ne pouvait pas ignorer les nombreux mouvements suspects sur tous ses comptes. Le juge met un terme à cette digression.

— Nous n'en sommes pas encore là. Nous allons d'abord nous occuper des autres. On aura le temps de s'intéresser de plus près à ce monsieur après. Et qui sait, d'ici là, Delacour se sera peut-être décidé à démissionner.

49

Certains hommes portent l'arrogance comme la barbe. Avec naturel et négligence. Marc Kavedjian, la quarantaine passée, quatre-vingt-dix kilos et un mètre quatre-vingts tassé, porte les deux. Sûr de lui, de ses relations et de l'importance que lui confine son job : directeur de cabinet du maire. Il trimballe dans les couloirs de la mairie sa carcasse d'homme gâté par la vie, persuadé d'être apprécié à la hauteur de son talent, de son sourire ultra white et de ses poils sortant de sa chemise, forcément blanche et mal boutonnée, n'hésitant pas à flatter d'une main ce qu'il réclame avec sévérité de l'autre.

Quand les policiers, sous la direction du capitaine David Vallespir en tête, arrivent à la mairie, il pressent que c'est son tour.

— Monsieur Marc Kavedjian, vous êtes placé sous le régime de la garde à vue.

Dès qu'il a appris qu'une enquête était en cours, Kavedjian s'est préparé à une éventualité qui lui a toujours fait peur, qui s'est précisée le jour où le maire a été pris dans les mailles du filet policier. S'il y a une chose qu'il veut éviter, c'est la case prison. Les 20 000, ça fait longtemps qu'il les a encaissés. Pour éviter l'emprisonnement, il est prêt à les rendre. Il sait que sa barbe et sa chemise blanche ne supporteraient pas d'être enfermées plusieurs mois entre quatre murs. Ce n'est pas tant une question de réputation ou de prestige, mais plus le fait d'être confronté en espace clos à des vrais voyous et à la dureté d'une vie qu'il a peine à concevoir.

Il se doutait que, en tant que plus proche collaborateur de Robert Delacour, il devrait un jour répondre aux questions dérangeantes des policiers. Alors, avant qu'ils ne viennent l'arrêter, il s'est renseigné auprès de son ami, et néanmoins maître franc-maçon, l'avocat Frédéric Dutourd sur la meilleure stratégie à employer. Au cas où. Juste au cas où. Il a bien fait.

Maître Dutourd n'est pas idiot. Loin s'en faut. Ses relations au barreau ou sous le bandeau lui ont permis d'avoir quelques confirmations. Et d'être de judicieux conseil. Dans cette enquête, flics et magistrats sont autant liés que déterminés. Les premiers résultats sont là pour le confirmer. Vu les faits susceptibles d'être reprochés à son frère de loge, néanmoins client, il lui a fortement conseillé de jouer amende honorable, de tout reconnaître. Voire plus. Ne pas hésiter à être dans la grande tradition catholique, la bonne vieille contrition, l'antienne persuasive : « C'est ma faute, c'est ma faute, c'est ma très grande faute » ; et, cerise policière sur le gâteau judiciaire : ne pas hésiter à en rajouter.

Il n'est pas le seul à s'être préparé de la sorte. Depuis que le maire est en prison, l'ambiance communale n'est plus ce qu'elle était. Les fastes du passé ont laissé place à une inquiétude pesante. Chacun regardant l'autre en se demandant quand viendra son tour. Tous essayant de sauver les meubles, en tout cas les siens, et de préserver son pré carré comme il peut. Marc Kavedjian n'a pas fait exception à la règle. Donnant même l'exemple. Il a commencé par boutonner de nouveau sa chemise jusqu'au col. Pas question d'ajouter du scandale à l'affaire. Il n'est plus en train de se pavaner sur la place du marché, accordant ses faveurs aux uns ou refusant un poste aux autres, en fonction de la couleur du billet qui lui est tendu. L'heure de la discrétion a sonné. Et de la confession.

Avant l'interpellation du directeur de cabinet, Stanislas a prévenu David :

— Méfie-toi des barbus, ils cachent leur visage.

D'après les renseignements obtenus, il semble être capable de jouer sur différents tableaux, dans le but de ne suivre qu'un seul intérêt : le sien. David a bien tous ses éléments en tête quand il lui notifie sa garde à vue.

L'attitude de Marc Kavedjian le surprend. L'arrogance barbue du dir cab laisse place à une pusillanimité imberbe. L'heure n'est plus à la rigolade et aux chemises ouvertes, l'éminence grise du maire doit à son tour rendre des comptes. Il le sait. L'a bien répété avec Me Dutourd. Pour éviter la prison, il doit jouer serré, et tant pis si son orgueil ou son sens de l'honneur doivent en pâtir.

Alors, il se laisse faire. Sans cris, sans heurts, sans scandale. Même s'il est vrai qu'à cet instant ses choix sont très limités.

Au cours de l'audition, David Vallespir est de plus en plus surpris. Quand il n'a pas des réponses précises à ses questions, Marc Kavedjian lui fait des déclarations spontanées, sonnant encore plus la charge du maire et de ses méthodes. Même si pour cela le directeur de cabinet n'hésite pas à se dénoncer.

C'est plutôt une ambiance bon enfant qui règne dans le bureau du policier. Comme si les enjeux de cet interrogatoire avaient peu d'importance. Loin des prises de bec envisagées, le policier et son gardé à vue discutent à bâtons rompus. Ce qui n'empêche pas David de tout retranscrire sur procès-verbal.

Car Marc Kavedjian ne lésine pas sur les infos. Il balance tout, tout de suite. Et pas dans le poids plume, directement dans le lourd. L'énorme. Il joue sa partition à merveille. Celle que lui a conseillée son avocat. Une stratégie dénonciatrice, accusatrice même. Pour les autres, comme pour lui-même. Qui n'est pas sans risque, mais qui si elle fonctionne bien conduit à l'expiation. Voire à la contrition. Maître Dutourd l'a bien briefé.

— Fais en sorte que les policiers ne sortent pas les forceps. Une vérité avouée vaut mieux qu'une vérité accouchée. Plus qu'aux policiers, cette attitude plaît aux magistrats. Ils ont l'impression que le gardé à vue joue franc-jeu et lui en sont toujours reconnaissants. Et rajoutes-en dans la mise en cause. Les juges adorent les suspects qui avouent leurs fautes, surtout celles dont eux n'avaient pas connaissance.

Stratégie qui ne vise qu'un seul but, reconnaître ses erreurs pour mieux éviter la case prison. Visiblement, ça ne dérange pas le directeur de cabinet de balancer ses proches. Pour lui, face à un possible emprisonnement, l'amitié n'a plus sa place. Trahir ou aimer, il a choisi. Sa liberté est à ce prix.

50

Paul Richard, l'adjoint au maire chargé de l'urbanisme n'est pas antipathique. Loin s'en faut. Soixante-neuf ans, tout en rondeur et calvitie, cachant une taille moyenne par un sourire généreux. À la retraite d'un grand groupe bancaire depuis plusieurs années où il exerçait de hautes fonctions directoriales, il n'aspirait qu'à couler des jours heureux et paisibles dans sa maison de bord de mer à Sainte-Jeanne.

Le maire s'est vite aperçu que Paul Richard était intelligent et aussi intègre que catholique. Quand il a appris que, de surcroît, il était banquier retraité de haut niveau, il n'a pas hésité. Paul Richard était une aubaine, presque une bénédiction pour Delacour, qui avait besoin, pour se représenter lors de son quatrième mandat, de recruter de nouvelles têtes ayant une réputation et une moralité aussi vierges que leur casier. À force de diplomatie persuasive et de fidélité religieuse hebdomadaire, Delacour a réussi à embrigader dans son équipe de campagne Paul Richard et, une fois élu, l'a nommé séance tenante : adjoint chargé de l'urbanisme. Ce qui, pour un ancien banquier spécialiste des prêts d'entreprise à l'international, était d'une logique de compétences remarquables.

Est née alors entre Delacour et Richard une relation amicale, toute en admiration réciproque et respect mutuel. Il n'était pas rare de voir les deux hommes marcher côte à côte dans le jardin public de Sainte-Jeanne, échangeant sur les choses de la vie. Discussion infinie sur le temps qui s'écoule, les enfants qui grandissent et les petits-enfants qui s'émancipent. À peine père, déjà grand-père. Pour Paul Richard, quelques problèmes cardiaques que Delacour s'empressait de surveiller de près. Pour le maire, quelques investissements financiers à l'international que le banquier retraité assurait. La vie dans toute sa simplicité relationnelle.

Quand Jacques, le fils de Paul Richard lui a annoncé son divorce, son cœur s'est de nouveau emballé. Lui, le fervent catholique pratiquant de père en fils avait un descendant qui ne suivait pas les préceptes de l'Église catholique une et apostolique. Il faillit ne pas s'en remettre. Mais Delacour, son nouveau meilleur ami, veillait. C'est alors que le banquier retraité a fait savoir au premier magistrat de la ville que, dans cette grisaille de séparation douloureuse, il y avait une lueur d'espoir : son fils venait s'installer au bord de mer, à Sainte-Jeanne, avec ses deux enfants en bas âge. L'édile s'est réjoui une première fois. Pour son ami. Et un peu pour lui. Rien de tel que le rapprochement familial, s'assurant à coup sûr un électeur de plus.

Mais quand Paul lui a annoncé que sa maison paraissait bien petite pour accueillir l'arrivée de ses deux petits-enfants et le retour au bercail de son fils en pleine déliquescence financière après son divorce ruineux, Delacour s'est réjoui une seconde fois. Un peu pour son ami. Et aussi pour lui. Il avait la solution : un appartement de 175 mètres carrés, de type social, propriété de la mairie, qu'il mettait à la location pour 250 euros par mois pour les familles en difficulté. Et le fait que Jacques soit le fils de Paul, adjoint chargé de l'urbanisme, n'était pas un problème. Bien au contraire une vraie solution. Qu'il ne pouvait pas refuser.

Il y a des gardes à vue qui commencent avec moins d'éléments. Celle de Paul Richard débutait avec quelques certitudes. La première, et non des moindres, c'est que l'homme avait compris, un peu tardivement, qu'il s'était fait piéger. À l'amitié. Et le fait, par ailleurs, que son fils avait acquis, au nom d'une SCI dans laquelle il avait lui-même pris des parts, des terrains municipaux en bord de mer pour en faire des entrepôts de stockage de bateaux, n'allait pas arranger ses prises d'intérêts. Forcément illégales, eu égard à son statut d'élu chargé de l'urbanisme.

L'interrogatoire de Paul Richard allait dévoiler un autre aspect du fonctionnement du maire. Faisant de ses élus des amis dévoués par obéissance, liés au silence imposé compte tenu des services rendus.

51

Quand les policiers viennent chercher Olivier Lamaury à la mairie, une sorte d'habitude désabusée règne dans les locaux de l'Hôtel de Ville. Si la visite des flics ne surprend plus personne, beaucoup s'étonnent que ce soit aujourd'hui le tour du directeur général des services. Certains s'accoudent aux fenêtres pour le saluer et le soutenir. D'autres sortent même les mouchoirs et essuient quelques larmes.

Lamaury en est le premier surpris. Il est réputé pour être dur, sans états d'âme. Son physique pèche pour lui : grand, mince, légèrement voûté, une mèche posée sur un front large, un bouc mal taillé avec une large moustache le font ressembler à une sorte de Mazarin qui se serait trompé d'époque. Peu enclin à taper sur l'épaule de ses subordonnées, il est pourtant bien à leur écoute et prêt à tout pour les aider.

Dans le bureau de Paulo Monra, Lamaury refait l'historique de ses relations avec le maire, son chef qui, c'est vrai, n'était pas toujours un modèle. Mais comment aurait-il pu le savoir? Lui, à titre personnel, a résisté pendant des années, ce n'est que très rarement qu'il a franchi le Rubicon.

À cette expression désuète, Paulo sourit. Mais l'homme est en verve, ce n'est pas le moment de couper sa diatribe explicative. Lamaury, en arrivant à la mairie, a d'abord refusé de voir la vérité, puis a eu des doutes, et enfin des confirmations. Il a voulu s'opposer, mais le maire était son employeur. Il a envisagé de démissionner, quitter cette mairie dont il sentait bien que la tête commençait à pourrir, mais il s'y était fait un nom. Et un salaire.

Il a même osé une lettre de démission adressée à Robert Delacour, qui l'a reçu et a refusé son départ, en l'engueulant. Et, pour s'assurer sa fidélité, l'a augmenté. Lamaury est resté DGS. Il a quand même regardé avec étonnement le choix du maire d'avoir un directeur de cabinet. Il n'a pas tout de suite apprécié Marc Kavedjian, dont il sentait que la chemise blanche ouverte sur ses poils cachait la réalité du personnage, que sous son éloquence pointait trop d'arrogance, et que son entregent démontrait sa superficialité.

Mais à force de voir le maire s'enfermer dans son bureau avec Marc Kavedjian, faire monter le directeur de l'urbanisme Xavier Fantacci, ne pas être convié à ces réunions qui lui apparaissaient importantes, où les uns et les autres sortaient avec la banane jusqu'aux oreilles, il s'est senti exclu. Et sous sa dureté apparente, Lamaury est comme tout le monde, il n'aime pas l'exclusion. Il a même fini par croire que c'était lui l'anormal, le mauvais petit canard. Puisque les gens au-dessus et autour de lui semblaient profiter pleinement de la situation, il a fini par se poser la question que jusqu'alors il refusait même d'imaginer : pourquoi pas lui ?

Assis dans le bureau de Paulo, il insiste pour expliquer tout ça au policier, et le reste aussi. Son histoire personnelle, sa rigueur, son exigence luthérienne, lui le protestant dans ce coin de France si catholique, qui a accepté de travailler dans une commune portant le nom d'une sainte s'est laissé emporter par la fougue, la bonne humeur, la légèreté et même le paganisme du dir-cab jusqu'à accepter ce qu'il n'aurait jamais dû prendre.

Paulo d'une simple phrase, calme ses élans lyriques. Et le ramène à plus de réalité.

— Oui, mais vous les avez pris.

Lamaury acquiesce. Oui, il a reçu des pots-de-vin. Il n'en est pas fier, le vit mal. Se demande encore pourquoi. Mais à deux reprises seulement. Pas plus. Et puis Marc Kavedjian avait bien insisté, pourquoi craindre quelque chose dans ce jeu de corruption où tout le monde a à gagner en restant silencieux.

Mais le silence lié au pacte corruptif n'a pas été respecté. Et les flics sont au courant de tout. Si Lamaury s'étonne des dénonciations de Marc Kavedjian, il n'hésite pas à son tour à déballer en détail ce qui s'est passé. Il n'est pas à une contradiction près. Celle à venir est la plus belle.

— À l'Équinoxe, Kavedjian a expliqué au promoteur Pinson le droit d'entrée sur la commune.

— Le ticket à 5 euros le mètre carré...

Lamaury est surpris : Marc Kavedjian a vraiment tout balancé.

— Oui, le ticket payant pour pouvoir construire à Sainte-Jeanne. À L'Équinoxe, Pinson a fait la gueule, a menacé. Il était en colère. Mais il s'était déjà endetté pour son projet immobilier. Marc Kavedjian, le savait bien. Ils sont amis depuis longtemps, vous savez ?

Le flic sait. Il hoche la tête, invite Lamaury à continuer.

— Pinson n'a pas eu d'autres choix que d'accepter. Il nous a donné rendez-vous quelques jours plus tard, dans un autre restaurant. Et, avant le repas, Pinson a remis une enveloppe à Marc...

Lamaury est transi de culpabilité sur sa chaise. Il revit ses propres fautes. Et continue son acte de contrition.

— Après le repas, Marc a fait le décompte de l'argent contenu dans l'enveloppe. Il a fait trois parts. Pour le maire, pour lui et pour moi : 15000 euros. À cet instant, je n'en voulais plus. Je vous jure. J'ai dit à Marc de tout garder pour lui. Que ça ne m'intéressait pas, que je m'en passerai...

Il se tait. Paulo moqueur, applaudit lentement des deux mains.

— Belle attitude. Après les rendez-vous à L'Équinoxe, la pression sur Pinson, le repas au restau, vous refusez le pognon ? Vous vous foutez de ma gueule ?

— Je vous jure, je ne voulais pas le garder. Mais quand j'ai déposé Marc chez lui, il avait laissé l'argent dans l'enveloppe, sur le siège de la voiture. Je ne savais plus quoi faire.

Paulo hausse les épaules. À trop vouloir se dédouaner, le DGS en devient ridicule. Il ne sait pas que le plus beau reste à venir.

— Alors j'ai pris cet argent, je l'ai mis dans ma cheminée et je l'ai brûlé.

Paulo tombe de son siège.

— Vous avez cramé le pognon ?

Lamaury honteux acquiesce. Paulo ne peut pas s'en empêcher, il se marre.

— L'argent vous brûlait les doigts ?

Le major sort le procès-verbal d'interrogatoire de l'imprimante, le fait relire et signer par Lamaury. L'homme est devenu un automate. Se demande s'il a choisi la bonne stratégie. Si, à trop vouloir jouer les vierges effarouchées, il n'a pas plutôt mis en avant sa veulerie. C'est un homme hagard que le flic conduit aux geôles de garde à vue. S'interrogeant toujours et encore sur comment il a fait pour en arriver là.

Pendant que David mène l'interrogatoire de Paul Richard et Paulo celui de Lamaury, Stanislas est installé à sa table de travail, des relevés de compte étalés devant lui. Il pose le stylo qu'il était en train de porter à sa bouche. Scrute les relevés de compte qu'il a sous les yeux. Et s'étonne.

— Trois virements au crédit de 80000, 70000 et 150000 euros sur son compte, en moins d'un an. Il s'emmerde pas Fantacci.

Il vérifie encore, mais il ne s'est pas trompé. Entre janvier 2008 et décembre 2009, le directeur de l'urbanisme de la mairie de Sainte-Jeanne a été crédité de ces trois sommes importantes sur son compte. Il regarde encore mieux et jure.

— Putain, mais c'est pas vrai ?!

Il a trouvé un truc. Ces montants ont été virés sur son compte par une même et unique société. Il s'interroge.

— Et c'est quoi, ça, comme société : Poly Verres SAS ?

Il quitte sa table de travail, se précipite sur son ordinateur et recherche sur Internet. Il ne lui faut pas longtemps pour qu'Infogreffe.fr lui donne la réponse. Comme une évidence.

Les bras lui en tombent. Jamais il n'aurait pensé à lui.

52

Il est temps maintenant de vérifier les dires des gardés à vue. C'est avec David que Stanislas se rend à la mairie de Sainte-Jeanne. Encore. Les secrétaires ne sont plus surprises de les voir, aujourd'hui elles les prient, avec beaucoup de diplomatie et de politesse, de patienter quelques instants. Elles ont reçu de nouvelles consignes. Le premier adjoint François Gabelle leur a demandé de l'aviser de toutes personnes se présentant à l'accueil et d'attendre son autorisation pour leur permettre d'accéder aux étages de la direction. Et il a bien insisté : ces nouvelles mesures valent pour tout le monde, policiers inclus.

— Tu crois qu'il profite de l'absence de Delacour pour marquer son territoire, le premier adjoint?

Stanislas sourit, il ne le croit pas, il en est sûr.

— Si ses couilles avaient pu lui pousser avant, à Gabelle, et qu'il avait empêché son maire de merder, on n'en serait peut-être pas là.

Pas question qu'ils obéissent à des ordres qui n'ont pour seuls objectifs que de faire preuve d'une autorité naissante, mal venue et fort tardive, et de montrer à tout le monde que la mairie est reprise en main. Stanislas se secoue. Les flics n'ont pas à subir ça.

— On monte.

Dans un grand sourire, les policiers remercient les secrétaires, qui pâlissent quand elles les voient prendre les escaliers. Ils se rendent directement au bureau du maire. Ils ne se sont pas trompés. Gabelle s'y est de nouveau installé. Quand ils pénètrent sans toquer à la porte, Stanislas se sent en verve. Il tient à remettre les pendules à l'heure.

— On ne vous dérange pas au moins, monsieur le premier adjoint?

— Non, bien sûr que non, messieurs. Je vous en prie. Que puis-je faire pour vous? dit-il en se levant de son siège.

Les deux flics se marrent. Ce n'est pas la première fois qu'ils sont confrontés à ce genre d'individu, fort avec les faibles, faible avec les forts. Ils savent déjà que l'homme ne va pas chercher longtemps à jouer au malin.

— Je ne vous attendais pas, messieurs, sinon j'aurais laissé des consignes pour que vous soyez bien reçus.

Vallespir est agacé.

— C'est pas ce qu'on nous a dit à l'accueil...

Stanislas enchaîne.

— On nous a même fait comprendre l'inverse. Pourquoi imposer un filtre à l'entrée?

Gabelle cherche une réponse qui tienne la route. Il devait l'avoir préparée.

— Les journalistes.

Midlak le sait, quand ce ne sont pas les flics qui dérangent, ce sont les journalistes. Il se dit que c'est étonnant que, dans une mairie, on cherche toujours autant à filtrer les chercheurs de vérité.

— Depuis que le maire est en prison, ils n'arrêtent pas, ils téléphonent, réclament des interviews, il fallait bien que je trouve quelque chose pour les contenir. Si on ne les arrête pas au rez-de-chaussée, ils sont capables d'envahir tous les étages de la mairie, vous savez. De la cave aux combles.

Perfide, Stanislas lui fait remarquer que ce serait peut-être l'occasion de dire tout ce qu'il sait sur le système mis en place par le maire. Une façon pour lui d'exprimer sa bonne foi. Gabelle continue de jouer l'ingénu. Mais de quoi parle le commissaire ? Il n'était pas au courant, s'il l'avait su, bien sûr qu'il aurait tout fait l'empêcher. Mais pour l'instant il est comme tout le monde, il tombe des nues face aux accusations portées contre Delacour. Jamais il n'avait entendu parler de telles pratiques. La main sur le cœur, il jure que jamais il n'aurait pu imaginer ce qu'il est en train de lire dans les médias. Et que de toute façon, ce n'est pas le conseil municipal qui a fauté, c'est un homme.

Midlak s'interroge. Est-il naïf à ce point ou fait-il semblant ? Mieux, est-il si accroché à son poste de premier adjoint qu'il nie une vérité douloureuse ? Plus pathétique et triste encore, croit-il réellement que les policiers ne vont pas s'intéresser à lui dans le cadre de cette procédure ?

— Vous ne m'avez pas répondu, en quoi puis-je vous être utile, messieurs ?

Stanislas fixe le premier adjoint. Le fait poliment se rasseoir. Ce qui accentue son inquiétude, persuadé que le commissaire va lui annoncer son placement en garde à vue. Midlak tient à lui faire passer des messages. Il rappelle à l'élu que ses hommes et lui travaillent dans le cadre d'une information judiciaire suivie par un juge d'instruction à la suite de délits importants commis à la mairie, et pour lesquels ils ont encore beaucoup d'éclairages et d'éléments à apporter pour la manifestation de la vérité. Il aimerait que, dorénavant, rien ni personne ne viennent empêcher le bon déroulement de leurs investigations.

— Je me suis bien fait comprendre, monsieur Gabelle ?

— Très très bien, monsieur le commissaire. Je ferai passer des consignes.

Le capitaine Vallespir prend le relais.

— Et rassurez-vous, monsieur Gabelle. Aujourd'hui, on veut juste jeter un coup d'œil au service de l'urbanisme.

Gabelle hésite, mais les policiers ne lui laissent pas le choix.

— Ça ne nous regarde pas, mais il n'a toujours pas démissionné, le maire ? Comment faites-vous pour diriger la commune sans lui ? demande Stanislas.

Le premier adjoint connaît son code électoral.

— Pour tous les actes courants, on n'a pas besoin de lui. Il n'y a que sur certaines décisions que sa signature est obligatoire. On a déjà imaginé d'aller lui faire signer en prison si, d'ici là, il se refuse à démissionner.

— Parce que, vous, vous pensez qu'il devrait démissionner ?

— Si tous les faits qu'on lui reproche sont avérés, oui. Mais pour l'instant, il est présumé innocent, alors il peut rester maire. Cependant, s'il ne démissionne pas, il coince le fonctionnement du service public territorial, il le sait.

Il essaye de noyer le poisson.

— Ça peut durer longtemps, une détention provisoire ?

— Au moins quatre mois.

— Ah oui, quatre mois au moins...

— Et en fonction du dossier, elle peut être prolongée une fois ou deux, de quatre mois chaque fois. Et là, je ne vous cacherai pas que le dossier est lourd. Très lourd. Et que nos investigations débutent à peine.

À la tête que fait le premier adjoint, Stanislas comprend qu'il a mis dans le mille.

— Excusez ma question, monsieur Gabelle, mais vous, vous pensez à démissionner ?

— Mais absolument pas ! Démissionner, cela reviendrait à dire qu'on a fauté, mais ce n'est pas moi, ou le conseil municipal, qui a commis des erreurs, c'est le maire.

— Le maire devrait donc démissionner, si je suis votre raisonnement.

Gabelle est un peu gêné aux entournures. Il ne répond pas tout de suite. Vallespir en profite pour lui rappeler qu'en outre Delacour n'est pas le seul pour l'instant à être tombé dans les mailles de l'enquête judiciaire. Il y a aussi un employé municipal, le directeur général des services, le directeur de cabinet, l'adjoint chargé de l'urbanisme...

— Pour une seule mairie, ça commence à faire beaucoup. Vous n'avez pas peur qu'on finisse par parler de système institutionnalisé ?

— Pourquoi ? Pour l'instant, ce ne sont que des hommes qui ont fauté. Individuellement. Mon équipe et moi on n'est pas responsables de leurs actes. Pour nous, il n'y a pas matière à démissionner. Mais c'est vrai que si j'étais le maire, j'y réfléchirais.

Midlak a confirmation de ce qu'il pensait. Gabelle n'a qu'un seul objectif, qu'une seule envie, se faire élire maire à la place de Delacour. Le commissaire considère qu'il lui a fait suffisamment passer de messages pour qu'il comprenne son intérêt à démissionner. Mais aveuglé par sa suffisance électorale et son envie d'avoir son nom gravé sur le tableau de marbre du balcon central de la mairie, il ne l'a pas écouté.

Leur arrivée au service urbanisme a été annoncée. Tout le monde est à son poste. Immédiatement Gabelle s'inquiète.

— Monsieur Fantacci n'est pas là ?

Une des secrétaires lui fait savoir qu'il s'est absenté.

— Et on peut savoir pour aller où ?

Le commissaire se tourne vers Gabelle.

— On ne vous a pas dit qu'on voulait rencontrer le directeur du service. On vous a juste fait savoir qu'on voulait se rendre au service urbanisme. Nous y voilà. Merci de nous avoir accompagnés, nous allons voir directement avec ces personnes.

L'élu est un peu surpris de se voir ainsi rabroué. Midlak et Vallespir le remercient encore et l'invitent gentiment à quitter la pièce, pour les laisser seuls avec les employés présents, qui commencent à sourire de la situation. Ce n'est pas tous les jours qu'ils voient le premier adjoint dans une telle situation d'embarras.

À peine sorti, et oubliant que les murs ne sont pas très épais, Gabelle prend son téléphone et passe un savon à son interlocuteur, vite identifié par les protagonistes de la pièce à côté.

— Mais vous êtes où, Fantacci ? Il est 11 heures du matin. Les flics débarquent dans votre service et vous n'y êtes même pas ! Vous n'allez pas laisser les trois incapables présentes répondre à votre place. Vous avez cinq minutes pour arriver.

Midlak, Vallespir et les « trois incapables présentes » n'ont rien raté de cet appel. Ils se regardent tous avec un air dubitatif, créant déjà du lien entre eux. Quand Gabelle met de nouveau sa tête dans l'embrasure de la porte, pour signaler avec une voix douce et un ton laudateur qu'il a eu Fantacci et qu'il sera là dans quelques instants, ils éclatent tous de rire. Sauf Midlak que les propos du premier adjoint ont agacé.

— On a tout entendu, Gabelle, vous nous laissez maintenant. On n'a plus besoin de vous, merci.

Vallespir croit de bon goût de préciser :

— Pour l'instant.

La tête que fait Gabelle est significative. Personne n'est dupe de la double signification de ces propos.

Le commissaire et le capitaine cherchent à savoir comment est montée et validée une demande de construction ou de lotir sur la commune de Sainte-

Jeanne. Lucie Grazia, agent administratif, leur explique le fonctionnement du logiciel Urba Commune.

— Ce n'est pas très compliqué, en fait. Ce logiciel nous permet de suivre en direct l'instruction d'un dossier papier. À chaque demande de construction ou de lotissement, on ouvre un fichier et on lui affecte un numéro. Qu'on répertorie sur les dossiers papiers...

Elle désigne les armoires, bien calées contre les murs.

— ... qui sont classés, là, par ordre croissant. Ensuite, chaque fois qu'un document est demandé ou apporté par le demandeur, on peut le lister et le dater dans le logiciel. Et quand toutes les pièces ont été remises et que le dossier est complet, il est validé par le service.

Les deux policiers hochent la tête. Que du très classique, Urba Commune n'est ni plus ni moins qu'un logiciel qui permet d'enregistrer les demandeurs dans une base de données, et de saisir en direct toutes les informations les concernant au fur et à mesure. Les policiers sont étonnés, il s'attendait à quelque chose de plus alambiqué. Ils font défiler au hasard un dossier et ne notent rien de particulier.

Midlak demande alors à voir son équivalent en version papier. La jeune Lucie Grazia s'exécute avec plaisir. Elle note sur le logiciel le numéro d'enregistrement du dossier, elle va ensuite chercher dans les étagères des armoires murales le dossier papier correspondant, le trouve et, souriante, le sort de l'armoire. Elle est toute fière de le présenter au commissaire et le feuillette avant même qu'il ne puisse le lire. C'est alors qu'elle rougit.

— Quelque chose ne va pas, mademoiselle ?

Et d'autorité ils prennent le dossier qu'elle hésitait à leur tendre. Ils le consultent ensemble. Il est rempli de documents administratifs divers et variés. Jusqu'à la chronologie émise par le logiciel Urba Commune de tous les actes effectués. Ils ne remarquent rien de spécial. Ils regardent Lucie, étonnés.

— C'est le petit papier que vous avez entre les mains.

Quand il a ouvert le dossier, Stanislas n'a pas fait attention à la fiche manuscrite agrafée dessus. Il a pensé qu'il s'agissait d'un brouillon, avec quelques notes et chiffres, pour aider les secrétaires dans leur classement. Lucie consulte ses deux autres collègues, qui lui font signe qu'elle peut s'expliquer.

— Cette fiche, elle ne devrait pas exister. Mais avec mes deux collègues, on s'est dit qu'il fallait qu'on se protège.

— De quoi ?

— Des irrégularités de certains dossiers.

— Mais encore ?

— Vous n'avez pas fait attention, monsieur le commissaire, mais sur le logiciel Urba Commune au moment de la validation du dossier d'urbanisme, vous avez deux onglets à cocher. Le premier précise « Avis du service instruction », avec deux mentions possibles « Favorable » ou « Défavorable » et le second indique « Avis de l'autorité municipale » avec les deux mêmes mentions.

Stanislas commence à comprendre.

— C'est-à-dire que vous, service instruction, vous pouvez émettre un avis défavorable, mais que l'autorité municipale peut passer outre et déclarer être favorable au projet.

— Oui, mais jusque-là, rien d'anormal. Certaines décisions relèvent de la politique pure. De choix purement assumés, et l'autorité municipale peut aller contre notre avis. Mais parfois, quand le service instruction mentionne «Avis défavorable», il le fait sur des critères techniques ou légaux contre lesquels l'autorité municipale ne peut pas aller. Et bien sûr on lui indique. Notre décision devrait alors lier le décisionnaire final, qui est obligé de s'y conformer. Alors, avec mes deux collègues, quand on s'est rendu compte que certains dossiers pour lesquels on avait indiqué «Avis défavorable» pour des raisons légales étaient quand même validés «Favorable» par l'autorité municipale dans Urba Commune, on s'est dit qu'il devait y avoir des irrégularités.

— C'est-à-dire?

Lucie secoue ses épaules, si jeune et déjà si désabusée.

— On peut tout imaginer. Des accords d'argent, des arrangements à l'amiable, du favoritisme. J'en sais rien.

Stanislas aime bien faire le stupide. Et poser autant de questions qu'il faut pour être sûr de bien comprendre.

— Mais des accords entre qui et qui?

— Ben, entre le demandeur, particulier ou promoteur, et l'autorité municipale.

Stanislas et David hochent la tête. Comme ça, les choses sont dites.

— C'est là où on a décidé de se protéger. On a rédigé des fiches manuscrites reprenant les raisons pour lesquelles, légalement, nous, le service instruction, on ne pouvait que s'opposer au projet. Et on les a agrafées au dossier. Toutes les irrégularités y sont immédiatement visibles. Au cas où on viendrait nous demander des comptes.

Stanislas et David ont parfaitement compris. Un logiciel qui n'interdit pas, mais qui laisse en toutes circonstances la décision finale à l'autorité municipale. Des agents administratifs qui cherchent à se couvrir en cas d'irrégularités relevées, donc d'accords illégaux passés entre le demandeur et l'autorité municipale.

— Et dans Urba Commune, qui représente l'autorité municipale ?

— Le maire M. Delacour. Ou plus souvent M. Fantacci, notre directeur, représentant le maire...

Elle ose à peine finir sa phrase, regarde encore une fois ses deux collègues, pourtant elle finit par se lancer :

— ... ce qui, là aussi, est illégal.

La porte d'entrée du local de l'urbanisme s'ouvre brutalement. Xavier Fantacci fait son apparition, essoufflé. Il observe la scène qu'il a devant lui. Les deux policiers penchés sur des dossiers, avec le logiciel Urba Commune ouvert sur l'ordinateur central. Et les trois secrétaires autour. Il pâlit. Tente de ne rien en laisser paraître.

— On m'a dit que vous me cherchiez. J'ai fait aussi vite que j'ai pu.

— Et je crois qu'on vous a bien trouvé.

Stanislas lui laisse à peine le temps de comprendre ce qu'il veut dire par cette phrase et lui annonce qu'il est placé en garde à vue dans le cadre de l'affaire Delacour.

53

Pendant que Stanislas s'occupe du directeur de l'urbanisme de la mairie de Sainte-Jeanne, David Vallespir se replonge dans l'affaire des braqueurs de DAB. Il sait qu'il n'a pas d'autres solutions que de relire toute la procédure, vérifier les procès-verbaux rédigés, et chercher ce qui aurait pu être oublié. L'ensemble est assez rébarbatif, mais nécessaire. Les voyous n'ont pas retapé depuis longtemps, leurs téléphones portables n'émettent plus. Zerkaoui et sa bande sont des pros, et ont dû bazarder les anciennes puces.

Feuille blanche, stylo. Il prend des notes. Liste les éléments en sa possession et les recherches lancées. Deux braquages, une tentative avec coups de feu, suivie d'un nouveau vol. Grâce à leur rencontre fortuite avec les mecs de la mairie, ils savent que Zerkaoui est en lien avec Jean-Louis Bastide, *alias* Le Grand, et qu'*a priori* c'est lui qui aurait fourni l'adresse de la dernière victime. Par la suite, ils ont réussi à filocher Zerkaoui, lorsqu'il quittait L'Équinoxe, pour se rendre on ne sait où récupérer du monde et du matériel qu'ils ont déchargé au local Tout Frais, dans la zone industrielle des Mingues.

Il vérifie encore sur tous les fichiers mis à sa disposition, mais pour l'instant Rachid le braqueur semble ne rien avoir à son nom. Il vérifie même les demandes de parloir effectuées quand il était en prison. Il ne trouve rien, à croire que ce type vit comme un moine, sans frère et sœur, sans gonzesse ou petit ami.

Très prudent, le boxeur...

Il se gratte la tête, il aurait pu y penser plus tôt. Il complète dans la rubrique « à faire » : vérifier clubs de boxe, Bayonne et ses environs. Si pas suffisant, élargir aux clubs de sport.

Il relit l'ensemble. Constate que le nom Tout Frais revient plusieurs fois et se fait la réflexion que jusqu'à maintenant ils n'ont pas pris le soin de vérifier quel était cet établissement. Qui en est le responsable? Qui en sont les employés? Lors de la visite nocturne des voyous où ils ont déposé, cagoulés, leur cargaison de cinq sacs chargés, ils n'ont pas eu besoin de fracturer l'établissement. Ils avaient donc les clefs, ou une complicité intérieure.

Il n'hésite pas, pianote sur son ordinateur, se rend sur le site Infogreffe.fr. En dix secondes le nom du gérant du commerce Tout Frais, ZI des Mingues apparaît à l'écran : Henri Delestelle, né le 25/04/1969 à Biarritz. Ce nom ne lui dit rien. Il vérifie dans les différents fichiers mis à sa disposition. Ce type est inconnu des services de police. Pas le début du commencement du moindre petit délit. Même pas un flash pour excès de vitesse. Il s'interroge. Que fait un Zerkaoui au palmarès judiciaire lourd comme un âne mort avec un type blanc telle une oie comme Delestelle?

Par acquit de conscience, il jette un dernier coup d'œil sur son écran. Il ouvre l'onglet « liste des employés », qui dans son cas se limite à un nom : Christine Delestelle, née le 23/08/74 à La Tronche.

Même nom, âge correspondant. C'est sa femme, se dit-il.

Il va pour fermer le site mais son attention est retenue par le lieu de naissance de Christine : La Tronche. Ce n'est pas la première fois qu'en vérifiant l'identité d'une personne, il trouve comme ville de naissance La Tronche. Avec un nom pareil, les flics de PJ sont vite moqueurs et ne peuvent pas passer à côté. Ils savent tous que La Tronche est la ville jouxtant Grenoble, où a été construit le plus grand centre hospitalier de l'Isère. Toute personne étant civilement née à La Tronche est très souvent originaire de Grenoble.

Et récemment, on lui a parlé d'un Grenoblois, né à La Tronche. Il revoit la scène. Ça s'est passé dans son bureau. Ce quelqu'un lui a même fait cette énième blague très lourde sur ce nom de lieu de naissance particulier. Du style : « T'imagines sa tronche » ou « Quand on le serrera, il aura raison de la faire la tronche ». Son cœur s'accélère, son rythme cardiaque aussi. Quand il rentre dans cet état, il le sait, il va découvrir quelque chose. Mais qui, putain, qui lui a parlé récemment de La Tronche avec d'aussi mauvais jeux de mots? Il est en effervescence, réfléchit. Ce n'était pas en lien avec l'affaire Delacour. Rien à voir avec les mis en cause de Sainte-Jeanne. C'était donc bien concernant l'affaire des braqueurs. Il repasse en revue les personnes venues récemment dans son bureau lui ayant parlé de cette affaire. Et là, sa bouille s'illumine. Il revoit bien sa tronche.

Il sort de son bureau. Va dans le couloir et se met à hurler :

— Poisson !

Mérou est dans son bureau au téléphone. Il a les yeux dans le vague et la tête ailleurs. Quand le capitaine Vallespir entre comme une furie dans son antre, il sursaute, reprend pied avec le réel. Et raccroche.

— Je te rappelle, Isabelle.

— T'entends pas quand on t'appelle ?

Poisson tente bien de bredouiller quelques mots d'excuses.

— Dis-moi, tu m'as bien parlé récemment d'un mec né à La Tronche.

Poisson n'hésite pas. Il s'en souvient parfaitement, fouille sur son bureau mal rangé et retrouve le papier qu'il cherchait. Dessus est écrit le nom de Rachid Zerkaoui, avec les différentes prisons dans lesquelles il a été incarcéré. À côté de chacune d'elles, sont mentionnées ses dates de détention. Pour celle concernant la maison d'arrêt de Varces, il est mentionné : cellule 312, codétenu : Serge Rajin.

— Serge Rajin, né le 27/09/1972 à La Tronche. Le lien avec Bastide, *alias* Le Grand. Zerkaoui et lui ont partagé la même cellule pendant deux piges.

— Et Jean-Louis Bastide est né également à La Tronche, en 1972. Et je te l'ai dit la fois dernière, mais visiblement t'as les méninges en vrac : Rajin et

Bastide sont potes d'enfance. Ils ont grandi dans la même cité d'Échirolles. Échirolles, c'est à côté...

— ... de Grenoble, je sais.

— Bastide et Rajin ont fait leurs armes ensemble, ils appartenaient à ce qu'on appelait les Italo-Grenoblois. Et sont tombés tous les deux pour une affaire de braquage, dans les années 80, je crois.

Poisson fouille encore sur son bureau. Trouve une vieille procédure élimée, en pelures et carbone.

— Une bijouterie en centre-ville de Grenoble, tapée en 1982. J'ai retrouvé les PV. C'est intéressant. Tu verrais comment ils écrivaient, les collègues, à l'époque. Leur procédure, c'est nickel. Pas une faute d'orthographe. Ce qui est étonnant surtout, c'est la façon dont Bastide cherche à couvrir son pote Rajin. Il prend tout sur lui. Bon, lui, Le Grand, forcément avec sa taille, il était niqué.

Sans rien dire, David tend la main à Mérou. Impatient, il bouge les bouts des doigts. Poisson ne réagit pas, fait l'idiot. Écarquille les yeux. Fait celui qui ne comprend pas.

— Oui?

David s'emporte.

— Putain, fais voir, merde.

Poisson lui tend la procédure de 1982.

— T'es pas rigolo, quand t'as les feuillards en vrille, toi!

David, sidéré, regarde son pote. Et explose de rire :

— Les feuillards en vrille? C'est quoi, cette expression pourrie? C'est comme ça que tu l'as séduite la tante de Valérie?

— T'es au courant?

David secoue les épaules.

— Mérou amoureux. Tout Bayonne est au courant. Et sinon on apprend quoi d'autre dans ce chef-d'œuvre de la littérature policière de 1982 ?

— Qu'à l'époque, c'est Bastide qui était très amoureux.

— Mais encore ?

— De la frangine de Rajin, Christine.

David s'en fout.

— C'est pas ce que je te demande...

Avant de percuter.

— ... Christine, t'as dit ? Christine Rajin ? Elle est née à La Tronche, aussi ?

— T'as qu'à vérifier. Elle a été entendue par les collègues en 1982. Vu comme ils bossaient à l'époque. Ils ont pas dû oublier sa date de naissance.

David se pose sur une chaise, feuillette en urgence la procédure et trouve l'audition de Christine Rajin. Il confirme la qualité rédactionnelle des policiers grenoblois. Ils n'ont pas oublié de relever sa date de naissance. La jeune femme était alors à peine âgée de dix-huit ans.

— Christine Rajin, née le 23/08/1974 à La Tronche. Qui s'appelle aujourd'hui Christine Delestelle, épouse d'Henri, le gérant du magasin Tout Frais... C'est pas un lien, c'est la famille !

Il regarde Mérou qui ne comprend pas encore tout.

— Tu sais quoi, Poisson ? L'amour te va très bien !

Il prend la procédure de 1982 sous le bras et se précipite dans le bureau de Midlak.

54

Stanislas ne laisse pas souffler le directeur de l'urbanisme Xavier Fantacci. Les réponses minimalistes à ses interrogations précises l'ont économisé. Il l'abreuve de questions et lui montre une dizaine de fiches manuscrites, données par Lucie Grazia et ses consœurs.

— Vous savez ce que c'est ?

Fantacci regarde les fiches. Il comprend et pâlit.

— Ce sont les employées de votre service qui les ont rédigées et agrafées sur les dossiers d'urbanisme, ceux pour lesquels elles n'ont pas compris pourquoi l'autorité municipale les a validés, alors même que légalement ils ne pouvaient pas l'être. On n'est jamais trahi que par les siens, monsieur le directeur de l'urbanisme.

Fantacci tourne et retourne les fiches dans ses mains.

— Ça prouve quoi ? Même si des dossiers ont été validés par le maire alors qu'ils n'auraient pas dû l'être, c'est sa responsabilité, pas la mienne.

Midlak le regarde d'un œil mauvais et reprend sa litanie de questions. Fantacci s'affaisse sur son fauteuil.

Le policier a compris la tactique qu'il a mise en place : accuser le maire de tous les maux.

Vallespir arrive dans le bureau du commissaire, il est surpris que l'audition du directeur de l'urbanisme soit encore en cours et sent immédiatement que l'ambiance est tendue. Comme il connaît son chef, il imagine que le gardé à vue doit être retors et tente de lui faire à l'envers. Il s'installe derrière Fantacci, fait signe à Midlak de continuer comme s'il n'était pas là. Le commissaire tend à Fantacci un relevé de comptes.

— Trois virements de 80000, 70000 et 100000 euros ont été crédités sur votre compte, soit 300000 euros en moins d'un an. Qui vous a versé ces sommes ?

Le directeur de l'urbanisme a subitement un trou de mémoire.

— La société Poly Verres SAS, qui fabrique, produit et distribue du verre. Société basée au Luxembourg, dont monsieur Charles-François Kayser est le gérant, c'est bien ça ?

— Peut-être, je n'ai pas fait attention au nom de sa société.

Midlak n'a même pas envie de se mettre en colère. L'attitude de Fantacci le désespère. Comment ose-t-il faire croire qu'il ne connaît pas l'origine de trois versements importants sur son compte ?

— Pourquoi vous a-t-il fait ces versements ?

— C'est un prêt. Pour la rénovation de ma maison.

Les deux policiers n'en croient pas leurs oreilles.

— Kayser vous fait un prêt de 300000 euros depuis une société qui fabrique et distribue du verre ? Sur la base de quels taux ? Avec quels contrats ? Quelles mensualités ? Quelle garantie ? Sur combien de temps ?

Il regarde le gardé à vue droit dans les yeux. L'homme s'arrête de bouger. Il pose ses mains sur ses genoux, et fixe ses yeux dessus. Qui ne dit mot consent.

— Prêt délivré par une société dont la mission est la fabrication et production de verre. C'est un métier, banquier.

Fantacci se tait. À ce stade de sa démonstration interrogative, le commissaire lui a fait passer suffisamment de messages sur l'absurdité de sa réponse.

— Monsieur Fantacci, cette somme de 300 000 euros, vous a été versée par une société gérée par Monsieur Charles-François Kayser, gérant d'Immo Kayser, qui réalise des résidences immobilières d'importance sur la commune de Sainte-Jeanne...

Fantacci est toujours inerte, seuls ses doigts s'entrelacent sans fin sur ses mains posées sur ses genoux.

— ... commune, dont vous êtes le directeur de l'urbanisme; donc qui avez le pouvoir de valider ou refuser les projets de construction...

Les doigts du directeur ont agrippé son pantalon, et le serrent de plus en plus. Le sang n'afflue plus au bout de ses doigts. Ils sont livides, comme son visage. Le commissaire tente une dernière manœuvre, prend sa voix la plus douce, son ton le plus bas.

— La vérité, c'est que ces trois versements correspondent à des pots-de-vin en contrepartie de la validation de projets immobiliers réalisés par Immo Kayser. Non?

Fantacci après avoir serré si fort ses mains, a du mal à les ouvrir. Il bouge doucement ses doigts. Certains craquent. Son cerveau est en ébullition, mode « tempête du désert ». Ça souffle dans tous les coins. Il est en plein doute, ses interrogations se heurtent au bon sens des policiers. Midlak et Vallespir le sentent sur le point de fléchir. Quand ses mains retrouvent leur mobilité et leur couleur initiale, il lève sa tête et répond au commissaire. C'est l'instant de vérité. La tête du policier est avenante. Un sourire compréhensif sur ses lèvres. En opposition au visage blême du gardé à vue, une larme dans les yeux.

— C'est un prêt. Pour la rénovation de ma maison.

Les deux policiers sont effondrés par l'obstination de Fantacci. L'homme ne se rend pas compte des conséquences de sa réponse. Pour le principe, Stanislas lui pose une toute dernière question.

— Monsieur Fantacci. Si c'est un prêt, pourquoi avoir répondu en première partie de cet entretien que vous ne remboursiez pas de crédit ?

— Les yeux ahuris de Fantacci montrent qu'il comprend le piège dans lequel il est tombé. Il ne répond rien. Le mensonge trouve toujours dans le silence sa première limite.

55

Le silence qui conclut un interrogatoire ressemble à celui qui termine un match de boxe. Quand les combattants se retrouvent face à eux-mêmes et s'interrogent sur le match qu'ils viennent de mener. Ont-ils bien boxé ? Correctement géré les temps faibles et les forts ? Su attaquer au bon moment ? Feinter ? Porter l'estocade ? David sait que son chef a marqué des points mais il sait aussi que le commissaire est déçu, qu'il aurait souhaité étaler Fantacci par K-O, qu'il lui manque des aveux, complets et circonstanciés. Même s'il ne fait aucun doute que Midlak a remporté cette lutte.

Vallespir respecte ce temps de silence avant de sortir le commissaire de sa réflexion interrogative.

— Je vais te changer les idées.

Stanislas se rend enfin compte de la présence de son adjoint. Il lui sourit.

— Tête de mule, le Fantacci.

Il regarde Vallespir. Attend ce qu'il a à lui dire.

— Mérou est amoureux.

Le commissaire sourit de nouveau. Les amours de Poisson ne sont plus un secret pour personne.

— Et ça lui va plutôt pas mal. Il a trouvé le lien entre Zerkaoui et Bastide. Zerkaoui a été incarcéré pour braquage à la maison d'arrêt de Varces, dans la même cellule qu'un certain Serge Rajin. Cellule 312.

— Et alors ?

— Rajin est né à La Tronche, dans l'Isère.

— Je connais. À Grenoble, quoi. Et alors ?

— Comme Bastide.

— Quoi ?

— Bastide aussi est né à La Tronche. Ils sont potes d'enfance avec Rajin, ils ont grandi dans le même quartier à Échirolles... Ils sont même tombés ensemble pour un braquage de bijouterie en 1982 en plein centre-ville de Grenoble.

Midlak feuillette les PV que vient de lui tendre David. Il se dit que ça commence à sentir bon.

— Et Rajin a une petite sœur, Christine. Petite amie officielle de Bastide à l'époque... il en était visiblement très amoureux. Au point d'assumer seul la paternité du braquage et de tout faire pour dédouaner Serge Rajin.

— Je pensais que ça n'existait plus...

— Quoi ?

— Des voyous d'honneur... ça nous change ! Continue.

— Tu ne vas pas être déçu. Christine, née Rajin, s'appelle aujourd'hui Delestelle, elle est l'épouse du très honnête Henri Delestelle, heureux gérant du magasin Tout Frais à la ZI des Mingues, qui sert de base de repli ou de planque au braqueur boxeur Rachid Zerkaoui.

Stanislas prend le temps de la réflexion. Il met tout en perspective, commence à comprendre. Il regarde David, se réjouit d'avance.

— Tu vas être magnifique avec ta boule à « zed ».

— Comment ça ?

— Je pense que t'as perdu notre pari.

La tête de Vallespir montre qu'il n'a pas percuté. Stanislas lui rafraîchit la mémoire.

— Zerkaoui tient Le Grand par les couilles. J'ai gagné mon pari.

— Comment ça ?

— Zerkaoui et Rajin ont partagé la même cellule. Le premier a dû rendre service au second. Ne me demande pas quoi, pour l'instant j'en sais rien. Mais un truc suffisamment important pour que Zerkaoui attende en retour quelque chose de Rajin.

David voit où son chef veut en venir.

— Mais comme Rajin n'a pas les moyens de renvoyer l'ascenseur à Zerkaoui, il en parle à Bastide, son pote de toujours.

Et Midlak de conclure :

— Qui en quelque sorte rachète la dette de Rajin à Zerkaoui. Qui le tient par les couilles, je te dis. À cause de son vieux pote d'enfance.

Le commissaire est envahi d'un air nostalgique. Il murmure :

— Requiem pour un con.

Vallespir ne comprend pas. Stanislas lui explique :

— La musique de Gainsbourg, dans le film *Le Pacha,* avec Gabin. Où il joue un vieux flic qui défend l'honneur de son pote, sur des dialogues d'Audiard.

David ne partage pas la même culture cinématographique que son chef. Il est toujours un peu perdu. Midlak se met à déclamer. Essaye d'imiter la voix de titi parisien du grand acteur.

« Pourtant, c'était un drôle de colis, Rajin, crois-moi ! Comme copain d'enfance, c'était pas le grand Meaulnes, fallait se le faire. Il n'a jamais arrêté de m'emmerder. Il a pris son élan à la communale. J'étais obligé de me farcir ses problèmes. Parce qu'il a toujours eu des problèmes, ce cave, t'entends ? Toujours, toujours ! Et de pire en pire ! Mais qu'est-ce que tu veux, c'était mon pote ! »

Vallespir, moqueur, lui dit :

— T'as bien fait de choisir flic, acteur, t'avais aucune chance.

Stanislas hausse les épaules.

— Je la vois bien comme ça, la relation Rajin-Bastide. Un truc à la vie à la mort. L'amitié plus forte que tout, le plus grand toujours prêt à aider le plus petit. Même quand il accumule les conneries. Dans le fond, Bastide, c'est un sentimental, un romantique. M'étonnerait pas qu'il soit encore un peu amoureux de la frangine de Rajin.

David s'impatiente. L'heure n'est plus aux déclamations, il est temps de passer à l'acte.

— C'est bien joli tout ça, mais on fait quoi, maintenant ?

Stanislas regarde son pote. Il se marre.

— Moi, j'sais pas, mais toi : la boule à zed ! Mon pote. La boule à zed.

Son téléphone sonne. Il décroche par réflexe. La voix de Sorène Véri le sort de sa réflexion. La jeune femme est excédée et n'hésite pas à le faire savoir au commissaire. Elle se fait le porte-parole des employés de la mairie. Les arrestations perlées et successives des membres de la mairie de Sainte-Jeanne, qu'ils soient élus ou administratifs entraînent une ambiance délétère à la mairie et empêchent son fonctionnement normal. Les employés sont livrés à eux-mêmes, certains n'en font qu'à leur tête, d'autres courbent l'échine, les derniers essayent de travailler normalement, mais sont perdus par les ordres et contre-ordres des élus restants, qui font semblant de ne pas perdre pied, alors qu'ils n'ont plus personne à leur tête.

— Ça ne peut plus durer comme ça, commissaire. Certains nous traitent comme des merdes. Comme si on était responsables de ce qui arrive.

Celui dont l'attitude marque le plus les employés est le premier adjoint : François Gabelle. D'habitude discret, depuis l'arrestation du maire il prend toute la lumière, et se comporte comme s'il était en permanence sous les feux des projecteurs. Au-dessus même de la lumière, sur un petit nuage. Son comportement, sa tenue vestimentaire et même son phrasé ont changé. Persuadé d'être l'homme providentiel, dont la seule présence suffit à relever la commune de Sainte-Jeanne. Midlak se dit que la providence commet parfois des fautes de goût et des erreurs de casting.

La détestation est telle que certains en sont déjà à regretter Delacour. Et c'est le message que Sorène entend faire passer au commissaire. La corruption ou l'incompétence, ils ont choisi ! À la mairie tous sont persuadés que les flics portent la responsabilité d'avoir écarté Delacour pour positionner à sa place son éternel adjoint François Gabelle.

— Delacour avait peut-être des défauts, mais au moins il savait faire fonctionner la mairie. Et respectait tout le monde. Tandis que là, c'est, comment dire, la merde commissaire... Et je reste polie. En plus maintenant, derrière lui, y a une odeur de cigare, c'est dégueulasse.

Midlak prend note de la situation communale et des états d'âme des employés et promet à Sorène d'en référer au juge d'instruction comme au préfet. Sorène raccroche, pas totalement rassurée, mais ravie d'avoir pu échanger en toute liberté avec le commissaire. Stanislas sourit à l'idée de savoir que Sorène a décidé de représenter les employés de Sainte-Jeanne. Il y a des représentations beaucoup moins attirantes.

56

Poisson est en mode distrait. L'air ailleurs et les cheveux au vent. Avachi dans son fauteuil, les pieds sur la table. Depuis quelque temps sa vie a changé. Il en oublierait presque le casque qu'il porte sur les oreilles et les lignes téléphoniques qu'il surveille. Il faut dire que celles concernant le magasin Tout Frais ne sont pas passionnantes, entre les commandes d'asperges ou de carottes de particuliers et les offres commerciales de gros producteurs. C'est à se demander s'il n'a pas fait exprès de choisir la surveillance de cette ligne, pour être sûr de ne pas être obligé de rester concentré sur ce qu'il écoute, et avoir l'esprit sur les yeux d'Isabelle, les cheveux d'Isabelle, les fesses d'Isabelle, les seins d'Isabelle...

Alors qu'il s'imaginait déjà en train de caresser la belle poitrine de son amoureuse, il se redresse. La voix qui vient d'appeler le magasin Tout Frais n'est pas celle d'un fournisseur, d'un producteur ou d'un client habituel. Il y a dans cette façon d'alourdir les consonnes et de placer des « y » au début de phrase, quelque chose qui n'est pas du Pays basque.

Comme un accent du centre de la France, et plus près des Alpes que du Massif central. Surtout quand cette voix masculine demande à parler à Serge.

L'amour donne des ailes et réveille tous les sens. Poisson a peut-être déjà la tête entre les seins de son amoureuse, mais l'esprit encore au dossier des braqueurs. Il redevient attentif quand il entend un accent du Dauphiné, surtout avec les liens qu'il a lui-même mis au jour, entre Jean-Louis Bastide et Serge Rajin, originaires de Grenoble.

Depuis que les flics ont placé sur écoute le magasin Tout Frais, planque et lieu de déchargement de Rachid Zerkaoui, c'est la première fois que Serge Rajin apparaît sur la ligne. Et comme le lien paraît évident, pour cause de cellule commune pendant leur temps d'incarcération avec le boxeur-braqueur, il s'agirait de ne pas le rater. Poisson a provisoirement oublié la poitrine et le corps d'Isabelle. Il est tout ouïe.

L'homme qui l'appelle, sans se perdre en tergiversations excessives, fait savoir à Serge qu'il accepte la proposition qui lui a été faite. Il descendra dans huit jours avec tout le matériel prendre en compte le surplus de la production. Serge se fait bien préciser :

— Et comme on a dit ?

L'homme acquiesce.

— Il a pas l'habitude de changer d'avis. Il dit ce qu'il fait et il fait ce qu'il dit.

Le ton ne supporte pas la contradiction. Serge conclut :

— OK, à dans huit jours.

Pour Poisson, il est évident que les deux hommes viennent de parler en langage codé. Il va pour se repasser l'enregistrement pour mieux le décortiquer, souffle, se frotte les yeux, quand l'appel suivant se déclenche. Étonné par la succession rapide de ces deux communications, il prend le temps de l'écouter. Il a bien fait. C'est de nouveau Serge qui téléphone. Fainéantise, manque de prudence, légèreté ou suffisance de sa part ? Peut-être un peu de chaque. Alors que jusqu'ici les policiers avaient perdu la trace de Zerkaoui, et ne remontaient pas son portable, Serge vient de leur servir sur un plateau. Poisson est aux anges. La discussion est plus explicite.

— Rachid, c'est Serge.

L'intimité carcérale se fait tout de suite sentir entre les deux hommes. Le boxeur poursuit :

— Sergio, mon ami, comment ça va ?

— Nickel...

Serge prend un court instant avant de déclarer :

— ... Juste te dire, que c'est OK, mon contact de La Tronche, il te prend la totalité du stock.

Flic ou voyou, cette commune fait sourire tout le monde. Zerkaoui se marre.

— La Tronche, je m'y ferai jamais.

Poisson ne voit pas Serge Rajin, mais l'imagine en train de hausser les épaules, tellement habitué depuis toujours...

— Je te rappelle que j'y suis né.

— Je sais, je sais. Bon, ton gonze, là, de La Tronche en biais, il prend tout le stock, donc ?

— Oui. Dans huit jours, au tarif indiqué.

Zerkaoui réfléchit, enchaîne :

— Il a les reins solides ? T'es sûr ? Il va pas nous le faire à l'envers ?

— Évidemment.

Le braqueur-boxeur change de ton.

— La dernière fois où t'étais sûr, on s'est fait enfler de 2 briques. Si ton pote Bastide n'avait pas récupéré le coup...

Le ton employé par Zerkaoui ne fait pas rire Serge. Il se tait. Rachid continue :

— C'est ta dernière chance, Sergio mon ami. Si ça marche pas ce coup-là...

L'amitié carcérale n'empêche pas de rendre des comptes. Rajin le coupe :

— Ça marchera, j'te dis. J'ai toute confiance.

La conversation doit lui peser, car il l'abrège.

— Je te rappelle et on finalise tout ça... Dans huit jours, on sera quittes.

Il raccroche. Il n'entend pas Rachid dire :

— Quittes ? Ça, on verra, mon pote. C'est moi qui décide.

Poisson se frotte les mains. En deux conversations, l'enquête vient de faire d'énormes pas. Les flics ont confirmation que Rachid Zerkaoui se sert du magasin Tout Frais pour stocker des produits illégaux, que Serge est chargé de lui écouler. Qu'il a trouvé quelqu'un pour les récupérer. Qu'ils sont effectivement en dette tous les deux. Enfin, grâce à cet appel, ils vont pouvoir identifier le nouveau téléphone portable de Zerkaoui.

Poisson regarde la photo d'Isabelle qu'il a posée sur son bureau. Il ne sait plus qui lui a dit, mais il est d'accord avec cette personne : il trouve que ça lui va très bien d'être amoureux. Il jette un œil à sa montre. Environ dix-sept minutes qu'il n'a pas appelé son amoureuse. Très envie d'entendre le son de sa voix.

57

Midlak regarde Charles-François Kayser. Il a décroché. Il ne l'écoute plus. Il a compris la défense de l'homme d'affaires. Celle qui consiste à chaque question à donner beaucoup d'explications. Monopoliser le discours, rester dans le général pour éviter le particulier.

Avec David et Paulo, ils avaient fini par le loger au cœur de la cité phocéenne et n'avaient pas hésité à faire l'aller-retour Bayonne-Marseille pour aller le récupérer au saut du lit. La nuit blanche, le trajet et les propos ennuyeux du chef d'entreprise lui pèsent. Il bâille. Kayser est le roi de l'allégorie morose et de l'aphorisme langoureux. Il regarde l'homme qui s'écoute et se regarde parler. Midlak a l'impression d'avoir en face de lui une fontaine à paroles. Une de ces vieilles fontaines à bras, un peu rétro, qui dans les parcs et jardins font le bonheur des joggeurs et celui des enfants. Mais fatiguent les parents.

Midlak sourit. La métaphore de l'homme transformé en fontaine à paroles sied à Kayser, avec son grand corps, ses bras qui font des moulinets, sa bouche qui déverse sans interruption son flot de mots qui roulent en cascade sur son menton, pour rebondir sur sa chemise avant de s'aplatir, sans éclat, dans la mare de ses chaussures. Et inonde d'ennui le lino du bureau.

Le commissaire d'un ton vif, l'interrompt.

— Poly Verres SAS ça vous parle ?

Kayser est outré. Quelqu'un a osé lui couper la parole. Il semble quand même un peu surpris que le policier lui parle de cette société. Malgré tout, il maintient ses lèvres écartées sur ses dents blanches, décide de continuer à être un peu suffisant. Il n'a pas besoin de se forcer.

— Évidemment. Une de mes dernières acquisitions. Qui rentre dans le cadre de la diversification de mes activités, la création et la production de verres à pied et de coupes à champagne...

— Pourquoi cette société a-t-elle versé la somme de 300 000 euros à monsieur Xavier Fantacci, directeur de l'urbanisme de Sainte-Jeanne ?

Sur son visage livide, les lèvres de Kayser restent crispées. Les flics ont donc trouvé ça. Très bien. Pas de souci, tout est sous contrôle. L'avantage d'être un grand chef d'industrie ayant reçu une éducation remarquable. Tout est toujours sous contrôle. La réponse singulière ne tarde pas.

— C'est un prêt. J'entretiens avec monsieur Fantacci des relations professionnelles mais aussi amicales ; le droit luxembourgeois, contrairement au droit français, autorise ce genre de pratiques.

Comme une fontaine ne propose que de l'eau, Kayser décline en cascade cette même réponse. Se réfugiant derrière la spécificité du droit émis par son pays natal. Midlak est surpris. Et se demande comment le chef d'entreprise peut penser que pour des faits commis en France, le droit luxembourgeois l'emporterait sur le droit français. Malgré sa petite taille, la volonté d'expansion du grand-duché resterait donc importante ?

La tension est palpable dans le bureau du commissaire. Les relations entre le flic et le chef d'entreprise, n'évoluent pas. Midlak continue à poser des questions courtes et précises, Kayser décline des réponses longues et alambiquées. Il meuble. Surtout que le commissaire vient d'aborder le cas d'une de ses sociétés : La Luxembourgeoise de Promotion.

Charles-François Kayser en est l'administrateur et confirme que cette entreprise a acquis pour la somme de 560000 euros douze œuvres d'art. Qu'elles ont toutes été achetées aux enchères par le maire de Sainte-Jeanne, Robert Delacour, et qu'il les a récupérées et conservées lui-même, contre la remise de contrats « d'acquéreur-prêteur ».

— Et ça ne vous choque pas ?

— Pourquoi, je devrais ?

Le commissaire est déçu. Pour une fois que la réponse est courte, il s'agit d'une question.

— Pour plein de raisons. La somme engagée. Le nombre de tableaux achetés. Des contrats d'acquéreur-prêteur qui n'existent pas...

— En France, commissaire, en France.

Midlak est sidéré. Kayser n'a pas besoin de sourire, il le fait tout le temps.

— Vous vous rendez donc bien compte que si ma société réclame ces œuvres, c'est qu'elle n'a rien à cacher, et que toutes mes relations avec le maire Richard Delacour ont toujours été très pures.

Ce dernier mot fait réagir Midlak. Kayser se reprend, à peine.

— Comment vous dites en France? Claires? Mes relations avec le maire Delacour ont toujours été très claires.

— Bien sûr, Monsieur Kayser. Pures et claires. Comme toutes les résidences immobilières de luxe que votre société Immo Kayser a réalisées à Sainte-Jeanne. Immo Kayser construit, et c'est une autre de vos sociétés : La Luxembourgeoise de Promotion, qui achète... pardon : qui fournit les fonds pour permettre au maire de Sainte-Jeanne d'acheter aux enchères douze œuvres d'art d'une valeur de 560000 euros, et de les conserver... C'est votre façon de voir les choses claires au Luxembourg?

C'est la première fois que Kayser perd un peu de son sourire. À peine, un léger affaissement. Il n'a pas l'habitude qu'on lui parle sur ce ton. Et visiblement il n'aime pas. Il se fige dans sa dignité d'apparat.

— Monsieur le commissaire, je ne vous permets pas...

Midlak se marre. Il n'en a rien à battre de l'autorisation de Kayser. Mais l'homme est lancé. Il met le turbo et sort son joker.

— ... et si vous faisiez correctement votre boulot, monsieur le commissaire, vous auriez déjà découvert ce qu'étaient advenues ces œuvres. C'était l'objectif du courrier adressé au juge par La Luxembourgeoise de Promotion. Mes avocats ont d'ailleurs préparé un dépôt de plainte pour vol. Ils envisagent de mettre en cause la responsabilité de l'État français. Si la police et la justice ne sont pas capables de retrouver ces œuvres, il y a vraiment un problème de délinquance dans votre pays !

Midlak est sur le cul. Le chef d'entreprise a anticipé sa défense et décide d'attaquer. Une façon d'anticiper et de parer les coups. Et comme il ne manque pas de moyens ni d'avocats, la mise en cause de la responsabilité de l'État, via sa police et sa justice, reste une excellente façon de crier son innocence.

Midlak tente de lui faire remarquer que les dates d'achat de ces œuvres par La Luxembourgeoise de Production correspondent aux différentes phases de construction des projets immobiliers réalisés par Immo Kayser à Sainte-Jeanne. Ce qui peut s'apparenter à un pacte de corruption.

Mais Kayser persiste et signe. Et, tout en souriant, montre qu'il peut aussi se mettre en colère. Il est innocent des énormités dont on l'accuse, imaginer même qu'il puisse être coupable est déjà un délit. Il ne manquera pas de le faire savoir à son armada d'avocats qui sauront faire reconnaître son innocence pure. Et claire.

Et il prévient, il a le temps et l'argent pour ça. Apanage du milliardaire, capable de dépenser des millions pour faire établir par actes juridiques son innocence. Midlak sourit. Il n'a pas intérêt à déraper.

Pour l'instant, son rôle n'est pas de préjuger de sa culpabilité. Il doit juste mettre en exergue les éléments découverts au cours de l'enquête et en rendre compte au juge. Qui prend bonne note de toutes les dénégations de l'homme d'affaires, mais décide quand même de le mettre en examen pour corruption.

En sortant du bureau du juge, venant juste d'être placé sous contrôle judiciaire, le chef d'entreprise a encore le sourire. En tant que P-DG d'une holding internationale, il a des obligations médiatiques qu'il ne saurait négliger. La presse est présente, il s'agit de ne pas la décevoir.

58

Après l'interpellation et la mise en examen de l'homme d'affaires luxembourgeois Kayser, le dossier Delacour se terminait. Quelques scories à traiter, mais rien de grave. Si ce n'est peut-être le premier adjoint, François Gabelle, qui continuait à se pavaner d'une façon ostentatoire, causant plus de dégâts en interne et ne réglant aucun problème en externe. Mais qui refusait toujours de démissionner, il n'allait quand même pas abandonner à deux mètres du verre de sangria. Il y a des choses qui ne se font pas. Abdiquer alors qu'il allait toucher le Graal ? Pas le genre de Clemenceau et de tous ses successeurs, avec ou sans cigare. Il espérait secrètement une démission de Richard Delacour du fond de sa cellule et pour le moment se maintenait, laissant derrière lui un goût d'inachevé et une étrange odeur de fumée.

Après la mise en examen de Kayser, le juge Vallud avait demandé à Midlak de ralentir le flot des gardés à vue. Il fallait tout digérer, analyser, décortiquer et prévoir une nouvelle audition du maire Delacour, pour le mettre face aux nouvelles accusations.

— Vous avez bien huit jours devant vous, monsieur le commissaire, lui avait lancé le magistrat instructeur.

Le policier s'en voyait ravi, espérant avoir le temps de profiter de ses enfants et de sa vie de famille. C'était sans compter sur la BRB, David Vallespir, Paul Monra et Olivier Mérou, qui l'avaient tenu au courant des dernières découvertes faites dans le dossier des braqueurs de DAB. Poisson avait trouvé le nouveau portable de Rachid Zerkaoui, le braqueur-boxeur, géolocalisé du côté de la brasserie L'Équinoxe. Mérou avait pris soin de lui préciser.

— Si on veut le loger, c'est maintenant, chef. Il est prudent, le Zerkaoui. Il n'allume son portable que sur des points très fréquentés, comme le restaurant. Et dès qu'il le quitte, il le coupe. Impossible de le localiser ensuite.

Stanislas avait répondu :

— Si je comprends bien, on a tout sur lui, sauf son « dom » ?

Mérou avait acquiescé. Stanislas l'avait compris, il y avait comme une urgence à intervenir et il fallait se décider vite, comme toujours. Et profiter de cette éclaircie dans le dossier des braqueurs de DAB. Pas certain qu'une opportunité comme celle-ci se reproduise : avoir le portable du suspect numéro un d'habitude si prudent, et savoir que le soir même il était de sortie dans un rade que les flics connaissaient; les flics de la PJ ne pouvaient pas passer à côté.

Malgré la fatigue, malgré l'aller-retour Marseille-Bayonne pour aller récupérer Charles-François Kayser, suivi de quarante-huit heures de garde à vue avec le P-DG qui l'avait usé psychologiquement, malgré le week-end qui s'annonçait, malgré Cécile de plus en plus muette et le manque de ses enfants, Stanislas avait monté en urgence un dispositif de surveillance avec la BRB, ayant un seul objectif : loger avec certitude Zerkaoui. Au prochain braquage, il ne resterait plus qu'à aller le cueillir comme un fruit trop mûr à cette adresse, si bien cachée.

59

La terre jetée sur la tombe encore fraîche de feu Robert Delacour et l'écho du discours de sa femme encore présent dans les oreilles n'empêchent pas François Gabelle de réaliser son rêve. Après avoir été pendant des années le premier adjoint, cette chère providence lui permet de devenir enfin maire.

Les employés de la mairie n'en reviennent pas. Et n'en veulent pas. Sorène prend son téléphone pour faire part de leur étonnement et de leur stupeur au commissaire. Cela ne change pas grand-chose à la situation déjà en cours depuis le placement en détention de Delacour. Sauf peut-être dans l'attitude de Gabelle qui se tient encore plus droit et peut occuper sans crainte le bureau réservé au maire titulaire dans lequel règne d'un œil vigilant la statue de *La Femme*, de Devinsky.

S'il l'avait mieux regardée, Gabelle aurait constaté qu'elle-même semblait inquiète de ce nouveau locataire des murs.

Huit jours après sa nomination expresse, les policiers sonnent à la porte du domicile de François Gabelle.

Le nouveau maire est prêt, vêtu de son costume bleu roi et d'une cravate jaune duchesse du meilleur effet. Stanislas sourit, elle ne dépareillerait pas avec celles coupées par Paulo et affichées au-dessus du bar de la PJ. Par réflexe, il retient le bras vengeur du major Monra.

Il ne faut pas longtemps à Gabelle pour comprendre ce qui lui arrive. C'est son tour. Il hésite entre effondrement et colère. Pourquoi aujourd'hui ? Depuis l'aube, il s'est préparé à cette journée qui s'annonçait exceptionnelle, celle du premier conseil municipal qu'il allait diriger en tant que maire titulaire, où devait être voté le budget communal « post-époque delacourienne ». Les attentes des citoyens sont énormes dans ce domaine. Pour rien au monde ils n'auraient manqué ce conseil municipal dirigé par le nouveau maître des lieux. Gabelle le sait, s'y était projeté.

Mais la venue des flics chasse toute perspective de sa consécration locale. Gabelle en aurait chialé. Se faire ainsi interpeller, comme les autres avant lui, l'étonne et le met en rage. Il va pour exploser, mais préfère une autre voie, celle de dénoncer un complot politique. N'ayant pas réussi à empêcher le vote de sa nomination en tant que maire titulaire, des élus opposants l'auraient balancé aux flics pour qu'il ne puisse pas être présent physiquement au conseil.

Il dénonce alors ces basses manœuvres. Sans même comprendre qu'après vingt ans de bons et loyaux services à côté de feu le maire de Sainte-Jeanne en tant que premier adjoint fidèle, il était temps pour lui de rendre des comptes. Avant que la situation communale ne s'aggrave.

Les réponses de Gabelle agacent Midlak. Maintenant ce dossier lui pèse. Le suicide de Delacour l'a plus marqué qui ne l'aurait pensé. Son côté boy-scout certainement. Il n'a pas choisi ce métier pour envoyer les gens à la mort. Pour qu'ils soient reconnus coupables de faits graves, certainement. Mais pas jusqu'à cette extrémité, qui n'a aucun sens. Par éducation, il croit à l'exemplarité de la sanction. Celle qui sert en tant que prise de conscience. Et permet de grandir. Mais ce qu'il entend et voit de Gabelle ne l'aide pas à croire que ce qui est arrivé à Delacour soit d'une quelconque utilité pour son ex-premier adjoint.

Ce qui est reproché à l'homme relève plus d'une légèreté insouciante que de recherche de profit personnel. Mais comment ne pas lui faire la remarque que les nombreux dépôts en espèces déposés sur les comptes du maire et dont il avait la responsabilité, auraient dû l'inquiéter ou l'inciter à lui en parler? Voire lui proposer de changer de banque. Choisir la méthode Ponce Pilate reste le meilleur moyen d'avoir les mains propres.

Midlak se penche en avant, essaye de percer les yeux de son interlocuteur.

— Qui nous dit que votre silence n'était pas acheté? Comment ne pas imaginer que le maire déposait toutes ces espèces sur les comptes dont vous aviez la responsabilité pour être sûr que vous ne le balanciez pas aux autorités? Et, pour s'assurer votre silence, vous en remettait une partie?

Les insinuations sont claires. Gabelle est scandalisé par de tels propos. Mais Midlak ne lui laisse pas de répit.

— Vingt ans que vous êtes élus avec Delacour. Ce n'est pas possible que vous n'ayez rien vu. Ou qu'on ne vous ait rien dit.

— Des jaloux, des aigris, monsieur le commissaire. Des opposants politiques qui colportent des ragots.

Stanislas lève les yeux au ciel, cherche à calmer la colère qui gronde en lui.

— Gabelle, en tant que banquier, vous trouvez normal qu'un client dépose une ou deux fois par semaine des sommes d'argent aussi importantes : 5000, 10000 voire 15000 euros? En petites ou grosses coupures : 50, 100 et 500 euros?

— Il m'avait parlé d'une tontine...

— Pourquoi pas un jackpot gagné au Loto?!

— Mais c'était le maire, quand même. Comment pouvais-je imaginer?

Midlak souffle de dépit. Au-delà de la responsabilité pénale du nouveau maire, c'est son irresponsabilité d'élu dans la gestion du quotidien de la mairie, qui l'irrite. Mais pourquoi Gabelle l'énerve-t-il autant? La fatigue de fin de dossier? La sensation d'inutilité de ce tout ce qui a été fait jusqu'ici? L'incarnation de l'homme plus attaché à son titre qu'à la réalité de l'exercice quotidien de sa mission d'élu?

Devant la succession des questions, Gabelle ne peut pas tenir le rôle du flamboyant. Sa défense surprend même Midlak.

— Votre signature engage votre responsabilité. Pourquoi avoir signé alors que vous ne saviez pas ce que le maire achetait, ni même à qui, ni où ?
— J'avais juste délégation de signature. Ce n'est pas moi qui décidais du budget.

Midlak reformule sa question, mais l'élu s'obstine à ne pas vouloir comprendre. Sa réponse devient mécanique : il ne faisait que valider les comptes votés en conseil municipal. Imperméable aux propos du policier qui, dépité, conclue.

— Vous étiez une chambre d'enregistrement, en fait. C'est tout !

Midlak lui demande alors s'il sait ce que signifie la ligne « achats connexes à l'ameublement ». Gabelle n'hésite pas.
— C'est l'achat des petites fournitures administratives. Stylos, feuilles, encre...
— À votre avis, quel est le montant mensuel moyen de cette ligne ?
— Ce ne sont pas des achats coûteux : 2000, 3000. 5000 euros maximum.
— Et ça ne vous dérange pas, en tant que banquier, comme en tant qu'adjoint chargé des finances, de voir que cette ligne était régulièrement portée à 50000, 100000 ou 300000 euros ?

Gabelle ne vacille même pas.

— Ben non, puisque ça a été voté en conseil municipal.

Midlak regarde son interlocuteur, il se demande s'il fait exprès de ne rien comprendre ou s'il cherche juste à noyer le poisson. Il opte pour la première solution. D'autant que Gabelle sent qu'il y a anguille sous roche. Et lui précise que son rôle n'était pas de vérifier la réalité des achats décidés mais de valider le budget voté en conseil municipal. La réponse énerve Midlak.

— Mais putain, vous engagiez votre responsabilité !

— Ben non, puisque je n'avais que délégation de signature.

Le commissaire regarde l'élu qui s'affaisse un peu plus sur sa chaise. Rien à voir avec Delacour et sa capacité de résilience. Même si Gabelle est de plus grande taille que son prédécesseur, assis dans le bureau du commissaire, se débattant jusqu'à l'absurde avec les questions du policier, il fait plus petit. Cette comparaison avec l'ancien maire, inspire une nouvelle question au commissaire. Comme un test d'évidence.

— Connaissez-vous Henri Weber et Devinsky ?

Gabelle reste muet. En matière d'art, il ne semble pas partager les mêmes goûts que son prédécesseur.

— Le conseil municipal a-t-il prévu la construction d'un musée à Sainte-Jeanne ?

— Pour quoi faire ?

Le flic est à peine surpris de cette réponse.

— Pourquoi en conseil municipal valider toutes ces lignes budgétaires pour l'achat d'œuvres d'art ?

— Pour les expositions tournantes organisées par le maire dans les locaux de la ville.

— Et une fois que les œuvres avaient tourné...

Aux yeux que fait Gabelle, il comprend que l'homme n'a pas compris.

— Une fois que les œuvres avaient été exposées, savez-vous ce qu'elles devenaient ?

Le silence qui tombe sur l'élu, en dit long sur sa réponse. Et sa réflexion.

Quand le commissaire fait le compte rendu de la garde à vue de Gabelle au juge Vallud. Il n'hésite pas et décide de sa mise en examen.

Au tribunal, lorsqu'il voit la présence de nombreux journalistes, alertés par son absence au conseil municipal, Gabelle se redresse mécaniquement et tente de retrouver un peu de sa superbe.

Est-ce la présence de la presse, l'incongruité de la situation, l'attitude du tout nouveau maire mis en examen qui agacent le juge ? Contre toute attente, il décide de son placement en détention provisoire.

Y aurait-il une malédiction à Sainte-Jeanne ? En moins de quatre mois, cette sainte commune connaît pour la deuxième fois l'incarcération de son premier édile. Le conseil municipal ne résiste pas au vent de cette nouvelle détention. Tous les conseillers municipaux démissionnent. Provoquant au fond de sa cellule celle de Gabelle.

La mairie de Sainte-Jeanne se retrouve étêtée. Les employés livrés à eux-mêmes. Certains consciencieux n'hésitent pas à compléter d'initiative le tableau chronologique des maires de la commune. Gabelle avait été si prompt à faire graver son nom dessus, ils ne voudraient pas le décevoir en n'étant pas fidèles à sa capacité de prise de décision rapide. Ils gravent d'autorité sa date de nomination. Et celle de sa démission. Le résultat est éloquent : le mandat le plus court de toute l'histoire de la commune.

Patrick Periti se frotte les mains. La voie est libre.

Sorène Véri sourit. Et prend son téléphone.

Une nouvelle ère commence à Sainte-Jeanne.

60

Quand son téléphone sonne, il n'hésite pas. Avant même qu'il décroche, il sait que c'est elle. Plus qu'un pressentiment, une certitude. Comme si à force d'espérer une chose, elle finit par arriver. De toute façon, si elle ne l'avait pas fait, il serait passé la voir. L'irrésistible force du désir. Qui sourd depuis longtemps, enfoui au fond de soi et qui se manifeste comme une évidence quand tout le reste s'effondre. Pourquoi aurait-il dû hésiter? Quelles étaient les barrières, à ce moment, qui auraient pu l'en empêcher? Il ne sait pas, ne sait plus. En a trop vu, en sait trop. Juste envie de tout oublier. Et de tout découvrir.

Il décroche, sourit. Ne s'est pas trompé. C'est bien elle. Un peu moins hésitante. Plusieurs fois qu'elle tentait de lui dire que ses appels pour le tenir au courant de l'humeur des employés de la mairie étaient un prétexte pour l'entendre. Plusieurs fois qu'il avait envie de lui dire qu'il commençait à prendre goût à leurs échanges. Et que, depuis l'arrestation de Gabelle quelques jours plus tôt, il était embêté, elle n'aurait plus de raisons de le tenir au courant de l'humeur des employés de Sainte-Jeanne. Il le regrettait déjà. Elle sourit aussi.

— Vous êtes libre de venir à Sainte-Jeanne, maintenant ?

— On se demande ce qui m'en empêcherait ?

En posant la question, il n'a pas cherché la réponse, il la connaît. La peur de succomber. Qui depuis peu est devenue l'envie d'y céder. Il ne sait pas exactement ce qu'il va trouver chez elle, avec elle, mais il sait qu'il en a besoin, comme une force trop longtemps retenue, une digue qui ne tient plus, une muraille qui s'effondre et qui, après les temps de doutes et d'interrogations, permet de reprendre goût aux choses simples. Permet de se sentir revivre. De se sentir vivant.

— Alors je vous attends. Chez moi. Je ne vous donne pas l'adresse. Je crois que vous la connaissez déjà.

Quand il arrive au 12 de la rue Meynaudier, alors même qu'il n'y a jamais mis les pieds, tout lui apparaît familier. Les deux fauteuils en cuir, le grand canapé marron, les plaids clairs jetés dessus négligemment, la petite table en bois, les photos de paysages au mur ; simplicité et chaleur, douceur et élégance. Et elle. Sorène. Les cheveux dégagés sur la nuque, ses yeux, mélange d'amertume et de gaieté, belle dans sa simplicité, lumineuse dans son attitude.

Quand il la voit comme ça, debout devant lui, sourire timide mais engageant sur les lèvres, il se fige. Un court instant. Ce n'est pas de l'hésitation, c'est un besoin. Celui de la couvrir de son regard, de l'envelopper de ses yeux. Et de laisser son sang couler en lui à flots comme un torrent. Il veut en ressentir chaque parcelle. Ne pas en perdre une goutte, ne pas gâcher une seconde, savourer l'instant qui précède, pour mieux se laisser aller à ce qui pourrait suivre.

Il se demande juste s'il va arriver à canaliser les battements de son cœur.

Sans un mot, elle lui tend la main, il la saisit. La tient fort, la presse. Il tend l'autre, elle la prend. Elle s'avance vers lui, leurs corps se rapprochent, ils n'ont jamais été aussi près. Il sent son souffle, elle ressent son désir. Il a à peine besoin de se baisser pour que ses lèvres se posent sur les siennes.

La tempête qui suit le baiser est tropicale, cyclonique, brûlante. Leurs corps se trouvent sans se chercher, leurs vêtements se libèrent, leurs envies aussi. Tout ce qui était enfoui depuis si longtemps remonte à la surface. Tout tourne, tout vrille, tout chavire. Ils s'abandonnent et s'oublient dans un même élan.

Le week-end commence si bien. Le soleil caresse les voilages de la fenêtre de la chambre à coucher. Une brise effleure son visage. À son réveil, il n'a pas été surpris de constater que l'autre moitié du lit était vide. Il a décidé de ne pas se lever tout de suite. Il garde les yeux ouverts et s'efforce de ne penser à rien. Juste écouter les bruits de sa maison qui s'éveille. Quelques cliquetis de tasses et cuillers, l'odeur du café qui envahit l'espace. Les enfants qui jouent dans leur chambre en écoutant de la musique.

Il se retourne, s'allonge sur le ventre. Envie de sentir la chaleur de la couette et celle de sa respiration contre le matelas. Somnoler entre deux mondes, celui qui commence à vivre et l'autre qui dort encore. Laisser toutes formes d'images prendre possession de son esprit. Sourire. Se croire dans une vieille pub ensoleillée rendant hommage à l'ami du café matinal. Chantonner doucement.

Dimitri et Léa l'ont précédé de quelques secondes. Ils sont déjà attablés devant leurs bols de chocolat et leurs croissants quand il débarque dans la cuisine. Il les embrasse de sa fougue paternelle, se fait couler un café et met du temps avant de réaliser que Cécile n'est pas là. Il s'en inquiète auprès des enfants.

— Elle est où, maman ?

Dimitri hausse les épaules, il n'en sait rien. Léa est plus prolixe.

— Elle est venue me voir dans ma chambre, en me disant que tout était prêt dans la cuisine. Et de ne pas nous inquiéter. Elle avait une course à faire. Elle a dit qu'elle reviendrait en fin d'après-midi.

Stanislas regarde sa montre, s'étonne. Il est à peine 10 heures.

— En fin d'après-midi ?

Il cherche à la joindre sur son portable. Compte tenu des circonstances, il est surpris quand elle décroche. Il veut lui demander des explications. Mais elle ne lui en laisse pas le temps.

— Ne t'inquiète pas, deux-trois petites choses à voir et je rentre tout à l'heure. Profite des enfants, ça fait longtemps qu'ils n'ont pas eu leur papa rien que pour eux.

Stanislas veut en savoir plus. Mais Cécile n'ajoute rien. Elle raccroche, après lui avoir conseillé de prendre son temps et d'aller jouer au parc avec ses enfants.

— Ils vont être tellement contents de passer toute la journée avec toi.

Ils l'ont été, toute la journée, tous les trois. Sans portable, sans appel du boulot, sans consultation de mails. Pas une filoche à assurer ou une garde à vue à gérer. Ils ont fait « du rien ». Mais ensemble. Les heures ont défilé. Ils n'ont pas eu le temps de s'en apercevoir. Ils ont ri, transpiré, moqué, joué au ballon et se sont même autorisés à manger n'importe quoi. Du hamburger gras aux churros huileux. Stanislas a soigné le genou saignant de Dimitri quand il a raté un placage et séché les larmes de crocodile de Léa qui se plaignait de ne recevoir aucun ballon. Pour la consoler, il a lui-même acheté une énorme barbe à papa.

En fin d'après-midi, les moustaches et les genoux colorés, ils se décident à rentrer. Ils sont encore en train de rire quand Stanislas gare la voiture devant la maison. Cécile est sur le palier, un rictus étrange aux lèvres. Elle les attend. Dès que Léa la voit, elle se précipite. Se jette dans ses bras.

— Maman !

En quelques phrases, elle réussit l'exploit de lui raconter toute cette belle journée avec son père. Dimitri est aussi heureux de retrouver sa mère mais, plus pudique, marche lentement vers elle, avant de l'enlacer tout en tendresse. Tous trois se retournent vers Stanislas et lui sourient.

L'image de Cécile enlaçant Dimitri et Léa sur le palier de leur maison hantera longtemps Stanislas.

— J'ai pris quelques affaires, le nécessaire. Je viendrai chercher le reste après.

Stanislas a peur de comprendre. Cécile enserre encore plus fort Dimitri et Léa. Elle ajoute :

— On ne va pas tout déballer, là, devant les enfants.

Elle hésite à peine avant de poursuivre.

— Je suis au courant.

Stanislas cherche à la couper, veut des explications. Cécile l'empêche de parler. Des larmes perlent dans ses yeux.

— Dis rien, s'il te plaît. C'est suffisamment compliqué comme ça.

Stanislas est figé. Muet. Stupide. Bête comme un âne. Il ne sait pas quoi faire, que dire. Il ne peut pas bouger. Dans sa tête, c'est le capharnaüm. Un bordel sans nom. Tout se mélange, s'entrechoque, se mêle. Pourtant au fond de lui, il le sait, cette séparation est devenue inéluctable. Plusieurs mois qu'elle couvait. Sa relation avec Sorène n'a fait qu'accélérer le mouvement. À ce moment il ne cherche même pas à savoir comment Cécile a pu être au courant. Le monde est peuplé d'indicateurs, il est bien placé pour le savoir. Elle est au courant, c'est tout. Et prend la décision qu'ils devaient prendre. Il ne s'attendait juste pas à ce qu'elle arrive maintenant, comme ça.

Cécile demande aux enfants d'aller embrasser leur père. Elle va leur montrer leur nouveau chez-eux. Léa se jette au cou de son père. Le remercie pour cette super belle journée. Dimitri se serre contre lui. Ne dit rien. Ses yeux murmurent pour lui. Tous les deux montent dans la voiture de leur mère, une Mini Cooper verte, Stanislas ne peut pas s'empêcher de penser qu'ils l'ont choisie ensemble avec Cécile. Il se souvient qu'à l'époque il aurait aimé qu'elle la choisisse rouge, elle a préféré ce vert métal, tellement plus british. Tellement plus féminin.

Pour monter à son tour dans la voiture à la place conducteur, Cécile fait un détour. Elle ne tient pas à s'approcher de Stanislas. Ne pas être obligé de le toucher, ni même de le frôler. Commencer à mettre la bonne distance entre eux. Quand elle a claqué la porte et fait démarrer le moteur. Elle baisse sa fenêtre et tend la main à Stanislas.

C'est un automate qui s'approche et récupère le morceau de papier qu'elle lui tend.

— L'adresse de notre appart. J'ai fini de l'aménager aujourd'hui. Pour quand tu viendras chercher les enfants.

Malgré elle, sa main effleure celle de Stanislas. Comme un réflexe, il tente de la retenir dans la sienne. L'adresse de l'appartement s'envole. Stanislas tente de le récupérer. Cécile en profite, remonte sa vitre, et démarre. Ne pas penser au contact de sa main, ne pas sentir sa peau, ne pas voir ses doigts. Partir sans se retourner, se souvenir de ce qu'elle s'est promis.

Il est seul au milieu de la cour. De nouveau immobile. Le morceau de papier que lui a tendu Cécile flotte en berne au bout de son bras. Il a du mal à murmurer :

— C'est fini.

Il regarde autour de lui. Les portières ouvertes de sa voiture, les miettes de churros sur les sièges, le ballon dans le coffre. Il entre dans la maison. Le silence comme compagnie. Le vent ne souffle plus dans les voilages. Il manque des chaises, des oreillers aux lits, des photos sur les étagères. Il repense à son réveil de ce matin. Ce samedi avait si bien commencé. Entre l'odeur du café et la chanson désuète d'une vieille publicité.

Comment peut-on passer aussi rapidement d'un bonheur télévisuel à une tristesse infinie ? Il hurle comme pour exorciser :

— Putain de télé.

Puis se pose enfin. Sèche ses larmes. Il l'a bien cherché. Peut-être même voulu. Des mois à s'éloigner, des jours à prendre des chemins différents, des heures à ne plus échanger. Et l'incompréhension grignote, l'indifférence surgit, l'oubli prend le pas sur l'amour. Il attrape son blouson, l'enfile. Prend son téléphone portable, compose un numéro.

— Sorène ? C'est moi...

Au son de la voix de la jeune femme, il entend son sourire.

— ... J'arrive.

Sa décision est prise, il s'installe chez elle.

61

Quand il claque la porte de sa maison, Zerkaoui a un mauvais pressentiment. Il regarde à droite, à gauche, ne remarque rien d'anormal, secoue la tête. Pourquoi aujourd'hui ? Comment les flics auraient pu remonter jusqu'à lui ? Comment auraient-ils pu faire pour le suivre jusqu'ici dans cette banlieue résidentielle de Biarritz, avec loyers élevés et gardes privés ? Chaque fois qu'il a eu un doute, il a pris soin de semer les voitures, ou s'est assuré qu'elles n'avaient pas pu le suivre. Même la fois où il a quitté L'Équinoxe et a cru être filoché par une bécane. Il s'est assuré que le motard le dépasse en se cachant dans les sous-bois, moteur et phares éteints. Après il a roulé, éclairé par la seule lumière de la lune et des étoiles, qui ont toujours eu la délicatesse de bien veiller sur lui, et il n'a jamais recroisé cette moto.

Par réflexe, il lève les yeux au ciel qui commence à se parer de ses feux nocturnes. Il sourit. Il faut qu'il se calme, c'est juste l'enjeu du rendez-vous qui le met dans cet état-là. Pas la peine de paniquer, même si, pour faire descendre les mecs du Dauphiné, il avait fallu passer par cet idiot de Serge Rajin. Mais aucune raison que son pote d'emprisonnement Sergio lui fasse à l'envers. D'abord, il n'en a pas les moyens intellectuellement, ensuite, il n'aurait aucun intérêt à agir de la sorte. Il sait que lui, Rachid, a toutes les adresses des membres de sa famille, sa sœur Christine, son beau-frère... Et ses deux charmants neveux et nièces. Et ce n'est pas l'arrivée, ou plutôt le retour de Jean-Louis Bastide, l'ancien braqueur rugbyman, parmi les proches de Serge Rajin qui pourrait contrecarrer ses plans.

Tout en se préparant pour monter sur son scooter, Zerkaoui continue de scruter autour de lui. Rien ne l'alarme. Tout est comme d'habitude, calme et silencieux. La moindre petite modification lui sauterait aux yeux. Il a trop souffert la dernière fois qu'il s'est fait serrer, il y a dix ans, il ne veut surtout pas que ça recommence, alors il a pris un maximum de précautions en louant cette maison en s'assurant, tous les matins, que rien ni personne ne serait en train de le surveiller. Pas question de laisser la moindre chance au hasard. Et aux flics. Rassuré, il enfile son casque, met en marche le moteur, fait glisser la béquille et démarre.

Depuis son point de surveillance, Paulo relâche sa respiration. Quand Zerkaoui a avancé dans sa direction, il a vraiment cru qu'il l'avait repéré. Mais non, juste un coup de chaud. Il peut appeler le patron, et lui annoncer que le boxeur vient de partir. Il regarde sa montre. Il devrait être au magasin Tout Frais dans moins de vingt-cinq minutes.

Dès qu'il donne l'alerte du départ de Rachid Zerkaoui, les policiers sont sur leur garde. Stanislas a mis un dispositif de surveillance léger autour du magasin. Le commerce est situé sur la zone industrielle des Mingues, qui couvre dix entrepôts. Une rue principale, en double sens de circulation, les dessert en ligne droite, un lourd portail coulissant en assure l'entrée et la sortie. L'autre bout se termine en cul-de-sac. Cinq établissements sont à gauche, cinq à droite. Devant chacun d'eux il y a un parking perpendiculaire de seize places.

Le négoce Tout Frais est le troisième en partant de la gauche. Seules deux voitures sont stationnées devant. Vite identifiées comme étant pour la première celle de Serge Rajin et la seconde celle du magasin. Derrière ce commerce comme les quatre autres sur le même axe, coule un petit ruisseau. Les manutentions de chargement et/ou de déchargement se font par l'avant des bâtiments.

Juste derrière le portail d'entrée, David Vallespir est installé seul à bord du sous-marin. Ce véhicule donne l'illusion d'une fourgonnette d'artisans. Il doit annoncer l'arrivée des véhicules des suspects, et si nécessaire leur en empêcher la sortie en fermant en urgence le portail. Valérie est stationnée en face du magasin, de l'autre côté de l'axe principal. Son rôle est de filmer tout ce qui y entre et en sort. À l'autre bout de celui-ci, Olivier Mérou assure, légèrement en retrait, la couverture. Stanislas est stationné également en face du magasin, à deux véhicules de celui de Valérie.

Depuis que, grâce à la bévue téléphonique commise par Rajin en téléphonant depuis le commerce de son beau-frère, ils ont déterminé le jour de la transaction choisi entre les voyous du Dauphiné et Rachid Zerkaoui, et que la même erreur leur a permis d'identifier le nouveau numéro de portable du braqueur-boxeur, et par là même, arriver à le localiser à la suite de la surveillance nocturne depuis L'Équinoxe, ils ont décidé de tendre leur filet dans la zone industrielle des Mingues. L'idée de Midlak n'étant pas de les interpeller, mais bien de comprendre l'opération en cours. Et surtout d'en identifier tous les participants.

Il ne restait plus qu'à attendre le bon jour et le top départ de Zerkaoui. Il a fallu attendre huit mois. Plus de 242 jours exactement, pour que le rendez-vous tant attendu se concrétise. Plusieurs fois programmé, plusieurs fois repoussé. Peur de Zerkaoui, impossibilité des voyous du Dauphiné, absence de Rajin. Jusqu'à ce jour où tous les alignements se sont enfin retrouvés au complet. Dès que Mérou a eu confirmation que les Grenoblois avaient pris la route, que Serge Rajin était au magasin Tout Frais, il avait donné l'alerte. Il ne restait plus qu'à attendre le bon vouloir de Rachid Zerkaoui, qui venait enfin de sortir de sa maison qu'il pensait jusqu'alors si bien protégée.

Les flics commençaient à fatiguer. Ils s'étaient mis en planque à l'heure d'ouverture de la zone industrielle des Mingues à 7 heures et il était déjà 11 h 45. L'alerte du départ de Rachid Zerkaoui par Paulo les a tous réveillés.

Mérou cesse d'envoyer des SMS à Isabelle, Valérie se penche sur sa caméra vidéo pour vérifier son fonctionnement, David lâche son portable et ne joue plus à Candy Crush, et Stanislas essaye de ne plus repenser aux heures passées avec Sorène. Un nouvel appel de David l'oblige à se concentrer. Vu la prudence de Zerkaoui, il préfère ne pas poursuivre la filature qu'il assurait sur sa moto.

— ... mais pour l'instant, il prend bien la direction des Mingues. Il devrait être sur vous dans dix à quinze minutes environ.

Stanislas distribue l'information à tous. Sur la zone industrielle, la pause méridienne se fait sentir. Des commerces ferment, des voitures quittent le site. Jusqu'alors personne ne semble avoir repéré la présence des flics. Valérie, à la radio, annonce même la sortie d'un homme de Tout Frais.

— ... quarante/quarante-cinq ans, corpulence moyenne. L'air inquiet.

Court instant de pause, elle précise :

— C'est Rajin, je le reconnais. Il tire le rideau métallique devant l'entrée principale.

Midlak suit en direct. Il s'étonne et s'inquiète. Si Rajin range tout et qu'il part après avec sa voiture, c'est qu'il n'attend personne. Le rendez-vous aurait-il été déplacé sans que les flics aient pu le déterminer?

Son angoisse est de courte durée, il reçoit un nouvel appel de Paulo. Sur la route, il s'est retrouvé coincé derrière un Touareg immatriculé en 38. Il s'est porté à la hauteur du conducteur, pas l'air bizarre, mais franchement bien imité. Il a noté la présence de deux autres individus à bord, aux allures similaires à celle du chauffeur. Il s'est posé, le temps d'avoir la confirmation auprès du fichier des cartes grises. La voiture appartient à une société de location basée à Échirolles. Il fait remarquer à Stanislas :

— Pas loin de La Tronche, non ?

— C'est le secteur.

— Ils arrivent sur vous. Je suis au cul.

Le Touareg loué en Isère est le premier à la ZI des Mingues. C'est David qui l'annonce. Le véhicule n'hésite pas et se dirige directement sur le parking situé devant le commerce Tout Frais. Paulo ne rentre pas sur la zone, il pénètre dans la station-service située à cinq cents mètres avant l'entrée. Il enlève son casque et se met en position d'attente. À son tour d'être inquiet. Il a quand même laissé beaucoup de marge à Rachid Zerkaoui, il aurait dû être là depuis longtemps.

Les flics sont tendus. Depuis maintenant plus de quarante-cinq minutes les trois Isérois ont stationné leur véhicule devant le magasin. Rajin est sorti les saluer. Et les a fait entrer dans l'entrepôt par une petite porte située sur le côté du rideau métallique. Valérie a quand même eu le temps de les filmer et de les shooter avec son appareil photo. Elle s'est fait la remarque qu'ils avaient de bonnes têtes de vainqueurs. Puis plus rien n'a bougé. Cinq heures de planque pour vingt secondes d'adrénaline. Les flics sont en manque.

Paulo commence aussi à s'impatienter. Toujours pas de scooter de Rachid Zerkaoui en vue.

— Mais qu'est-ce qu'il fout, putain ?

Il demande à Midlak ce qu'il se passe à l'intérieur du magasin, le commissaire n'en sait rien. Midlak hésite. Il enverrait bien quelqu'un vérifier discrètement le long du rideau métallique si d'éventuels bruits sont audibles. Mais quand un dispositif est en place, il n'aime pas le déstabiliser. C'est toujours à ce moment que les choses se gâtent. À l'autre bout du parking, Mérou essaye également d'en savoir plus. Il finit par proposer à la radio :

— Tu veux que je fasse un passage à basse altitude ?

Le commissaire ne se décide toujours pas. Le dispo est bien installé, tout le monde a sa place, pas la peine de prendre ce risque. Il va pour lui répliquer par la négative, mais David, également inquiet, annonce à son tour :

— J'espère juste que ses potes grenoblois, ils l'ont pas buté, Rajin ? Devant nous, ça ferait mauvais genre...

Cette question interpelle Stanislas au mauvais moment. Il engage Mérou :

— OK, Poisson, tu fais un passage à pied...

Il prend soin de lui préciser :

— ... Sans t'arrêter devant le magasin.

Pas la peine d'en rajouter, Mérou connaît le job. Il descend de sa voiture, la laisse stationner devant le quai de déchargement où il s'est posé depuis le début de la matinée. Et se dirige vers le Tout Frais. Il longe les deux autres entrepôts avant de parvenir devant celui des fruits et légumes.

Midlak sourit en le voyant ainsi déambuler. Il se fait la remarque que l'amour lui va bien à Poisson, jusque dans ses tenues vestimentaires. Il ne porte plus ses affreux blazers des années 80, pochettes colorées et boutons argentés, qu'il trouvait si branchés, tout dans sa tenue démontre que quelqu'un a repris en main sa garde-robe. Midlak se dit que jusqu'à aujourd'hui il ne l'avait pas vraiment remarqué, mais en vieillissant Mérou ressemble à Bourvil. Un peu lunaire, un peu ailleurs, très amoureux. Sur les ondes, il dit à l'attention de Valérie :

— Elle lui fait du bien, ta tante. Ça se voit...

Dans sa voiture, la jeune brigadière-cheffe était en train de se faire le même type de réflexion. Elle s'apprête à répondre à Midlak quand Paulo annonce à la radio :

— Putain, ils arrivent. Un Cayenne.

Léger instant de flottement. Les regards de Stanislas et de Valérie ont changé de direction, ils ne surveillent plus Poisson déambuler devant le commerce, mais l'entrée du parking de la zone industrielle. David positionné au portail aperçoit juste un camion 38 tonnes indiquant Transport International, manœuvrer pour rentrer, il ne comprend pas l'annonce de Paulo, cherche à se faire préciser :

— Qui ça ? Où ?

Chose rare, Paulo est tout excité.

— Trois mecs dans un Porsche Cayenne.

— Mais où, putain, où ? hurle David qui ne voit toujours rien.

— Derrière le gros cube Transport International. Ils sont au moins trois à bord. C'est le Porsche Cayenne de Zerkaoui. Celui qu'on a filoché à L'Équinoxe.

Midlak reprend la main.

— OK, on se calme. Personne ne bouge. Chacun sa place.

Le tracteur du camion vient de franchir le portail de l'entrée, la remorque suit. David annonce :

— C'est bon, je l'ai en visuel. Porsche Cayenne gris immatriculé...

Il n'a pas le temps de terminer, son ton change de voix et de rythme.

— ... Putain, ils enfilent des cagoules. Je confirme : trois individus à bord. Avec des armes aussi.

Le rythme cardiaque de tous s'accélère. Et Poisson qui est toujours devant la devanture du magasin Tout Frais ! Le commissaire tente de le contacter.

— Poisson, tu lâches tout. Tu files à ta caisse.

Mais Mérou ne bouge pas. Au contraire, il se penche, cherche à voir à travers le rideau métallique. Midlak crie dans le combiné :

— Tu dégages, Mérou. Retourne à ta caisse !

Le policier ne bouge toujours pas. Midlak réalise :

— Merde, il a pas pris sa radio.

Le 38 tonnes est engagé dans l'axe principal. Il poursuit son itinéraire, jusqu'au dernier parking, celui où la voiture de Poisson est stationnée devant le quai de chargement. Le chauffeur du poids lourd commence à pester. Et tout en finissant sa route, pour prévenir de son arrivée, actionne des coups de Klaxon.

L'action est simultanée. Poisson se retrouve pris au piège. À sa droite, le 38 tonnes s'impatiente et klaxonne encore plus fort. À sa gauche, Serge Rajin, aux bruits faits par le camion, sort par l'issue de secours du Tout Frais, déshabille du regard Mérou, et lui demande ce qu'il cherche. En face le Porsche Cayenne se stationne à un mètre, capot à l'avant.

Comme des lapins pris dans des phares, Rajin et Poisson regardent, étonnés et apeurés, les trois hommes sortir du Porsche Cayenne cagoulés et armés. Moment de flottement.

Et de panique pour les flics, en planque dans leurs bagnoles. David s'impatiente.

— Stan, Stan... Faut bouger, merde !

Midlak analyse la situation comme il peut. Déjà ramener du monde. À la radio il demande à Paulo de se positionner avec sa moto le plus près possible du commerce. Il envisage de contacter les policiers de la sécurité publique, mais n'en a pas le temps. Tout s'enchaîne.

Le chauffeur du camion, une sorte de champion du monde de catch catégorie poids lourd, aussi immense qu'imposant, aussi tatoué que hâbleur, en a marre de klaxonner. Il n'a pas encore vu la scène se déroulant sur sa gauche, à moins de soixante-dix mètres. Il descend de son camion, s'approche de la voiture de Poisson et d'une voix de stentor lance à la cantonade :

— Elle est à qui, c'te bouse ?

Les six hommes devant le magasin tournent leur regard vers lui. Mais personne ne lui répond. Pris par cette voiture qui l'emmerde, le catcheur-chauffeur ne voit qu'elle. Il se penche à l'intérieur, côté passager avant, et voit un gyrophare posé sur le siège. Il remonte son regard et voit l'indication Police sur le pare-soleil. Il continue de hurler :

— Ils sont où, les poulets ? Ils viennent l'enlever leur tire ou merde ?

La peur se lit dans les yeux de Mérou. Il s'est retourné et voit les quatre hommes cagoulés et Rajin. Ils ont tous fait le lien entre lui et la voiture de police banalisée qui gêne le transporteur. Ils ont remonté leurs armes dans sa direction et le menacent. Un des trois encagoulés vise aussi de son Smith et Wesson Rajin. Qui reconnaît aussi bien l'arme que la voix qui s'adresse à lui. Son ancien compagnon de cellule Rachid Zerkaoui.

— Alors comme ça, t'as convié les poulets à notre rendez-vous, Sergio ?

Mérou tente une sortie.

— Non, non personne m'a invité. Je connais pas monsieur. Je venais juste chercher des fruits et légumes...

Sous la cagoule, Mérou croit deviner le sourire sarcastique du boxeur braqueur. Mais il se trompe, l'homme commence surtout à s'agacer. Sans autre forme de discussion, il le frappe avec la crosse de son arme :

— Toi, le keuf, ta gueule.

Mérou sous l'impact du coup titube, flageole et tombe sur lui-même. Dans un réflexe, Rajin le retient. Et beugle en direction de Zerkaoui :

— Mais t'es dingue. Je le connais pas, ce type. Je sais pas ce qu'il vient foutre là.

Zerkaoui est très énervé. Il ne laisse pas son ancien compagnon de cellule finir sa phrase.

— ... ta gueule, toi aussi. Ils sont là tes amis de Grenoble ?

Rajin secoue ses épaules. Il lui désigne l'entrée du magasin Tout Frais et lui fait signe de transporter Mérou avec lui.

— Il nous servira de couverture !

Dans les voitures des flics, c'est l'effervescence. Midlak a pris sa décision. Il n'est pas question de laisser Poisson entrer dans le commerce et se retrouver pris en otage au milieu des voyous. Ils vont intervenir.

— Tu couvres nos arrières. Tu fermes le portail, si ça tourne mal, dit-il à David.

Midlak le sait, ils ne sont pas nombreux, mais ont l'avantage de la surprise. Il sait qu'en toutes circonstances il peut faire confiance au major Monra, et ne doute pas des capacités de la jeune brigadière-cheffe. Elle a déjà démontré qu'elle avait du caractère et ne se laissait pas intimider. Il sort de sa voiture et se met à courir, arme à la main, en direction du magasin. Il hurle :

— Police, lâchez vos armes !

La réaction n'est pas celle qu'il espérait. Il n'impressionne personne. Au contraire. Les voyous se retournent dans sa direction, voient un homme et une femme courir vers eux, porteurs de brassard fluo. Sans hésiter, ils leur tirent dessus. Stanislas et Valérie se jettent sous des voitures en stationnement. Hésitent à riposter, ils pourraient atteindre Poisson. Zerkaoui, est furieux. Il se tourne vers Rajin.

— Mais t'as appelé toute la bande, enculé ? !

Les voyous ont leur attention fixée vers l'avant, en direction des flics sur lesquels ils viennent de tirer. Zerkaoui charge un de ses hommes de tenir les deux policiers en respect. Fusil d'assaut à la main, ce dernier s'avance en direction des voitures où sont cachés Valérie et Stanislas. Pendant ce temps, le boxeur-braqueur demande à son autre complice de le couvrir pour entrer dans le magasin, avec Rajin et Mérou. Alors que la porte s'ouvre, un coup de feu provenant de la gauche éclate et fauche le malfaiteur qui s'apprêtait à faire feu sur les deux policiers cachés. Paulo n'a pas raté sa cible. Zerkaoui, inquiet, vocifère.

— Abdel, Abdel, ça va ?

Mais personne ne lui répond. Il est fou de rage. Il se tourne vers Mérou. Arme son flingue. Son regard a changé d'intensité.

— Putain, tes potes l'ont buté.

Poisson comprend. Pas d'autre solution. Il saute sur Zerkaoui pour l'empêcher de faire feu. Trop tard. Le coup part et touche Mérou sous le thorax côté gauche. Il s'effondre sur le voyou et dans sa chute l'entraîne au sol. Zerkaoui se démène, pousse le corps du flic, et se relève. Rajin est paniqué.

— Buter un flic, mais t'es complètement dingue, Rachid.

Zerkaoui se relève. À travers la cagoule, ses yeux sont rouges de sang, de haine et de violence. Il fixe Rajin. Sans rien dire, il arme de nouveau son flingue, prend à peine le temps de viser et tire. À cette distance, il ne peut pas rater sa cible. Rajin s'effrondre, touché en pleine tête. Zerkaoui le regarde au sol, va pour prononcer quelque chose, s'abstient, se contente de lui cracher dessus.

Paulo a vu toute la scène, il vise à son tour Zerkaoui. Et l'allume. Le voyou se protège derrière sa voiture. Avec son complice, ils ne sont plus que deux à l'extérieur. Le rapport de force est inversé. Les flics sont trois, sans parler de David, toujours en attente au portail. Stanislas veut reprendre la main.

— Zerkaoui, pose ton arme. T'es fini.

Pour seule réponse, Rachid tire un coup de feu dans sa direction. Il fait signe à son comparse d'assurer ses arrières. Il rampe jusqu'à l'entrée du Tout Frais. Ouvre la porte et pénètre à l'intérieur. Il s'attendait à trouver les trois Grenoblois, mais il ne voit rien, la pièce est vide. Il avance, fait quelques mètres au milieu des cartons de courgettes et de tomates. Quand un coup de feu éclate du fond de la pièce. Un homme lui crie :

— T'avances : t'es mort.

Zerkaoui essaye de parlementer. Mais il n'obtient comme seule réponse qu'une salve de coups de feu. De rage et de colère, il jure. Il avait raison ce matin, quand il a eu ce mauvais pressentiment. Il aurait dû s'écouter. Et ce n'est que le début de la journée.

À l'extérieur, les flics ont entendu les coups de feu. Stanislas fait signe à Paulo de faire le tour et de passer par-derrière voir s'il y a une issue de secours. Le major recule prudemment de sa planque. Et presque agenouillé commence à remonter le dernier entrepôt, pour en faire le tour.

Zerkaoui a compris qu'il était coincé. À l'intérieur du magasin les Grenoblois ne veulent pas le laisser passer, à l'extérieur les flics l'attendent. Mais quitte à choisir, il préfère encore la police. Il ressort du commerce comme il y était entré. Rejoint en rampant son complice. Lui murmure :

— On s'arrache avec la bagnole.

L'homme acquiesce. Attend le signal de son chef. Tous deux retiennent leur respiration. Au top : armes à la main, tirant devant eux, ils montent dans la voiture.

Zerkaoui à la place passager. Les pneus du Porsche Cayenne crissent. Direction la sortie.

Stanislas se lève et hurle dans la radio en direction de David :

— Le portail, ferme le portail !

Le capitaine a anticipé. Il est déjà descendu de voiture et fait glisser le portail sur son rail. Tout fonctionne normalement jusqu'au milieu, où il se bloque. David force, mais n'arrive plus à le faire bouger. Il regarde, comprend. Une pièce en ferraille bloque la glissière en son milieu. Il se précipite et, sans difficulté, parvient à éjecter la pièce. Il se retourne, mais reste figé par la scène qu'il voit. Et qui vient droit sur lui.

Flingue à la main, Stanislas court derrière la voiture des voyous. Un énorme coup de Klaxon l'oblige à se jeter sur le côté. Le camion Transport International le double. Le chauffeur-catcheur a lancé son engin à toute vitesse derrière le Porsche Cayenne. Il le heurte violemment et le propulse d'un bond contre le portail. Et contre David. Qui, pris en sandwich, n'a pas le temps de se dégager.

Stanislas hurle, en boucle, en pleurs, en frisson, en tristesse, en compréhension :

— NOOOOOOON !

Une fois à hauteur de l'accident, il ne voit pas immédiatement son ami, coincé entre la calandre de la voiture et le portail. Du côté passager du Porsche Cayenne, il entend des coups répétés. Zerkaoui, la tête en sang, tente d'ouvrir la portière en la cognant avec ses pieds. Il arrive à s'éjecter, tombe au sol et cherche à prendre la fuite à pied. Son Smith et Wesson à la main. Il n'a pas remarqué Stanislas, à trois mètres derrière lui. Qui lui hurle de s'arrêter. Le boxeur-braqueur stoppe, se retourne de moitié. Tend son revolver en direction du policier, qui lui-même le menace avec son arme. L'instant se fige. Avant que Zerkaoui, dans un sourire cynique, toise le commissaire :

— T'auras pas les couilles, poulet.

Un soupçon de geste, un début de mouvement, un cil qui bouge, un œil qui se ferme, Stanislas sait que l'homme va tirer. Un râle provient du portail. Le policier croit reconnaître la voix de David. Il est vivant, pense-t-il. Court instant de distraction. Zerkaoui part en courant et tire en arrière, dans la direction du flic. Par réflexe Stanislas riposte, et atteint l'homme. Qui s'écroule. Face contre terre.

Le commissaire reste bras ballants, planté en plein milieu de la route, regardant sans y croire la scène improbable devant lui. Le 38 tonnes, tracteur enfoncé dans l'arrière du Porsche Cayenne, lui-même incrusté dans le portail. Et dans David. Zerkaoui, complétant ce tableau macabre, allongé au sol à quelques mètres de lui, tête vers la sortie. Qui ne bouge plus. Et de l'autre côté du camion, le chauffeur-catcheur qui se lamente de sa voix de stentor.

— Merde, merde, merde, mais pourquoi, il était devant le portail ? Pourquoi ? Je pouvais pas le voir, moi !

Les coups de feu ont alerté le voisinage. Les sirènes des flics de Police Secours et ceux des pompiers se font entendre. Paulo n'a pas eu le temps d'aller derrière les entrepôts. Dès qu'il a entendu les bruits de moteur et de ferrailles, il a fait demi-tour et est retourné sur le devant de la ZI des Mingues. Et a assisté à toute la fin de la scène. Il se précipite vers Stanislas. Le secoue.

— Et David, merde...

Mais le commissaire ne peut pas bouger. Il le sait, l'a compris. C'est fini. Ils ne pourront plus rien faire pour David. Il tombe à genoux, sonné, inconscient, ailleurs. Tout ça, pour ça? Pourquoi? Les bruits de sirène cessent. Tout le monde s'agite autour de lui. Des cris, des pleurs. Des ordres fusent. Des hommes en bleu, en rouge, le questionnent, l'interrogent. Il est blessé? Il a mal quelque part? Qu'est-ce qui s'est passé? Il ne sait pas. Ne sait plus. C'est le vide dans sa tête. Si ce n'est une image en boucle, celle de son ami, qui regarde, l'air étonné, un Porsche Cayenne foncer sur lui, poussé par un 38 tonnes. Quelqu'un lui retire son arme. Il ne s'en offusque même pas. Une autre personne lui pose une couverture sur les épaules. Il se laisse faire. N'y prête pas attention. Une autre image lui vient, celle de Poisson déambulant devant le magasin Tout Frais. Il se lève d'un coup.

— Et Mérou. Comment il va, Mérou?

On veut l'empêcher de bouger. Mais il s'en fout. Personne ne pourrait l'arrêter. Il veut juste voir son collègue, savoir comment il va. Un pompier l'accompagne. Il se dirige devant le magasin de fruits et légumes. Le Samu s'active autour d'un corps. Il reconnaît les fringues de Poisson. Des branchements sont faits. Valérie lui tient la main. Quand elle voit arriver Stanislas, elle tourne la tête vers lui. Il s'agenouille à côté d'elle. Une larme qui coule, une voix très faible.

— Il va s'en sortir. Hein, commissaire. Il va s'en sortir ?

Comme pour lui donner raison, la pression de la main qu'elle tient se fait plus ferme. Sous une larme, Valérie esquisse un sourire.

À peine rassuré, Stanislas Midlak se relève. Une main se pose sur son épaule l'obligeant à se tourner pour voir à qui elle appartient. Un homme, la cinquantaine, grand, sec, porteur d'un costume gris, chemise blanche, cravate noire, visage anguleux, lui demande :

— Commissaire Midlak ?

Juste à ce moment, Stanislas hésite. Très envie de tout envoyer chier, de répondre par la négative : *Non, non, vous vous trompez, je ne suis pas Midlak. Policier, moi, vous plaisantez. Pour quoi faire ? Voir son ami, son pote, mourir sous les roues d'un 4x4 conduit par des enfoirés ? Certainement pas. Ni flic, ni soumis. Rien, je ne suis rien, je vous dis, ni personne. Je me demande même ce que je fais là. Une erreur de casting. La mauvaise place au mauvais moment.*

Mais il sent que cette réponse ne serait pas la bonne, pas maintenant. L'homme qu'il a en face de lui ne semble pas habité par le sens de l'humour. Ni par celui de la dérision. Stanislas l'observe mieux. Il ne paraît pas habité du tout. Il commence à comprendre qui il pourrait être. Alors, il se contente d'acquiescer de la tête. Désignant la zone industrielle des Mingues, remplie de camions de pompiers, du Samu, de personnes à terre, l'homme poursuit :

— Vous êtes le responsable de tout ce merdier ?

Encore une fois, Stanislas hésite. Il s'en veut parfois de ses pudeurs éducatives. Ses restrictions d'émotion, ses ralentisseurs de vérité. Il l'enverrait bien chier, l'homme à tête de fion qu'il a devant lui et qui, sans rien connaître de toute la situation qui vient de se dérouler, conclut qu'il s'agit d'un merdier. Encore une fois, il se retient, à deux doigts d'exploser, sous tension, il rétorque :

— Et vous, vous êtes qui ? Victor le nettoyeur ?

L'homme se drape dans sa dignité, dont il semble avoir une très haute notion. Il fouille dans son portefeuille, tend une carte professionnelle à Stanislas Midlak. Et dans un sourire, dont Stanislas ne sait pas s'il s'agit d'une réaction à sa comparaison cinématographique ou d'une réaction à l'énoncé de sa fonction, qu'il s'empresse de préciser en même temps que Stan découvre sa carte :

— Commissaire divisionnaire Christian Didierini, je suis le chef de l'IGPN.

L'homme a insisté sur les initiales de l'acronyme. Stanislas le dévisage. Il aurait là encore bien tenté la repartie qu'il préfère lorsqu'une personne lui énonce un titre dont il s'enorgueillit : « Personne n'est parfait... », mais dans un sursaut de lucidité il se contente de lui rendre sa carte, qu'il ne fait pas complètement exprès de laisser tomber, et, pendant que l'homme se baisse pour la ramasser, lui dit :

— Le chef des bœuf-carottes, quoi ?... Eh ben, putain, vous avez pas mis longtemps.

— Dès que le parquet a été avisé d'un flingage entre des policiers et des voyous, il nous a mis en alerte.

— Et dès que le procureur Louis-Denis Pernaudet a su que c'était la PJ qui avait flingué, il vous a demandé de foncer.

Didierini acquiesce.

— En même temps, plusieurs cadavres, des tirs mortels, un accident de voiture... rien d'anormal à ça.

Le commissaire divisionnaire de l'IGPN prend son temps. Il regarde Stanislas Midlak droit dans les yeux, qui ne baisse pas son regard :

— Écoute, collègue, je ne suis pas là pour t'emmerder. Juste pour faire la lumière sur ce qui vient de se passer.

Stanislas est surpris par ce changement de ton et le tutoiement utilisé, mais après tout, pourquoi pas. C'est aussi une tradition de la police de se tutoyer, quand on est du même grade. Il écarte ses bras :

— OK, très bien. Qu'est-ce que tu veux savoir ?

— T'inquiète, on aura le temps d'en parler.

— Comment ça, le temps ?

— L'un des braqueurs est mort, fauché par un tir mortel.

— Oui, Zerkaoui, le chef de leur bande.

— C'est toi qui l'as abattu ?!

Stanislas va pour répondre spontanément. L'emploi du verbe abattre lui met la puce à l'oreille. En vieux routier de la PJ, il se méfie. D'autant qu'il connaît toutes les techniques d'interrogatoire. Il les a quand même utilisées suffisamment longtemps. Et passer aussi rapidement du vouvoiement au tutoiement pour mettre en confiance, en s'appuyant sur une tradition coutumière policière, n'est pas forcément signe d'une très grande bienveillance.

— Je ne l'ai pas abattu, j'ai riposté à son tir.

— En le touchant plein dos ?

Midlak ne s'est pas trompé. Didierini veut peut-être faire toute la lumière, mais part quand même sur un constat sombre. Stanislas pressent que, s'il peut l'enfoncer, le chef des bœuf-carottes n'hésitera pas.

— Il tirait dans ma direction en s'enfuyant dans l'autre. J'étais en légitime défense.

Le flic des bœuf-carottes hoche la tête, d'un air dubitatif, très circonspect.

— C'est ce que l'enquête établira... ou pas !

Il prend son temps, avant d'ajouter.

— ... et en attendant, tu comprendras que je suis dans l'obligation de te placer en garde à vue... pour homicide volontaire.

Le commissaire divisionnaire Christian Didierini enferme Midlak dans sa geôle, et Stanislas sent les grilles se refermer derrière lui. David mort et lui en cellule, Stanislas sent que plus rien ne sera comme avant. Enfermé et seul, il peut enfin chialer en toute liberté.

62

Quand la douleur est ailleurs, la garde à vue n'est rien. Dans sa cellule, celle de Stanislas est violente. Il essaye comme il peut de se raisonner. De ne pas sombrer. Il ironise, l'enfermement reste le meilleur moyen de passer des heures en silence avec soi-même. Un excellent moyen de rentrer en réflexion, de faire un bilan personnel. Même si les flics qui l'interrogent viennent casser cette monotonie spirituelle. Le côté obligé ajouterait presque un peu de saveur. Pas la peine d'essayer de s'échapper avec Internet, les réseaux sociaux ou le téléphone portable. La réalité de la cellule rattrape toujours le prisonnier et le force à faire le point. Et celui que fait le commissaire Stanislas Midlak pendant ces quarante-huit heures d'enfermement n'est pas à la hauteur de ce qu'il pensait de sa vie. Familiale ou professionnelle.

La suite est plus compliquée à gérer. À commencer par la douleur de la famille de David et la tristesse des flics de la PJ d'avoir perdu un collègue, un ami, un frère.

Sans parler de sa mise en examen pour homicide volontaire. Fortement médiatisée. Ses explications n'ont pas convaincu les policiers des bœuf-carottes, ni même la juge d'instruction chargée d'instruire ce dossier. Qui n'a pas hésité à décider d'un contrôle judiciaire avec interdiction d'exercer sa profession. Le temps de faire toute la lumière sur les circonstances de la mort de Zerkaoui. Mais aussi de celle de David, comme de celle des autres voyous.

D'autant que l'intervention de la police judiciaire à la zone industrielle des Mingues a laissé des traces. Et que la presse ne laisse pas sous silence une telle opération. Les unes sont variées : « Un fiasco policier », « La zone de la bavure », « La légitime défense en cause ». « Une opération catastrophique », « La PJ à l'index ». Tout y passe. Son nom est cité, son placement en garde à vue aussi, sa mise en examen également. Certains articles relatent sa carrière sous forme de panégyrique, d'autres sont plus circonspects.

Quand il sort du cabinet de la juge, Stanislas découvre ce déferlement médiatique. Il n'en est pas plus étonné que ça. Des années qu'en tant que flic il fraye avec les journalistes. Il en apprécie certains, en déteste d'autres. Mais il connaît les règles du jeu. Et malgré sa douleur d'avoir perdu David, il considère comme normal que la presse s'intéresse à des faits déroulés sur la voie publique ayant suscité une forte émotion.

Après ses heures d'enfermement il vient de rebrancher son téléphone portable. Le premier appel qu'il reçoit est celui de son directeur, Gilles Trouvé.

Ce dernier lui apporte son soutien, lui demande de ses nouvelles et précise avoir pris en charge les obsèques de David, avant de lui préciser :

— On va tout faire pour sauver tes miches là-dessus, Stanislas. Pour nous tout est clean. On fait le max auprès du proc.

— Merci, Gilles.

Gilles se racle la gorge.

— Je te préviens, tu vas pas aimer la deuxième couche.

Midlak ne comprend pas. Mais de quoi parle son chef ?

— Me Dutourd, tu connais ?

Nom banal, avec un titre d'avocat ou notaire de province, qui dans l'immédiat ne dit rien à Stanislas :

— Frédéric Dutourd, c'est l'avocat de Marc Kavedjian, dans l'affaire Sainte-Jeanne.

— Ah oui, ça me revient.

Trouvé prend un peu de temps, cherche ses mots. Stanislas comprend qu'il n'est pas à l'aise. Ce n'est pas son genre. Il s'inquiète.

— Vas-y, Gilles, balance. Qu'est-ce qu'il se passe ?

Trouvé cherche le meilleur angle d'attaque.

— Puisque tu viens d'avoir les honneurs de la presse, locale et nationale, je pense que Dutourd cherche à profiter de ta notoriété soudaine.

— Je m'en serais bien passé. Et alors ?

— Il a convoqué France 3, l'AFP et tout le toutim, et vient de donner une conférence de presse sur l'affaire Sainte-Jeanne. Il annonce qu'il dépose plainte contre toi pour corruption et trafic d'influence.

Stanislas hésite. Entre stupeur et moquerie. Dans l'immédiat, il ne mesure pas les enjeux de cette plainte, même s'il en comprend pourtant assez vite les tenants et aboutissants. Alors il choisit la deuxième option : il se marre d'un rire narquois. L'avocat tente le coup de l'arroseur arrosé. Pas mal, mais tellement ridicule. Et puis petit, tellement petit. Bien à la hauteur de l'homme qu'il défend. Choisir le moment où son nom est cité dans la presse, dans une affaire qui n'a rien à voir, pour faire de la publicité sur son dos ne relève pas d'une réalité juridique mais bien d'une question d'opportunité. Pas vraiment d'élégance. En même temps, il le sait, cette affaire Sainte-Jeanne, il ne s'agit pas d'un dossier normal. Pas certain que dans un dossier de banditisme classique les voyous mis en cause utilisent de telles méthodes. À défaut d'élégance, eux ont parfois peur du ridicule.

Corruption et trafic d'influence, les mêmes termes que ceux utilisés pour la mise en examen de son client. Une façon de faire croire au grand public que le flic est pire que celui qu'il a arrêté.

— Bon d'accord, corruption et trafic d'influence. Rien d'autre ?

— Non.

Il tente encore de rire jaune.

— C'est déjà ça ! Et dis-moi tout : qui m'aurait corrompu ?

La réponse qui suit laisse pantois Stanislas.

— Sorène Véri. Ta compagne.

Les bras lui en tombent. Il ne l'avait pas vue venir, celle-ci. Depuis qu'il est séparé de Cécile, il s'est installé chez Sorène. Elle est où, la corruption ou le trafic d'influence ? Il pose la question à Trouvé :

— Selon lui, elle aurait pu influencer ton enquête, t'aurait guidé dans les choix des interpellés.

— Mais c'est du foutage de gueule, de l'enfumage juridique. Comment Sorène aurait pu être au courant des saloperies faites par les uns et les autres ? Le directeur de l'urbanisme, Kayser, ou même le maire ? C'est du grand n'importe quoi.

Trouvé essaye de le calmer.

— Personne n'est dupe, Stanislas. Mais on est dans un dossier politique. Ils tentent le tout pour le tout. Et comme vous les avez bien encristés dans ce dossier, à la première échappatoire possible, ils foncent. Dénigrez, dénigrez, il en restera toujours quelque chose... Et comme l'opération à la zone industrielle des Mingues a merdé, ton nom est sorti du chapeau, ils en profitent.

Gilles prend un peu de temps avant d'ajouter :

— Stan. Pas de connerie, hein ?

Cette phrase rappelle à Midlak celle qu'il a dite, lui aussi, il n'y a pas si longtemps, à un homme qui venait de sortir de garde à vue. Même s'il répond à son chef que « bien sûr que non », il s'interroge : pourrait-il être tenté lui aussi par un geste final, définitif ? En apparence tout est clair, mais à l'intérieur, il en est où vraiment ? Un divorce, un ami mort au cours d'une intervention policière, une mise en examen, une suspension d'activité professionnelle, et maintenant une plainte médiatique pour corruption et trafic d'influence. Pourrait-il être touché par la tentation du suicide? Se poser la question, n'est-ce pas déjà apporter une réponse?

Dès qu'elle a appris sa sortie du cabinet du juge d'Instruction, Sorène s'est précipitée. Mais Stanislas n'est plus devant le palais de justice. Elle l'appelle, paniquée, inquiète.

— T'es où?

Lui-même ne sait pas. Il marche depuis l'appel de Gilles Trouvé. Hagard, perdu. Il regarde les monuments, les noms des rues, lui décrit une place. Elle le retrouve errant en pleine rue. Visage creusé, mal rasé, joues humides, yeux inexpressifs. Il lui explique qu'il l'attendait, mais ne voulait pas rester au pied du palais de justice. Il a préféré humer l'air de la ville, sentir la liberté, profiter de ne plus avoir quatre murs autour de lui, et surtout il voulait ne plus rien entendre, ne plus rien lire, il avait eu son lot de mauvaises nouvelles. Il était à saturation. Pas très envie non plus de donner du crédit aux photos des journalistes.

Elle se jette dans ses bras. L'embrasse. Lui murmure :

— J'ai eu si peur.

Stanislas la regarde, toujours aussi belle. Il prend sa tête entre ses mains :

— T'es au courant?

Elle secoue les épaules. Bien sûr qu'elle l'est. Son téléphone n'a pas cessé de sonner après la conférence de presse de Me Dutourd.

— T'en penses quoi?

Elle n'hésite pas. Directe comme toujours.

— À l'image de Marc Kavedjian. Il n'assume rien. C'est sa seule politique : se défausser tout le temps. Le courage d'une mouette et la stratégie du crabe. Un sans-couilles qui marche de travers, toujours de travers.

L'expression fait sourire Stanislas. Sorène, visage grave, poursuit :

— C'est pour toi que je m'inquiète. Qu'est-ce qui va se passer maintenant ?

Stanislas lève les bras au ciel, les laisse retomber le long de son corps. Il n'en sait rien. Il faut que l'enquête suive son cours. Aussi bien celle concernant les circonstances de la mort de Zerkaoui que celle pour laquelle l'avocat de la mouette vient de déposer plainte. Et attendre, toujours attendre.

— La bonne nouvelle, c'est que je vais avoir du temps libre.

Sorène lui sourit. Le prend par la main, le force à monter dans sa voiture et le ramène chez elle. Pendant tout le trajet, il ne dit rien. Toujours perdu dans ses pensées. Elle respecte ce silence. Ne cherche pas à le briser.

À peine arrivé, sa curiosité de flic reprend le dessus. Sans attendre, il allume son ordinateur, trouve France 3 régional, regarde en Replay l'interview de Me Frédéric Dutourd. C'est bizarre, il ne l'avait pas imaginé comme ça, l'avocat. Il ne sait pas trop à quoi il s'attendait. Mais pas à ce qu'il voit à l'image. Peu importe. L'essentiel est dans le texte, son messager a finalement peu d'importance. Et celui qu'il entend le rend dingue.

— ... Je viens d'apprendre que le commissaire Stanislas Midlak mis en cause dans le carnage de la zone industrielle des Mingues...

L'avocat sait faire des effets de manche, c'est son métier. Il prend son temps, s'assure de l'écoute des tous, a l'infâme délicatesse de préciser :

— ... mais ça n'a rien à voir...

Il reprend sa respiration avant de poursuivre :

— ... a eu, aurait eu ou a une relation inappropriée avec un témoin capital de l'affaire.

Il insiste sur « capital », et enchaîne :

— Mlle Sorène Véri, par ailleurs ancienne compagne du directeur de cabinet de Sainte-Jeanne.

Il s'assure que tous les journalistes ont bien pris note de ces détails patronymiques croustillants et continue :

— Vous comprendrez que je ne peux pas laisser passer sous silence une telle information, qui change l'orientation de ce dossier, on peut légitimement se demander comment cette enquête...

De rage, Stanislas éteint son ordinateur.

— Tête de bite !

Ça lui a échappé, mais il ne s'en veut même pas. Au diable, l'avarice des insultes, la pudeur des retenues, la gentillesse des propos. Il regarde Sorène, elle est effondrée.

— Je suis désolé. Je ne voulais pas.

Il la prend dans ses bras. La rassure comme il peut. Tente de minorer.

— Ce n'est pas grave...

Il fait la moue.

— ... Enfin pas trop...

Sorène se lamente :

— Si j'avais su qu'ils tenteraient même de gâcher ça...

Stanislas hoche la tête. Le capitaine Lavoisière, de la brigade financière, l'avait bien mis en garde au début de ce dossier. Il aurait dû se méfier. Ils sont capables de tout. Écraser les uns, dénigrer les autres, piétiner tout le monde. Le ridicule ne leur fait pas peur. Même les morts ne les dérangent pas pour tenter de sauver le peu qu'il leur reste.

63

Stanislas ne dort pas. Trois mois déjà qu'il est sorti de garde à vue, mis en examen et sans profession. Sa relation avec Sorène s'en ressent. Rien à voir avec la plainte déposée contre lui pour sa relation dénoncée avec elle. Juste un trop-plein de tout qui l'empêche de se consacrer à ce qu'ils vivent. Elle l'a bien compris. Tente bien de le retenir. Mais comment retenir un homme enfermé avec ses morts, ses doutes et ses interrogations ?

Depuis peu, Patrick Periti, l'opposant enfin élu et bien installé dans le nouveau fauteuil de maire de Sainte-Jeanne, a accordé une longue interview au journal local. Une façon de sortir de l'anonymat qui était le sien et de donner son avis sur l'enquête approfondie qui vient de secouer sa commune, lui ayant permis quand même d'atteindre le Graal suprême. À son tour, il s'est autorisé à critiquer le commissaire Midlak sur sa relation avec l'ancienne concubine du directeur de cabinet. Se disant extrêmement préoccupé de voir comment les hauts fonctionnaires de l'État ayant en charge des dossiers délicats peuvent se comporter.

Midlak n'a pas lu le reste du reportage. Il a mis en boule le journal et l'a brûlé dans la cheminée.

D'autant qu'il a encore ses entrées à la mairie. Et qu'il lui est rapporté comment, depuis qu'il est à la tête de la commune, Periti se tient. Il semblerait que la suffisance soit encore très en cours à Sainte-Jeanne. Une forme de mode intemporelle qui se transmet de premier édile à premier édile. Ainsi que les passe-droits. Sa femme Thérèse, ni élue, ni employée, occupe plus souvent le fauteuil de maire au premier étage de la mairie que lui. Elle a déjà pris une décision d'importance. Débarrasser du bureau *La Femme*, du sculpteur Devinsky. Il ne faudrait pas que la représentation sculpturale de cette perfection féminine vienne troubler les sages décisions qui doivent être prises à cet endroit.

Le lendemain à 10 heures a lieu le premier interrogatoire de Midlak sur le fond avec la juge d'instruction chargé d'instruire le dossier d'homicide de Zerkaoui. Cette convocation comme la lecture de l'interview de Periti l'empêchent donc, une fois encore, de dormir. Il sort et marche dans les rues de Bayonne. La tête en l'air, vide. En tout cas il essaye. Marcher pour oublier. Tout. Pour ne plus pleurer, il s'efforce de chantonner, comme lorsqu'il faisait son service militaire et qu'il marchait pendant des heures, sans en comprendre le sens.

Une technique comme une autre pour oublier la douleur, les ampoules aux pieds, les courbatures des reins, les raideurs des cuisses. Pour oublier l'instant et se projeter sur l'après. Il se souvient de cette époque, encore insouciante, où la seule souffrance était physique. Il a appris par la suite qu'elle était parfois pire quand elle était psychologique. Ce n'est pas le coup qui fait mal, c'est l'attente du coup. Il sait aussi désormais que ce sont les conséquences du coup. Et ceux qu'il a reçus depuis trois mois lui font un mal de chien. À en chialer toutes les larmes de son corps. À en perdre le sens de son action.

Un monde qui s'écroule.

Il ne chante plus les âneries de ses années adolescentes : « Un kilomètre à pied, ça use, ça use, un kilomètre à pied, ça use les souliers », son panel s'est étoffé en même temps qu'il vieillissait. Aujourd'hui, il chante Renaud. Une vieille chanson. Au titre évocateur : « J'ai cent ans » :

J'ai cent ans et je suis bien content
Je suis assis sur un banc
Et je regarde les contemporains
C'est dire si je contemple rien
J'file des coups de canne aux passants
[...]
J'ai plus d'amour, plus d'plaisir
Plus de haine, plus d'désirs
Plus rien
Mais j'suis comme le platane
Un peu d'pluie, je suis en vie, ça m' suffit
J'suis bien
[...]
J'ai cent ans et j'suis bien content
J'ai encore mal aux dents
Mais la souffrance c'est très rassurant,
Ça n'arrive qu'aux vivants...

Il s'arrête. Il sait pourquoi il chante cette chanson dont l'air et les paroles lui sont revenus presque inconsciemment, dès qu'il est sorti dehors pour pleurer. Et qu'il avait envie de vomir sur tout. Et tout le monde. Il répète à l'envi : « La souffrance, c'est très rassurant, ça n'arrive qu'aux vivants. » La vie, il veut encore la bouffer. Il la sent qui circule en lui, des ongles de ses pieds à la pointe de ses cheveux. Il n'est pas encore mort. Toujours debout.

Alors il respire, fort. À s'en éclater les poumons. C'est d'ailleurs pour ça qu'il est sorti prendre l'air. Besoin d'oxygène. De ne penser à rien. Sinon à de vieilles chansons, au double effet kiss-cool. Premièrement : penser à autre chose, deuxièmement : entretenir l'étincelle de l'espérance.

Il sèche ses larmes au rythme de ses pas. Il fait froid. Pas un air glacial, mais celui qui rafraîchit et oblige à conserver les mains dans les poches. Même à Bayonne, la température peut devenir basse. Bien sûr, il a tourné en boucle la question-affirmation de son directeur : Pas de connerie, Stan. Il n'a pas encore trouvé la solution. Il s'est aussi posé la question de tout envoyer bouler. De décider comme il en rêve si souvent de mettre les voiles, de s'évader au bout du monde. Papeete, les Îles-Sous-le-Vent, Bora-Bora, Huahine. Du soleil tout le temps, l'océan à perte de vue. La gentillesse et l'humour légendaire des Polynésiens...Tant qu'ils n'ont pas dépassé un certain taux d'alcool. Chaque médaille a son revers.

Il continue de marcher. Les pas résonnent dans son corps, dans sa tête. Ils le revigorent. Il croise des gens auxquels il fait semblant de s'intéresser. Il ne veut pas tout de suite se déconnecter, il le sait, sa mission n'est pas terminée. Il a encore des comptes à rendre. Et peut-être même à recevoir. Il commence à se sentir prêt pour son interrogatoire du lendemain. Il a encore quelques atouts en main. Les plages et les Vahinés du Pacifique Sud attendront. Il doit encore rester concentré sur la vie. La vraie, celle qui s'écoule le soir dans une ville de province française.

S'il avait été en voiture, il aurait branché la radio. Nostalgie ou Chérie FM, beaucoup plus que NRJ ou Virgin. Envie d'accompagner ses pas d'un air connu. Espérer tomber sur une vieille chanson de Renaud. Ou pourquoi pas de Sardou, années 70-80. Les chansons dégagées, pas celle du chanteur engagé. Voire un air envoûtant, gai et triste à fois, *Le Piano de la plage* de Charles Trenet, version Laurent Voulzy. Il a des goûts de vieux, mais faut pas exagérer non plus.

Marcher et chanter, chanter et marcher, et croiser la vie. Un couple enlacé, des étudiants qui se marrent, un alcoolique anonyme, une voiture de police sérigraphiée. Anonyme aussi. Amer, il sourit. Décidément, il ne s'en sortira jamais. Personne à enlacer, pas envie de se soûler, il ne lui reste que Police Secours.

Il vient de s'en rendre compte, tout toujours le ramène et le ramènera à ce métier. Ça tombe bien, il n'a pas dit son dernier mot de flic.

Quand Stanislas monte dans sa voiture, il a dormi à peine deux heures. Sorène l'a encore trouvé très distant avec elle. Elle s'était pourtant levée pour lui préparer son café et lui souhaiter bon courage.

Une façon de l'accompagner dans ce moment délicat. Il n'y a prêté qu'une attention légère, pris déjà par l'enjeu de l'événement de la journée. Cette attitude la rend triste. Mais elle ne sait pas comment faire pour y remédier. Elle commence à comprendre que, à un moment ou à un autre, il ne donnera pas suite à leur histoire.

Exceptionnellement, Stanislas s'est rasé et a même attaché une cravate. Unie. Pas folklorique, qui pourrait tenter Paulo et ses ciseaux vengeurs. Il sait que le major Monra sera présent à la confrontation à laquelle il se rend dans le bureau de la juge d'instruction. Il a quand même vu toute la scène et est à même de décrire tout ce qui s'est exactement passé. Mais pour l'instant les policiers des bœuf-carottes comme la juge d'instruction ont considéré qu'il était trop proche et lié à son chef de service, le commissaire de police Stanislas Midlak, pour que son témoignage soit considéré comme totalement objectif.

Heureusement, Stanislas et son avocat ont réussi à ce que le chauffeur du 38 tonnes au physique de catcheur ayant poussé avec son camion la voiture des braqueurs, qui a coincé David contre le portail, soit présent à cet acte d'information. Il a fallu qu'ils se battent pour obtenir sa convocation. Mais le policier et son défenseur ont insisté. Même s'il était très choqué par ce qu'il venait de vivre et de commettre, il devrait se souvenir de ce qu'il s'est passé par la suite, et notamment les échanges des coups de feu entre Zerkaoui et Stanislas Midlak. Pour l'instant les bœuf-carottes comme la juge d'instruction se sont contentés de l'entendre sur ce qu'il a vu avant l'accident et sur la façon dont ce dernier s'est produit. Rien sur ce qui a immédiatement suivi. Oubli volontaire ou acte manqué, Stanislas et son avocat veulent remédier à ce manquement.

Il est encore en train de ruminer tout ça quand, en quittant sa place de stationnement, la porte passager avant s'ouvre et un homme s'installe à ses côtés, sans gêne. Mais avec difficulté. L'individu mesure plus d'un mètre quatre-vingt-dix et doit peser dans les cent quinze kilos, pas facile de se glisser dans la voiture du policier.

— Ça va, commissaire? Je te dérange pas?

Jean-Louis Bastide, *alias* Le Grand, tente de prendre ses aises et de glisser ses immenses jambes sous le tableau de bord.

— Putain, ils vous gâtent pas dans la police. Même toi, commissaire, tu roules dans des bagnoles de merde, comme ça?

Stanislas est rassuré. Il a toujours eu un faible pour Le Grand. Il n'est pas là en ennemi. Il réplique :

— La merde, c'est ma bagnole perso. Je te rappelle que je suis suspendu pour l'instant.

Il regarde Bastide, il porte ses longs cheveux en catogan, ce qui fait encore plus ressortir les traits tirés de son visage. Ses yeux sont humides. Stanislas s'interroge. L'alcool, la came, la fatigue ou la tristesse? Il opte pour la dernière solution :

— Avec tout ça, j'ai pas encore eu l'occasion de te le dire; désolé pour ton pote.

Le ton du Grand change. Il hoche la tête, lui répond :

— Désolé pour le tien. Je l'aimais bien, le petit David. C'était un bon flic.

Il esquisse un demi-sourire.

— Flic-voyou : un partout.

Le silence s'installe, tous deux sont perdus dans leurs pensées.

— Vas-y, vas-y, roule. Fais comme si j'étais pas là.

— Avec la place que tu prends, c'est pas gagné.

Le Grand se marre. Il attend quelques secondes avant de continuer :

— Tu vas chez la juge, c'est ça ?

Stanislas acquiesce. Ne demande même pas au Grand comment il a eu la nouvelle, la presse s'en est fait l'écho. Il est plus étonné de savoir comment Bastide a pu savoir où il logeait.

— Tout le monde est au courant de ton histoire avec la gonzesse de Sainte-Jeanne. La plus jolie fille de la mairie, elle a pas été difficile à trouver. Et comme je savais que t'étais convoqué chez la juge ce matin, je suis venu directement en sortant de boîte. Le « Entre-Nous », tu connais ?

Stanislas hoche la tête. Ce nom ne lui dit rien. Jamais entendu parler de cette boîte de nuit à Bayonne. Bastide le reprend :

— Ah, mais non, c'est pas une boîte de nuit. C'est une boîte à culs. Une boîte à partouzes, un club échangiste, si tu préfères. Et elle est pas à Biarritz, elle est dans un petit bled à côté.

Il rigole.

— Forcément pour le côté discret, tu vois le genre, quoi. Tu devrais tenter l'expérience, au moins une fois. C'est vachement bon pour la santé.

Stanislas comprend mieux l'état du Grand. Sexe et alcool toute la nuit, deux bonnes raisons pour avoir de l'humidité dans les yeux. Mais pas certain qu'à l'instant présent le policier ait envie d'entendre le détail des frasques sexuelles de Jean-Louis Bastide. Quand bien même elles auraient le meilleur effet sur sa santé. Il ne répond rien. Se concentre sur sa conduite, tout en se demandant encore pourquoi Bastide est monté dans sa voiture justement ce matin où il a rendez-vous avec la juge d'Instruction. Connaissant le bonhomme, ça ne doit pas être complètement un hasard. Il le laisse venir. D'autant que Bastide ménage ses effets avant de lâcher :

— Et puis surtout, on y fait de belles rencontres. Des gonzesses, mon pote, de l'autre monde. Y en a pour tous les goûts. Des bourgeoises, des salopes, des câlines, des gourmandes...

— Si tu pouvais m'éviter les détails...

— Ben, non, justement, ce sont les détails qui sont rigolos. Y a pas que des gonzesses dans ces boîtes à culs, y a des mecs aussi.

Il glousse, fait le coq :

— Je peux pas toutes les satisfaire à moi tout seul. Alors j'en laisse un peu à la concurrence, tu vois... Tiens par exemple, cette nuit, j'y ai vu en grande forme et en petite tenue le mec qui a donné une interview politique hier dans le journal local. Le hasard, mon pote, le hasard. Sa tronche le matin dans le journal, sa bite le soir dans la boîte. Comment il s'appelle déjà ?

À l'évocation imagée du Grand, Stanislas se marre. Il a déjà compris de qui il s'agit, mais ne veut pas gâcher les effets de Bastide. Il hausse les épaules, comme s'il ne se souvenait pas de l'article qu'il a à peine lu et brûlé la veille.

— Mais si, tu sais bien : le mec qui a tout fait pour renvoyer les autres de la mairie, qui a travaillé main dans la main avec la police, et qui maintenant s'autorise à critiquer les flics.

Même jeu de la part de Midlak. Le Grand continue :

— Et qui après la mise en détention de ses deux prédécesseurs vient de se faire élire maire de Sainte-Jeanne.

Midlak peut enfin se lâcher.

— Patrick Periti... Non, j'y crois pas.

— Periti, c'est ça. Et en grande forme, cette nuit, le Patrick. On voit bien qu'il a l'habitude de niquer les autres...

Midlak fait la moue. Un peu facile, le jeu de mots. Mais tellement vrai. Bien vu de la part de Bastide. Il lui fait quand même la remarque que ce n'est pas un délit que de fréquenter les boîtes à partouzes. Le sexe entre adultes consentants n'est plus puni depuis longtemps. Le Grand secoue les épaules :

— Si j'en avais quelque chose à foutre des délits, ça se saurait !

Stanislas est arrivé au palais de justice. Il se gare. Le Grand n'a pas fini :

— Mais les donneurs de leçons et les hypocrites m'emmerdent ! Après t'en fais ce que tu veux, de cette info. J'en ai rien à foutre. Je suis pas venu pour ça.

Stanislas le regarde. Cette première information est déjà énorme. Il est venu pour quoi alors ?

— Pour Serge, mon pote. Pour Serge. Et pour toi.

Il prend son temps, souffle :

— Mais si ça t'intéresse, j'ai quand même des photos de Periti à l'œuvre cette nuit. C'est pas triste.

Midlak explose de rire. Ça lui fait du bien de voir Le Grand. Il est ce qu'il est, avec ses excès, sa démesure, parfois de l'autre côté de la barrière que lui, mais il est d'une sincérité et d'une amitié sans bornes. Et n'hésite pas à le démontrer.

64

Dans la voiture garée devant le palais de justice, une clé USB a changé de main. Bastide l'a confiée à Midlak. Le policier la fixe, tout étonné. Il ne comprend pas. Jean-Louis lui explique :

— J'étais là. Planqué à quelques mètres. Dans la camionnette de livraison du magasin Tout Frais. Quand Sergio m'a expliqué le plan avec les Grenoblois et Zerkaoui, j'ai senti la patate. Je m'étais promis de ne plus intervenir. Mais je pouvais pas laisser mon pote se démerder tout seul. Il a jamais su faire.

L'humidité envahit de nouveau les yeux de Bastide. L'alcool et le sexe de la nuit passée n'y sont pour rien. Il se souvient :

— Depuis tout petit, il a jamais su faire. J'ai toujours été là pour lui. J'allais pas le laisser tomber sur un coup aussi foireux. Tu sais qu'on se connaissait depuis toujours ? On est né le même jour, dans le même hôpital. Nos mères étaient copines dans le même quartier. On s'est jamais quittés avec Sergio. C'était mon pote, quoi, mon frangin.

Midlak se tait. Hoche la tête, écoute les confidences du Grand.

— Je lui avais rien dit à Sergio. Mais je m'étais dit que, si ça dégénérait avec les uns ou les autres, je pourrais intervenir. J'étais calibré comme un porte-avions. J'avais tout prévu. Tout. J'avais même des grenades. Des quadrillées... Sauf que vous seriez là, les poulets. Dès que je vous ai vus, j'ai compris que je pourrais rien faire. Armé comme je l'étais, à l'endroit où j'étais, je bougeais un petit doigt, j'étais mort. Soit par vous, soit par les salopards qui l'ont buté.

Dans une émotion qu'il a du mal à contenir, Bastide continue de raconter sa journée à la zone industrielle des Mingues. Comment il est arrivé à 6 heures du matin, s'est caché dans la camionnette, a vu successivement rappliquer Serge Rajin, les flics, les Grenoblois.

— À ce propos, ils se sont barrés par l'arrière. Avec la totalité de la merde de Zerkaoui. Ç'a été tout bénéf pour eux, cette virée en terre basque. Mon pote mort, Zerkaoui au tapis, personne pour réclamer sa part, ils se sont arrachés en se servant et sans payer. T'inquiète, je suis dessus; je connais encore du monde dans le Dauphiné. Ils l'emporteront pas au paradis.

Puis il raconte l'arrivée de Mérou devant le magasin. Il a tout de suite senti que c'était un flic, avec son air de ne pas y toucher, ses jambes de pantalon à mi-mollets, son allure à la Bourvil. À cette évocation Midlak sourit. Poisson se remet, il a pu avoir des nouvelles par Isabelle, trop heureuse de pouvoir s'occuper de lui au quotidien. Elle lui a promis que, désormais, il portera des pantalons à sa taille.

— C'est à ce moment que j'ai sorti mon téléphone et que j'ai commencé à filmer.

Bastide lui désigne la clé USB.

— Tu verras, y a tout. Le flingage de Sergio, le Porsche Cayenne qui s'arrache, toi qui cours après. L'accident avec le 38 tonnes, cet enculé de Zerkaoui qui sort, te menace, te tire dessus en s'enfuyant. Avec ça, t'auras pas de difficulté pour établir la légitime défense.

Midlak n'en revient pas. Dévisage, stupéfait, Bastide. Le Grand pense que le flic ne le croit pas. Il insiste :

— Tu peux regarder, si tu veux...

Stanislas secoue sa tête. Non, il ne la regardera pas. Il a toute confiance. Il lui demande juste :

— Pourquoi ?

La réponse est simple. Bastide n'hésite pas :

— La vérité, mon pote. Dans ce monde d'enculés, ça peut pas faire de mal, un peu de vérité.

Dans le cabinet de la juge d'instruction, la clé USB a l'effet escompté. Elle permet aussi au catcheur-camionneur de retrouver la mémoire et de confirmer que Zerkaoui avait bien tiré sur Midlak alors qu'il tentait de s'enfuir dans la direction opposée. La déposition de Paulo est enfin prise dans toute sa considération. Stanislas Midlak voit sa mise en examen immédiatement levée. La juge d'instruction s'étonne bien de l'apparition miracle de cette vidéo, et cherche à savoir comment Midlak se l'est procurée. Il se contente de répondre qu'un fervent défenseur de la vérité a voulu lui témoigner son amitié, en la lui envoyant par la poste. Il n'en sait pas plus et a été le premier ahuri par cette découverte. Qui au demeurant le réjouit et vient corroborer ce qu'il s'évertue à dire depuis le début et pour lequel on ne le croit pas. Enfin, ne le croyait pas.

Seul inconvénient, Paulo ne supporte pas longtemps la cravate de Stanislas. Il lui fait un sort. En garde la partie la plus longue et annonce qu'il l'affichera dans les locaux de l'antenne de la police judiciaire de Bayonne, au beau milieu des autres, avec la mention :

— La cravate de la honte !

Quand il sort du cabinet de la juge et avant même que l'annonce de sa mise en examen levée soit communiquée, Stanislas appelle Patrick Periti. Ça tombe bien, il a les deux numéros le concernant. Sur l'officiel il ne répond pas, alors il le contacte sur l'autre, celui qu'il cachait le soir de leur tournée commune. L'homme est surpris, un peu gêné, même. Il tente bien d'écourter la conversation, en lui faisant savoir que ses hautes fonctions d'élu de la nation ne lui permettent pas de lui consacrer beaucoup de temps. Il se demande même s'il est autorisé à lui parler.

Stanislas le rassure et lui fait savoir qu'il n'est pas atteint par une maladie contagieuse, il veut juste l'avertir que le service central des contraventions lui a transmis la photo radar prise le soir où il roulait trop vite en sa compagnie pour aller faire la tournée nocturne de la commune de Sainte-Jeanne.

— On voit bien que l'homme qui m'accompagne est apeuré, mais on vous reconnaît très bien, monsieur le maire.

Enfin il finit par ajouter qu'à propos de photos il en a de la nuit écoulée prises dans le club échangistes « Entre-Nous », absolument charmantes avec des gros plans, pas toujours du meilleur goût, mais très, alors très, significatives. Il raccroche. S'assoit sur les marches du palais de justice. Paulo l'observe :

— Tu crois que ça va avoir son effet ?

Stanislas réfléchit.

— Dans un premier temps, oui. Mais dans un deuxième, tout le monde aura oublié. Et tout recommencera.

Il ne se trompe pas. Au départ, Thérèse Periti n'apparaît plus en mairie. La statue de Devinsky remonte dans le bureau du maire. Le nom du nouvel édile est gravé sur la plaque des escaliers centraux de la mairie.

Puis le procès de l'affaire Sainte-Jeanne, appelée également affaire Delacour, se déroule et les sanctions tombent.

Dans un deuxième temps, les entrepreneurs reviennent admirer la chronologie marbrée des premiers édiles de la commune, avant de s'enfermer dans le bureau du nouveau maire et de lancer des projets urbains aussi magnifiques qu'utiles pour la commune.

Ainsi va la vie publique dans toute sa réalité.

Épilogue

Stanislas ne s'est pas trompé sur le choix de la corde. Elle est solide. Très. Quand il l'a tendue, elle a hissé sans trembler la toile de son bateau. Une voile de cinquante mètres carrés. Pour son embarcation de douze mètres. Un sloop d'occasion, mais avec une seule traversée de l'Atlantique à son actif. Un rêve de gosse, il se l'est offert. Les circonstances et les désillusions l'ont conduit à choisir cette voie. La réalisation de ses rêves les plus fous.

Il n'a pas hésité longtemps après le procès. Sa décision était prise bien avant. Mais devant les juges, les mis en examen plus honteux que frondeurs, leurs avocats plus râpeux que clairs, la presse plus sensationnelle que sincère, il tenait encore à être en fonctions. Ce n'est pas M. Midlak qui est venu déposer à l'audience, mais bien le commissaire de police Stanislas Midlak.

Toutes leurs saloperies, leurs magouilles, leurs turpitudes et leurs tentatives de déstabilisation n'ont pas eu raison de lui, ni des quelques certitudes qui lui restaient. L'allumage de contre-feux médiatiques pour tenter d'éteindre leurs propres incendies délictuels avait au départ fière allure. Ils ont même eu l'indécent courage de faire semblant d'y croire, avec une science confuse de l'énormité et du n'importe quoi. Mais à trop vouloir se dédouaner, en poussant des cris d'orfraie, sur les prétendues erreurs du directeur d'enquête, ils ont réussi à n'enfumer qu'eux. Au pire, ils ont réussi à s'étouffer. Au mieux, à susciter l'adhésion de quelques lecteurs de blogs minimalistes en mal de sensations.

Bien sûr, ils l'ont sali, l'ont atteint, blessé. La technique est connue : quand on n'arrive pas à faire annuler l'enquête, dernier atout : dénigrer les enquêteurs. « Calomniez, calomniez, il en restera toujours quelque chose. » Il s'est d'ailleurs posé les questions : pour se défendre, un mis en examen peut-il user de tout ? Pour assurer la défense de son client, jusqu'où un avocat peut-il aller ? Il a trouvé les réponses. Pas certain que ce soient celles choisies par ceux que l'enquête effectuée par les flics de la PJ de Bayonne ont envoyés devant le tribunal. C'est pour ça qu'il sait toujours de quel côté de la barrière il sera. Pas le même qu'eux. Leur choix leur appartient. Leur regard devant la glace aussi.

Le plus drôle, pense-t-il, c'est que pendant un moment leurs méthodes l'ont mis dans la même position qu'eux, celle du défenseur acculé médiatiquement. Paradoxe. Il se souvient d'avoir pensé à son tour à jouer les vierges effarouchées. La décence l'a rattrapé à temps. Heureusement. À son âge et avec son expérience professionnelle, il y a des limites qu'il ne saurait franchir. Effarouché, à la limite pourquoi pas, mais vierge? Comme disait l'autre : faut pas prendre les enfants du bon Dieu pour des canards sauvages. Et vice versa. En pensant aux citations d'Audiard, lui revient celle du dialoguiste de génie : « La justice, docteur, c'est comme la Sainte Vierge, si elle n'apparaît pas de temps en temps, le doute s'installe. » Il sourit. Ça tombe bien, en l'espèce, comme disent les juristes érudits, la justice est passée. Et ça ne l'a pas empêché de garder son sens de l'humour. Et de la relativité.

Il tire un peu plus sur la corde. La voile se gonfle. Le voilier prend de la vitesse. Il respire à pleins poumons. Après cette longue nuit de tergiversations dans sa petite cabine de dix mètres carrés où il s'est refait le film cent mille fois, l'air marin lui fait le plus grand bien. Il le sait depuis longtemps, il a pris la bonne décision : se jeter dans l'inconnu d'une traversée maritime. Il le sait depuis le jour où les condamnations sont tombées, fermes, définitives. Tous coupables. Les pourris.

Il sourit. De la fierté d'avoir fait correctement son métier, malgré les rumeurs et autres ragots savamment orchestrés. Et plus il y pense, plus il se réjouit. Toute cette aventure lui aura permis de réaliser ses rêves. Aura-t-il d'ailleurs assez de mots et de temps pour remercier tous ceux qui voulaient sa perte et qui lui ont ouvert la voie de la réflexion. Lui facilitant la prise de décision, celle de quitter son job pour naviguer vers l'inconnu.

En se gonflant, la voile a claqué. La corde n'a pas cédé. Il peut l'appeler la drisse maintenant. Il n'est plus prisonnier de son métier. Il est un marin épris de liberté. Il a jeté sa carte bleu-blanc-rouge dont il était si fier pour prendre la mer, dont il ne connaît pas tous les secrets. Mais aux certitudes policières, il préfère l'inconfort maritime.

Après le procès et le prononcé des condamnations à l'égard de tous les protagonistes, il a écrit sa lettre de démission. Il a pris soin de mentionner qu'à compter de cette date il déposait les armes et sa carte, et cessait de lutter contre les délinquants. Tous. Aussi bien les voleurs à main armée que ceux en col blanc, décorés d'une légion de médailles.

Surtout celles du déshonneur.

Il a mis toutes ses économies dans l'achat de ce voilier.

Un seul objectif, l'île de Huahine, en plein Pacifique Sud. Entre Bora-Bora la touristique et Tahiti, la capitale. Au dernier recensement : une centaine de raies, quelques requins à pointe noire, 1500 habitants dans la petite commune de Faré. Il a été pris d'une envie folle, être le 1501e citoyen de ce village. Puisque personne ne l'accompagne.

La traversée ne sera pas de tout repos. Il s'en doute. Il a regardé de nouveau la corde-drisse de sa voile. A remercié son chef de patrouille et Baden Powell de lui avoir appris tous les nœuds. Il les maîtrise encore trente ans après. Mais, comme disait le fondateur du scoutisme anobli par le roi : « Le bonheur ne vient pas à ceux qui l'attendent assis. » Nobles compris.

Alors il tend encore la drisse. Jette un dernier regard derrière lui. Et se lance dans la traversée.

Adieu, les coupables.

REMERCIEMENTS

Aux flics : de Perpignan à Marseille, de Grenoble à Cayenne, de Cannes à Annecy, avec qui j'ai eu le bonheur et l'honneur de travailler, inépuisable source d'inspiration dans leurs aventures comme dans leurs personnalités. Ne changez rien. Ça vous va très bien.

À ma famille, composée et nombreuse, qui me porte et supporte. Et m'enchante.

À Lindsay et son bungalow 104 des « Mimosas » à Pégomas, havre de paix et d'écriture.

À Olivier et Florence, pour leur hospitalité « beaufortaine » et leur rhum martiniquais. Boire, courir ou écrire, le tout est de bien choisir.

À Pierre, où que tu sois. L'amitié n'a pas de frontières. Demande à Claire et Renaud.

À César et Emmanuel, pour leur soutien et leur défense implacable. Les avocats ne sont pas des « baveux » !

À Dominique, pour son irrésistible énergie et son titre original.

À Olivier et Bruno, monstres sacrés, pour leur amitié et leur immense sincérité. Sans vous, rien n'aurait été possible.

À Marc, auteur et directeur littéraire, ouvert et talentueux.

À Merlin, la vie est devant toi. Si tu en doutes, demande à Domitille, Vladimir, Gautier, Mélisse et Fiona.

À Christelle. Parce que : Elle.

Pour en savoir plus
sur le label Sang Neuf
(catalogue, auteurs, vidéos, actualités...),
vous pouvez consulter notre site Internet
www.sangneuf.fr
et nous suivre sur les réseaux sociaux

 **Sang Neuf**

 **@SangNeuf**

 **@editionsplon**

Imprimé en France par CPI
en février 2018

pour le compte des Éditions Plon
12, Avenue d'Italie 75013 Paris

N° d’impression : 144432
Dépôt légal : février 2018